두날개로 날아오르는
건강한 교회

두날개로 날아오르는
# 건강한 교회
### 개정 증보판

김성곤 지음

두날개로 날아오르는
건강한 교회(개정 증보판)

지은이 | 김성곤

초판 1쇄 | 2001년 10월 20일
개정판 45쇄 | 2007년 12월 30일
개정증보2판 3쇄 | 2012년 10월 23일

펴 낸 곳 | 도서출판 두날개
등록번호 | 제 396-2012-000001호

주    소 | 경기도 고양시 일산동구 호수로 662
편 집 부 | 전화 031-900-8885 팩스 031-900-8015
영 업 부 | 전화 051-809-7666 팩스 051-809-7660
홈페이지 | www.dngbook.com

값 12,000원
ISBN 978-89-90952-54-7

* 독자의 의견을 기다립니다.
  twowingsbook@gmail.com / www.dngbook.com

도서출판 두날개는 하나님이 디자인하신 건강한 교회가 세워지도록
문서선교 사역을 지원하는 출판사입니다.

# 추천사 1

자연적 교회 성장의 이론을 말하는 것과 그 원리들을 실제적으로 적용하고 있는 교회들을 경험하는 일은 차원이 전혀 다른 이야기입니다. 이 책에서는 이러한 모든 것들이 얼마나 생생하게 역사하는지를 오감으로 느낄 수 있습니다.

풍성한교회는 내가 본 자연적 교회 성장의 모델 가운데 가장 아름다운 교회입니다. 흥미로운 사실은 이 교회가 적어도 '한국의 기준'으로 비교해 볼 때 그리 큰 교회는 아니라는 점입니다.

그러나 이 교회는 지금까지 한국 NCD에서 조사한 다른 모든 교회들 가운데 높은 질적 수치를 보여 주었습니다.

오늘날 기독교계의 문제는, 교회가 실제적이고 질적인 부분에서 건강하게 성장하고 있는지의 여부와는 상관없이, 주로 우리 대부분이 '초대형 교회'mega church에 초점을 맞추고 있다는 점입니다.

여기에 높은 질적 특성을 보이며 동시에 성장하고 있는 한 교회가 있습니다. 그리고 이 교회는 지구상의 수많은 교회들과 비슷한 규모입니다. 나는 부산에 있는 풍성한교회의 김성곤 목사님과 그 교회의 동역자 여러분에게 깊은 감사의 말씀을 드리는 바입니다. 그리고 시간과 용기를 내어 자신들의 경험을 책으로 펴낸 데 대해 더욱 아낌없는 찬사를 보냅니다. 이제 그들의 경험과 사역의 풍성한 열매는 다른 많은 교회들에게 축복이 될 것입니다. 나는 이러한 일들이 여러 교회에서도 틀림없이 일어날 것을 확신합니다.

NCD 국제 본부 총재
크리스티안 A. 슈바르츠

20세기 교회의 화두는 '교회 성장'이었습니다. 그러나 21세기 교회의 화두는 '교회 건강'이 되었습니다. 우리는 성경적 교회 성장의 비전을 포기해서는 안 될 것입니다.

그러나 이제 성장을 위한 그것의 역기능을 돌아볼 시점이 되었습니다. 왜냐하면 내일의 한국 교회의 건강을 위한 필요불가결한 작업이기 때문입니다. 바로 이 때에 하나님은 NCD를 통한 교회 건강 진단의 도구를 선물로 주셨습니다. 얼마나 감사한 일인지요! 때가 찬 그분의 선물이라 생각됩니다.

오늘 우리는 더 이상 소위 초대형 교회의 환상에 젖어 있지는 않습니다. 오히려 대교회의 병리 현상에 대해 가슴 아픈 자성의 시간을 지내고 있습니다. 그러나 문제는 건강한 중소 교회의 모델이 많지 않다는 아쉬움도 안고 있습니다.

바로 이때에 하나님은 이 시대를 위해 예비한 한 모델을 준비하셨습니다. 바로 이 교회가 항도 부산에서 태어나 6년이 지난 풍성한교회입니다.

이 책에는 김성곤 목사님과 동역자들의 개척 비전과 성장 과정이 기록되어 있습니다. 저는 이 책을 읽으며 이 책이 신학교에서 개척교회론의 교과서가 되기를 열망했습니다.

『자연적 교회 성장』NCD, 크리스티안 A. 슈바르츠에 의하면 질적 치수가 65점만 되어도 건강한 교회로 평가됩니다. 그런데 이 교회는 평균 93점을 얻은 것으로 평가되었습니다. 좀 더 엄격한 기준을 적용해 두 번째 설문을 한 결과는 처음보다 더 높은 99점을 얻었습니다. 경이적인 놀라운 점수가 아닐 수 없습니다. 가히 그처럼 높은 건강 지수로 세계 교회들 앞에 자랑스러운 교회가 된 것입니다. 이것은 아직도 대부분이 어려움을 겪고 있는 이 땅의 많은 개척 교회들의 희망이 아닐 수 없습니다. 작지만 아름답고 건강한 교회들의 성장이야말로 한국 교회의 새로운 약속의 땅입니다.

저는 풍성한교회의 이야기가 한국 교회의 미래의 이야기가 되리라는 믿음으로 교회 성장과 교회 건강을 깊이 고민하는 이 땅의 모든 동역자들에게 기쁨으로 이 한 권의 책을 추천하고 싶습니다.

지구촌교회 목양실에서
함께 건강한 교회를 꿈꾸는 이동원 목사

한 길을 달려간다는 것이 결코 쉽지 않은 듯합니다. 시간이 지나면 제법 익숙해질 만도 한데 사람을 세우는 일에는 왕도가 없는 것 같습니다. 제자들 앞에 설 때마다 옷깃을 여미게 되는 것은 그들이 제대로 세워져야 하나님이 우리에게 주신 2천2만 세계비전이 이뤄지기 때문입니다.

'두날개로 날아오르는 건강한 교회 컨퍼런스'와 '6단계 집중훈련'을 할 때는 더더욱 그렇습니다. 변화되지 않고 성장하지 않는 목회현장에서 몸부림치는 많은 목회자들의 고뇌와 눈물을 볼 때마다 마음이 아려옵니다. 그들의 고통과 아픔은 곧 이 시대 교회들이 앓고 있는 아픔이기 때문입니다.

하나님께서는 목회 초장기부터 하나님이 디자인하신 성경적인 교회, 건강한 교회를 세워 가는 평신도 사역자에 대한 비전을 저에게 보여 주셨습니다. 그것은 기존의 교회에서 볼 수 있는 수동적인 모습이 아니라 능동적인 사역으로 건강하고 성경적인 교회를 세워가는 황홀한 평신도 사역자에 대한 비전입니다.

그러기에 저는 제 목회의 90% 아니 거의 전부에 가깝도록 사람을 세우는 데 힘을 쏟고 있습니다. 건강한 평신도 사역자를 통해 두날개로 날아오르는 건강한 교회가 세워지기 때문입니다.

이것은 지난 세기 동안 붐을 일으켰던 단순한 제자훈련이 아니라 교회 본질에 대한 질문이며 도전입니다.

컨퍼런스와 집중훈련을 하며 제가 지속적으로 강조하는 것이 있습니다. 다름 아닌 '변화'입니다. 먼저 패러다임이 변화되고 체질이 변화되어야 합니다. 성경적인 교회에 대한 패러다임의 전환과 평신도에 대한 패러다임의 변화가 선행되지 않고는 또 하나의 프로그램을 배우고 적용하는 것에 불과하기 때문입니다.

프로그램으로 사람이 달라지는 것이 아닙니다. 사람의 변화는 가치 변화가 먼저 있어야 합니다. 가치가 달라지면 하나님이 주신 비전에 눈 뜨게 됩니다. 두날개양육시스템은 바로 이러한 가치 변화와 더불어 비전을 이루기 위한 새로운 양육 과정의 시스템을 제시합니다. 그리고 그것을 추진하는 열정적인 영성을 가지도록 훈련하여 확실한 변화와 성장을 가져옵니다.

우리 교회를 두날개로 날아오르는 건강한 교회로 만든 두날개양육시스템을 컨퍼런스를 통해 공개하고, 6단계 집중훈련으로 많은 목회자들과 선교사들을 양육하며, 저는 이 시대를 향한 하나님의 갈급하심을 봅니다. 사역자 한 사람의 변화가 교회와 선교지에 미치는 영향력은 가히 제2의 종교개혁이라 할 만큼 본질적이고 급진적이기 때문입니다.

『다시 쓰는 두날개로 날아오르는 건강한 교회』를 출판하며 저는 막중한 책임을 느낍니다. 이제 이 사역이 비단 우리 교회와 지역에 국한되게 하시는 것이 아니라 조국 교회와 열방을 확장해 가시는 것을 보기 때문입니다. 또한, 사역의 여정을 뒤돌아볼 때 저를 하나님이 디자인하신 성경적인 교회를 세우는 자로 부르셨음을 확신합니다.

그러나 지금 제가 가고 있는 이 길이 넓은 길이라고 생각하지 않습니다. 그저 주님 주신 사명이고 비전이기에 달려가는 것입니다. 부르심을 향해 달려가다 보면 그렇게도 사모하는 주님이 이 길 끝에서 저를 맞아 주실 것입니다. 그것이 바로 저의 영광이며 면류관입니다.

하지만 이제는 결코 외롭지 않습니다. 왜냐하면 두날개로 날아오르는 건강한 교회, 성경적인 교회를 세우고자 몸부림치시는 많은 목회자들이 이제는 그 경주에서 함께 달려가고 있기 때문입니다. 또 이 비전의 여정 가운데 한결같이 힘 주시며 넉넉한 지지대로 동행하시는 하나님이 계시기 때문입니다.

이 땅에 하나님이 디자인하신 성경적인 교회, 두날개로 날아오르는 더 좋고 더 많은 건강한 교회가 세워지기를 간절히 소망하며 오늘도 이 꿈을 이루기 위해 달려갑니다.

2005년 2월에
그리스도의 노예 김성곤 목사

## 개정 증보판을 내며

1994년 풍성한교회를 시작하며 저에게는 꿈이 있었습니다. 그것은 다름아닌 하나님이 디자인하신 교회에 대한 꿈, 두날개로 날아오르는 건강한 교회에 대한 꿈이었습니다.

부산이라는 복음화율이 낮은 척박한 땅에서 그 꿈을 이뤄간다는 것이 결코 쉽지만은 않았습니다. 더구나 매년 수 백개의 교회가 문을 닫으며 기독교인의 수가 감소하고 있다는 보고는 저의 마음을 우울하게 했습니다.

하지만 꿈은, 비전은 저를 그런 부정적인 현실 안에 두지 않았습니다. 기도하게 하고, 달려가게 하고, 연구하게 하고, 현실이 힘들수록 저를 더욱 채찍질했습니다. 비전이 저를 사로잡은 것입니다. 눈을 뜨면 비전을 생각하고 강단에 서면 복음을 외치고 무릎을 꿇으면 이 비전을 위해 기도했습니다.

그러나 과거의 저는 누구보다도 고정관념이 강했던 사람입니다. 전통이 오랜 교회에서 자랐습니다. 그러다보니 시간이 지날수록 영적인 갈급함은 계속 더해만 갔습니다. 하나님은 그런 저를 변화시킬 계획을 세우셨습니다. 그 계획은 하나님의 뜻에 따라 하나하나 구체적으로 드러나기 시작했습니다. 매우 급하고 강력하게 변화되었습니다.

12

하나님은 저를 목회자로 부르셨고, 저에게 전통이 아닌 하나님의 뜻에 따라 세상의 변화에 한발 앞서서 승리하는 길을 보여주셨습니다. 그런 과정 속에서 어려움도 많았고 아픔도 있었고 고독함도 있었지만 많은 열매를 맺게 하셨습니다.

풍성한교회와 두날개양육시스템은 그러한 하나님 인도하심 가운데 얻어진 하나님의 작품입니다.

저는 오랫동안 꿈꾸어 오던 교회의 건강을 경험하면서 이 꿈이 저 하나의 간증으로 머물지 않기를 원하는 마음이 간절합니다. 그래서 컨퍼런스와 6단계 집중훈련 등 여러 모양으로 섬기고 있습니다. 이러한 섬김은 우리 풍성한 가족들의 기쁨이기도 합니다.

꿈이 있는 사람은, 비전이 있는 교회는 결코 뒤로 물러서지 않습니다. 현재의 고난은 앞으로 맞이하게 될 영광과 족히 비교할 수 없기 때문입니다. 꿈이 있는 사람은 미래를 볼 수 있는 통찰력을 가집니다. 그래서 현재의 문제는 걸림돌이 아니라 디딤돌이 되는 것을 알고 믿음으로 오히려 감사하게 생각합니다.

꿈이 없으면 미래는 없습니다. 꿈이 없으면 무기력하고 꿈이 없으면 진보는 없습니다.

주님은 부활하시고 승천하시기 전 제자들에게 꿈을 주셨습니다. '가서 모든 족속으로 제자 삼으라'는 세계정복에 대한 비전이었습니다. 복음으로 세상을 정복하는 꿈을 꾸게 하신 것입니다. 그 꿈이 제자들을 사로잡았기에 그들은 핍박을 이기고 마침내 죽음도 이겨 세상을 뒤엎는 그리스도인이 되었던 것입니다.

저는 특별한 사람이 아닙니다. 풍성한교회 역시 특별한 교회가 아닙니다. 다만 우리는 하나님이 주신 제자비전에 사로잡혀 한 눈 팔지 않고 지금까지 달려왔을 뿐 입니다.

때때로 겪는 어려움도, 낙심도 꿈을 성장시키는 밑거름이었습니다. 이제는 그 꿈을 우리 풍성한교회만 추구하고 있는 것이 아닙니다. 컨퍼런스와 집중훈련을 수료하고 두날개양육시스템을 적용하는 수많은 교회들이 함께 비전을 향해 달려가고 있습니다. 처음 두날개로 날아오르는 건강한 교회 비전의 걸음을 내딛을 때만 해도 혼자였습니다. 그런데 이제는 수많은 동역자들이 한국뿐 아니라 세계 곳곳에서 세워지고 있습니다. 참으로 흐뭇하고 듬직합니다.

꿈을 꾸십시오. 두날개로 날아오르는 건강한 교회, 황홀한 재생산 사역자, 땅 끝까지 가서 복음 전하는 강력한 제자를 꿈꾸십시오.

부디 이 책을 통해 하나님이 디자인하신 성경적인 교회, 두날개로 날아오르는 건강한 교회를 세우는데 구체적인 도움이 되시기를 소원합니다.

2008년 3월에
건강한 교회가 세워지기를 간절히 소망하는
그리스도의 노예 김성곤 목사

# 차례 🦋

추천사       5

들어가는 글       9

개정 증보판을 내며       12

## 1장 프롤로그   19

태풍의 눈 21 | 역사의 전환점에서 24

## 2장 패러다임의 변화   27

세상에서 가장 건강한 교회 29 | 컨퍼런스에서 6단계 집중훈련까지 34 |
건강지수 107점 43 | 건강한 교회를 꿈꾸는 변화된 목회자 44 | 전통 고수
vs 패러다임의 전환 50 | 이제는 프로세스 목회다 54

## 3장 가치 변화, 비전, 영성, 시스템   61

하나님 나라 가치발견 63 | 가치 변화는 어떻게 가능한가 68 | 비전 70 |
우리가 꿈꾸는 것, 2천2만 세계비전 72 | 비전을 이루는 힘, 열정적 영성
74 | 두날개양육시스템 77

**4장** 사역자를 세우는 지도력   85

평신도를 사역자로 세우는 꿈 87 | 확고한 목회 철학과 교회론 91 | 세계 비전제자대학의 탄생 93 | 사역자로 변화된 일꾼들 100 | 전인적치유수양회 105 | 양육반-12주 과정 107 | 세계비전제자대학 커리큘럼 116 | 세상 끝날까지 나무를 심는 마음으로 141


**5장** 전인적인 소그룹   145

셀그룹의 탄생 148 | 왜 셀그룹이어야 하는가 152 | 셀가족 모임과 셀라이프 161 | 하나님의 임재로 들어가기 165 | 셀그룹의 폭발은 셀리더 번식에 있다 166 | 리더반/공동체셀리더모임/디렉터 그룹 167 | 재생산 비전 169 | 로드십이 리더십이다 173 | 셀그룹 인도법 174 | 셀그룹, 또 하나의 소중한 날개 177

수정


**6장** 필요 중심적 전도   179

오픈 셀-열린모임 182 | 열린모임은 소그룹 전도운동이다 184 | 열린모임은 소그룹 기도운동이다 185 | 열린모임은 소그룹 오이코스 전도운동이다 186 | 열린모임은 소그룹 배가번식 운동이다 188 | 열린모임의 목적은 생명을 살리는 것이다 189 | 복음은 성도의 능력이다 191 | 12주 열린모임 197 | 영혼 추수행사로 결실을 199 | 캠퍼스 12주 열린모임 200 | 청소년 9주 열린모임 202 | 정착사역의 주인공, 새가족 섬김이 204 | 새가족 환영팀 208 | 필요를 채우는 특수 전도팀 209


**7장** 영감있는 예배   213

감칠맛 나는 예배 216 | 축제와 문화로서의 예배 219 | 예배를 철저히 기획하라 222 | 최선을 다해 최고의 작품을 228 | 예배를 다양화, 전문화하라 231 | 예배국의 영감 넘치는 사역팀들 233 | 고객 만족, 고객 감동, 고객 졸도 235

**8장** 열정적 영성  237

우리의 취미는 기도다 240 | 중보기도특공대 252 | 열정적 영성을 위한 성
경 읽기 258 | 찬양 속에 거하시는 성령님의 임재 259 | 건강한 교회의 추
진력_열정적 영성 262


**9장** 기능적 조직  267

분명한 비전과 사명 선언문 272 | 풍성한교회의 기능적 조직 274 | 소그
룹 날개, 셀그룹 279 | 높은 전통의 벽을 넘어 282


**10장** 은사 중심적 사역  285

은사 배치 사역 288 | 성령의 은사 291 | 리브스의 동물학교 이야기 292 |
왕 같은 제사장인가 294 | 은사로 이웃을 섬긴다 298 | 사랑으로 봉사하
라 299


**11장** 사랑의 관계  301

서로 사랑하라 303 | 웃음_마음의 회복 305 | 사랑은 행하는 것이다 308
| 녹색 사랑 311 | '사랑 지수'를 평가하라 312 | 사랑의 관계_119점 314
| Happy House, Happy Church 317


**12장** 두날개로 날아오르는 건강한 교회  321

백릿길을 가는 사람의 신발끈 여미기 324

1장 프롤로그

## 태풍의 눈

평신도 제자훈련이 20세기 후반 기독교계를 변화와 개혁의 롤러코스터 속으로 밀어넣은 기독교 역사의 중요한 물결이라고 한다면, 21세기에는 하나님의 임재와 열정이 가득한 영감이 넘치는 예배와 재생산의 능력까지 겸비한 전인적인 소그룹이 결합된 두 날개를 가진 건강한 교회가 최고의 관심사입니다.

그런데 이것은 그동안 유행되어 왔던 교회성장 프로그램과는 본질적으로 다른 성경적인 교회 회복 운동입니다. 하나님이 디자인하신 교회, 사도행전에 나타난 교회의 참 모습을 회복하여 이 시대 마지막 주자로서의 사명을 감당하는 것입니다.

성장부진 혹은 마이너스 성장이라는 높은 벽에 맞닥뜨린 한국 교회에 링거를 달아주는 단순한 목회전략으로 수많은 프로그램이 제시되어 왔지만, 대부분 그 영향력은 오래가지 못했습니다.

그동안의 교회 성장 운동이 좋은 열매보다는 많은 열매 맺기에 관심을 둠으로써 수많은 열매를 맺기 위한 무리한 방법론이 무비판적으로 수용되었기 때문에 그로 인한 많은 그늘과 상처들이 있음도 부인할 수 없습니다.

이러한 현실속에서 출발하게 된 '두날개로 날아오르는 건강한 교회' 운동은 목회자들과 교회 지도자들에게 패러다임의 전환을 요구하고 있습니다. 이것은 교회 성장에서 열매보다는 뿌리에, 양보다는 질에, 성장보다는 건강에 관심을 두어 좋은 열매를 많이 맺자는 성장 본질에 대한 도전입니다. 이는 오랜 세월 전통이라는 명분으로 생명력을 잃어왔던 교회를 향해 미래사회를 대비하는 개혁을 이루도록 강한 펌프질을 시작한 것이라 할 수 있습니다.

사실 교회의 변화와 성장이라는 갈급함에 조국 교회가 무분별하게 서구의 성장 프로그램을 도입하여 많은 시행착오를 겪어왔던 것이 또 하나의 우리 현실입니다. 물론 그러한 시도들이 무익했던 것은 아닙니다.

한국인은 한국인의 체형에 맞는 옷을 입어야 합니다. 세계 최고의 디자이너가 디자인한 유명 브랜드라 해도 우리의 체형과는 분명 다릅니다. 목회의 현장도 마찬가집니다. 서구에서 성공한 성장 프로그램이 우리에게도 동일하게 적용될 것이라는 생각은 무지에 가까운 단순함입니다. 한국인은 한국인의 체형에 맞는 옷을 입어야 하듯 교회 성장 프로그램 또한 우리의 문화와 정서에 맞도록 리모델링하는 작업이 최소한 필요하며, 더 중요한 것은 충분한 신학적 근거와 현장 검증이 전제되어야 한다는 것입니다.

두날개로 날아오르는 건강한 교회 운동은 신학적, 임상 경험적 기반하에 출발하였습니다. 짧은 시간 한국 교회와 목회자들에게 상상할 수 없는 영향력을 발휘하게 된 것은 바로 그러한 이유 때문이며 우리 풍성한교회가 두날개로 날아오르는 건강한 한국형 셀교회를 실제적으로 보여주게 된 것도 이러한 이유 때문입니다.

그러나 두날개를 가진 건강한 교회 운동은 가장 한국적임에도 불구하고 이제는 더 이상 한국에만 국한되지 않습니다. 두날개를 가진 건강한 교회를 세우는 두날개양육시스템은 세계 어느 곳, 누구에게 적용해도 영혼이 살아나고 교회가 살아나는 기적들을 보여주고 있습니다.

이 사역을 시작할 때부터 지금까지의 시간들은 저에게 잊혀질 수 없는 선물들입니다. 제 생각을 뛰어 넘어 일하시는 하나님의 능력과 기적을 체험하며 다시 한 번 하나님의 부르심에 감사하는 날들이었기 때문입니다.

두날개로 날아오르는 건강한 교회 컨퍼런스와 여섯 번의 단계별 집중훈련을 마치고 제1기 두날개양육시스템 수료생들을 배출해내면서 하나님은 저의 사역이 비단 한 지역에 국한된 것이 아니라 민족과 열방의 교회를 섬기는 것임을 명확히 깨닫게 하셨습니다. 그 부르심에 순종하여 매년 컨퍼런스를 통해 수천 명의 목회자들과 선교사, 사역자들을 섬기고 있으며, 그 후속 조치로 그들을 양육하고 있습니다.

지금 한국 교회와 열방의 선교지에는 두날개양육시스템 6단계 집중훈련의 수료생을 통해 태풍이 휘몰아치고 있습니다. 그것은 성경적인 교회의 회복, 평신도의 만인제사장직 회복, 두날개를 가진 건강한 교회를 세워 하나님이 주신 마지막 사명을 감당하기 위한 열정입니다.

이것은 단순한 바람이 아닙니다. 쉽게 식어져버리는 열정도 아닙니다. 마지막 시대 마지막 주자로 하나님의 부르심에 대한 반응이요, 순종이며 결단입니다.

그 결과로 교회가 살아나고 있습니다. 죽어가던 교회가 생명의 옥토로 탈바꿈되고, 목회의 방향을 잃어 고민하고 방황하던 목회자들이 목회의 본질을 회복하고 교회가 변화와 성장을 경험하고 있습니다.

감사하게도 두날개양육시스템을 적용한 교회들마다 놀라운 기적의 변화와 회복, 그에 따른 부흥이 일어나고 있습니다.

제자훈련을 했지만 여전히 제자리 걸음을 하고 있는 성도들 때문에 힘겨워했던 교회가 변화되고, 몇 년째 전도가 되지 않아 마이너스 성장을 보이던 교회에 전도의 바람이 불고 있으며, 이제야 목회의 참 맛을 알았노라고 고백하는 목회자들을 볼 때마다 기쁨의 감격으로 더욱더 주님께 무릎 꿇게 됩니다. 그것은 제게 맡겨주신 사명의 중대함과 긴급성 때문입니다.

하나님은 이 시대에 너무도 절실하게 성경적인 교회 본질의 회복을 원하십니다. 그것은 교회 모습의 회복뿐만 아니라 주님께서 주신 교회 사명의 회복입니다. 그러므로 두날개를 가진 건강한 교회로의 회복은 비전의 회복이요, 교회 본질의 회복입니다.

그래서 하나님은 우리의 걸음을 기뻐하시고 축복하십니다. 지금까지 실천하고 있는 모든 사역들이 저와 우리 교회의 한계를 넘어 서서 기적과 은혜로 채워지고 있습니다.

컨퍼런스와 6단계 집중훈련을 진행하며, 전국의 네트워크 모임을 돌보며, 저는 다시 한 번 하나님의 소원과 사명을 각인합니다. 그리고 이 부르심은 컨퍼런스와 집중훈련에 참석한 모든 사역자들에게 동일하게 주어질 뿐만 아니라, 이 시대 하나님의 사명을 이루고자 애쓰는 모든 이들에게 주어진 동일한 부르심이라 믿습니다.


## 역사의 전환점에서

현 기독교의 흐름을 조명해보면 그 중심이 서구사회에서 비서구사회로 옮겨지고 있는 과정임을 알 수 있습니다. 우리에게 선교사를 파송했고 기독교 문화를 찬란하게 꽃피웠던 유럽은 이제 복음화율이 3~5%에 불과한 선교 대상이 되었습니다.

언젠가 파리에서 루브르 박물관을 들렀는데 중세의 회화, 조각 대부분의 주제는 기독교였습니다. 그런데 지금의 유럽 교회는 술집과 이슬람 사원들로 점령당하고, 역사적 관광지로 전락해 가고 있습니다. 박물관에 가서야 볼 수 있는 유물이 되어 가고 있습니다. 참으로 안타까운 현실이 아닐 수 없습니다.

과거에 우리에게 선교사를 파송하고 우리가 가서 신학을 배워왔던 서구 사회는 이제 기독교 국가가 아닙니다. 교회에 출석하는 인구가 5% 미만이기 때문입니다. 그렇다면 전세계에 기독교를 국교라고 내세울만 한 나라가 있느냐하면 선뜻 대답하기 힘든 현실입니다. 전세계 지도를 펼쳐놓고 보면 기독교가 들어가지 않은 나라는 거의 없지만, 아이러니 하게도 초대교회처럼 소수가 믿는 종교가 되어 가고 있습니다. 주님은 "땅 끝까지 이르러 가서 모든 족속으로 제자 삼으라"고 하셨는데 이에 역행하는 일이 일어나고 있다는 우려마저 나오고 있습니다.

이러한 서구 기독교의 몰락에 대한 안타까움과 동시에 조심스럽게 예견되는 것은 기독교의 촛대가 비서구 사회로 옮겨지고 있다는 것입니다. 즉, 세계 기독교가 재편되고 있다는 진단입니다.

실제로 아시아, 아프리카, 라틴 아메리카 등에서는 유럽과는 상대적으로 기독교의 놀라운 부흥이 일어나고 있으며 미전도 종족에 대한 수많은 선교사의 파송이 이뤄지고 있습니다.

이러한 세계 기독교 재편의 움직임 속에서 저는 '두날개로 날아오르는 건강한 교회' 운동을 통한 또 다른 하나님의 의도를 봅니다. 하나님이 디자인 하신 교회의 회복을 통해 주님은 이 시대 기독교의 놀라운 부활을 계획하셨다는 확신입니다.

실제로 '두날개로 날아오르는 건강한 교회'를 구체적으로 세워가는 두날개양육시스템을 적용한 교회, 선교지마다 놀라운 변화와 부흥이 일어나고 있습니다. 우리가 준비만 된다면 하나님은 부흥의 마지막 촛대를 아시아, 한국에 옮기시고 사용하길 원하신다는 것입니다.

이러한 중요한 기로에서 '두날개로 날아오르는 건강한 교회' 회복 운동은 우리를 준비시키시는 하나님의 작업이라고 감히 자부하는 바입니다. 두날개양육시스템은 사람을 변화시키는 하나님 나라의 가치발견과 강력한 영성, 그리고 하나님 나라 확장을 향한 확실한 비전이 총체적으로 통합되어 있는 시스템이기 때문입니다.

열왕기에 등장하는 갈멜산 전투를 기억하십니까? 엘리야가 850명의 무당들과 싸운 그 전투를 상상해 보십시오. 이방신들을 믿던 850명의 무당들은 그들의 신에게 생명을 걸고 기도하며 응답을 구했습니다. 그런 그들을 보며 엘리야는 코웃음을 쳤고, 그 850명을 상대로 엘리야는 단 한순간에 하나님의 능력을 나타내며 영적전쟁에 승리합니다.

초대교회가 바로 그러했습니다. 놀라운 복음의 능력은 모든 우상과 샤머니즘을 제압했으며 기독교는 빠른 속도로 부흥해 갔습니다.

기독교에 무엇이 있었기 때문입니까? 다름 아닌 영적인 파워 즉 깊은 말씀의 능력과 영적인 능력이 있었기 때문입니다. 그래서 기독교가 전해지는 곳에 귀신이 떠나가고 무당들이 회개하며 주술서와 부적이 태워지는 역사가 사도행전 곳곳에 등장한 것입니다.

우리는 이 시대에 그러한 영적인 파워를 회복해야 합니다. 하나님의 능력이 나타나야 합니다. "하나님 나라는 말에 있지 않고 오직 능력에 있다"고 말씀하지 않습니까? 초대교회와 같은 강력한 성령의 역사, 사람을 살리고 변화시키는 복음의 능력만이 지금 이 시대를 살릴 수 있습니다.

중요한 역사의 전환점에 우리는 서 있습니다. 하나님은 말씀과 성령의 능력으로 훈련된 제자, 두날개로 날아오르는 건강한 교회를 애타게 찾으십니다. 왜냐면 '주님의 지상 대명령'을 이루어야 하기 때문입니다. 그러기에 우리 모두 준비되어 주님 주신 사명을 완수해야 합니다.

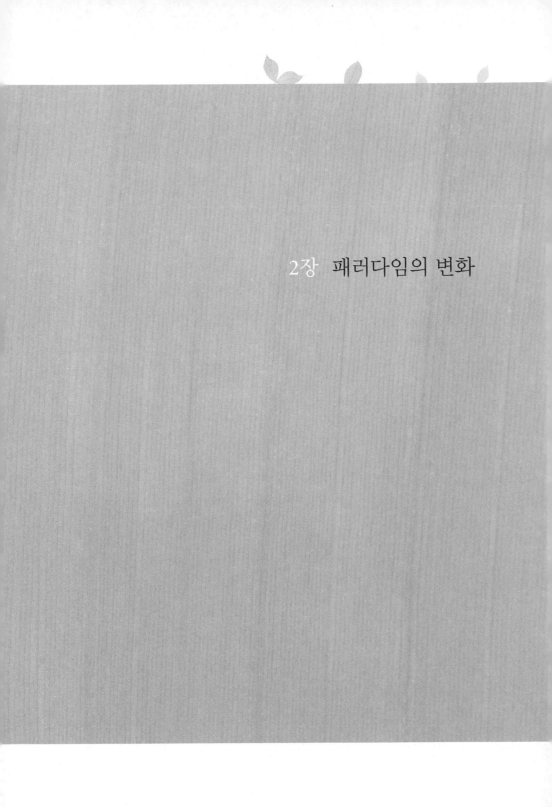

2장 패러다임의 변화

# 세상에서 가장 건강한 교회

지난 1999년 11월, 부산에서 개최된 자연적 교회 성장Natural Church-
Development세미나에 참석했습니다. 자연적 교회 성장에 대해서 호기심
은 갖고 있었지만 구체적인 내용을 몰랐던 저는 그때의 감격을 지금도
잊을 수 없습니다.

개척하여 그동안 나름대로 최선을 다한 6년의 세월이었지만, 솔직
히 풍성한교회의 좌표가 어디쯤 와 있는지 궁금했습니다. 그러한 저에
게 세미나는 안도감과 함께 감사의 기도가 터져 나오게 했습니다.

세미나에서 말하는 자연적 교회 성장을 이루기 위한 원리와 방법들
은 제가 고집해온 목회철학과 너무나도 비슷했으며, 제가 알기 원했던
더욱 구체적인 내용들을 제시하고 있었기 때문입니다.

1990년대 중반, 자연적 교회 성장의 창립자인 크리스티안 슈바르
츠는 세계 실천신학계에 혜성처럼 등장했습니다. 그는 이미 오래전부터
나름대로 연구하던 과제를 독일 정부의 보조를 받아 1994년부터 1996
년까지 세계 50개국의 7,000여 교회들을 중심으로 '성장하는 교회의 원
리가 무엇인가'라는 물음을 가지고 폭넓고 깊이 있는 연구를 해 왔습니
다.

사회과학적 조사 방법에 근거해 설문지를 만들어, 한 교회의 담임
목사와 그 교회를 대표할 수 있는 30명의 평신도 지도자들에게 나누어
줍니다. 그런 다음 그 질문에 응답한 자료를 가지고 성장하는 교회의
원리들을 분석하는 것입니다.

슈바르츠는 18개의 각각 다른 언어로 된 420만개라는 천문학적인
자료들을 토대로 사회과학자 크리스토프 샤크와 함께 연구 조사하였습
니다. 그 결과로 8가지 질적 특성들이 교회성장에 결정적인 영향을 미

치고 있음을 발견한 것입니다.

8가지 질적 특성은 바로 사역자를 세우는 지도력, 전인적 소그룹, 필요 중심적 전도, 영감 있는 예배, 열정적 영성, 기능적 조직, 은사 중심적 사역, 사랑의 관계를 말합니다. 조사 결과 대부분의 교회들은 8가지 질적 점수의 평균이 35~65점 사이였습니다. 그리고 8가지 질적 특성의 평균이 65점이 되는 교회들 가운데 99.4% 이상은 양적으로도 반드시 성장한다는 사실이었습니다.

슈바르츠는 이런 조사 결과들을 토대로 현대 교회의 성장 이론이 기술적인 방법에 더 많이 의존하고 있음을 밝혀냈습니다. 이로 인해 교회 지도자들이 교회 성장을 도모하고자 할 때 진정한 교회 성장이 나타나기보다는 오히려 많은 부작용을 초래하고 있다는 데 주목했습니다. 이 때문에 그는 하나님이 원하시는 성경적인 교회성장은 기술적이고 인본적인 사고에서 벗어나 자생적이고 자연적인 원리에 그 초점을 맞춰야 한다고 설명했습니다. 이것은 바울이 씨를 뿌리고 아볼로가 물을 주고 하나님이 자라게 하셨듯이고전3:6-7, 복음의 씨를 뿌리고 그 씨앗이 잘 자라도록 물을 주는 과정만 정상적으로 진행된다면 하나님이 자연스럽게 교회를 성장시키신다는 의미입니다.

결국 교회가 질적으로 건강하면 성장하기 마련이라는 것입니다. 다시 말해서 슈바르츠는 '건강한 교회'를 만들기 위해서는 성장한 교회의 모델을 찾아 그대로 지역 교회에 접목하는 것이 아니라, 건강한 교회들이 갖고 있는 공통적인 원리들을 추출하여 그 원리를 지역 교회에 적용해야 한다는 것입니다.

이틀 동안의 세미나를 마친 뒤, 곧바로 컨설팅을 신청했습니다. 저를 비롯해 30명의 평신도는 설문에 답하며 첫 컨설팅을 실시하게 되었습니다. 설문을 마치고 얼마 후 본부로부터 분석 결과를 받았습니다.

사역자를 세우는 지도력 78점, 전인적인 소그룹 90점, 필요 중심적 전도 105점, 영감 있는 예배 86점, 열정적 영성 97점, 기능적 조직 93점, 은사 중심적 사역 97점, 사랑의 관계 99점 등으로 평균 93점이란 놀라운 결과가 나왔습니다.

솔직히 저는 처음에 이 수치가 어떤 의미를 갖는지 잘 몰랐습니다. 그런데 『자연적 교회 성장』에서는 8가지 항목의 질적 수치가 평균 65점 이상이면 건강한 교회라고 명명하였습니다.

저는 1994년 5월에 장년 20여 명이 출석하는 개척 교회를 시작하는 순간부터 지금까지 분명한 목회철학과 비전으로 예수님께서 의도하시고 사도행전에서 보여준 두날개로 날아오르는 교회를 꿈꾸며 초지일관 목회에 임했습니다. 여기서 말하는 두날개 중 한 날개는 대그룹 예배, 다른 한 날개는 소그룹 공동체입니다.

교회는 두날개로 하늘 높이 날아서 하나님의 보좌 앞에 이르고 하나님의 뜻을 이 땅에서 이루어야 합니다. 우리는 이러한 목회철학과 비전을 사명 선언문에 담았습니다. 그렇게 나온 사명 선언문은 바로 '말씀과 성령의 능력으로 제자가 되어 2천2만 세계비전으로 하나님의 뜻을 이루는 사랑의 공동체'였습니다.

그리고 이 사명을 이루기 위한 6대 목표를 선정했습니다. 역동적인 예배, 열정적인 전도, 풍성한 교제, 변화되는 훈련, 섬기는 봉사, 2천2만 세계비전이 그것입니다. 이와 같은 6대 목표는 다소 용어상의 차이는 있지만, 자연적 교회성장 원리에서 말하는 8가지 질적 특성과 그 원리에 있어 동일한 것임을 알 수 있습니다.

우리는 어느 한 분야에 치우치지 않고 6개의 목표를 골고루 성장시키기 위해 기도하고 연구하며 노력했습니다. 이러한 노력의 결과로 질적 점수 평균 93점이 나왔다고 생각합니다.

세미나를 다녀온 이후, 자연적 교회성장 원리의 8가지 질적 특성과 생명체적 원리를 더욱 구체적으로 목회 현장에 보완하며 적용했습니다. 우선, 사명 선언문을 생명체적 원리를 적용해 '말씀과 성령의 능력으로 제자가 되어 2천2만 세계비전을 이루는 생명의 공동체'로 바꾸었습니다. 또 6대 목표를 8대 목표로 더 구체화시켰습니다. 필요 중심적 전도, 영감이 넘치는 예배, 하나 되는 교제, 전인적인 셀가족 모임, 열정적인 영성, 2만 사역자를 세우는 훈련, 은사 중심적 사역, 세계비전 2천선교입니다.

　　우리는 이 8대 목표에 근거한 질적인 목표를 다시 세웠습니다.

　　첫 번째, 사역자를 세우는 지도력은 평신도 사역자를 훈련하고 세우는데 더 많은 시간을 투자하며, 각 분야에 전문 사역자를 세워 위임하고 협력해 나가기로 했습니다.

　　두 번째, 전인적인 소그룹에 있어서 사과나무의 진정한 열매는 사과가 아닌 또 하나의 사과나무이듯이 소그룹의 열매는 새가족이 아니라 또 다른 소그룹, 곧 또 다른 셀입니다. 이 셀들이 열매를 맺고 번식하는 것을 목표로 세웠습니다.

　　세 번째, 필요 중심적 전도는 은사 발견 세미나를 통해 전도에 은사가 있는 사람들로 구성된 전도 특공대를 조직하여 지속적으로 지역을 공략하기로 했습니다. 그래서 오픈 셀Open Cell인 열린모임을 부산 전지역에 확장하여 더 적극적으로 부산의 영혼을 감당하기로 했습니다.

　　네 번째, 영감이 넘치는 예배를 위해서 예배국의 모든 팀들은 토요일 저녁 리허설과 주일 아침에 예배를 위한 준비 기도회로 모입니다. 또 드라마, 영상, 찬양 등 여러 장르를 통해 하나님께 예배하며, 다양한 연령과 기호의 사람들을 수용해 가도록 했습니다.

　　다섯 번째, 열정적인 영성 부분은 매달 한 주간씩 전 성도 '새벽기도 총진군'을 실시하여 전 교인이 기도에 힘쓰도록 하였습니다. 동시에 중보기도 학교를 통해 중보기도 사역을 더욱 활성화하고 전 성도가 맥체인 성경읽기표에 따라 1년에 구약 1독, 신약은 2독을 하기로 했습니다.

여섯 번째, 기능적 조직은 8가지 질적 특성을 8대 목표에 연결시켜 국으로 편성한 뒤, 국 밑에 팀을 두어 각 국의 활동이 활발히 진행되도록 했습니다. 매주 팀과 국 보고서를 통해 각 팀과 국의 활동을 정기적으로 평가하고, 매달 각 국장과 담임목사가 함께 비전 회의를 가짐으로써 국 활동의 상호 보완과 조정이 이루어지도록 했습니다.

일곱 번째, 은사 중심적 사역은 은사 발견 세미나를 통한 출석 교인 90% 이상이 자신의 은사를 발견하고 그 은사에 따라 기쁨으로 사역하도록 한다는 것입니다.

마지막으로 사랑의 관계를 강화하기 위해 셀가족 모임에서 예수 가족의 사랑을 체험하며, 모든 사역과 성도들의 관계가 그리스도의 사랑에 기초를 두도록 했습니다.

세미나를 다녀온 이후, 자연적 교회성장의 생명체적 원리를 목회에 구체적으로 적용할수록 교회가 더 건강해져 가는 모습이 여러 분야에서 눈에 띄기 시작했습니다.

이를 적용한 지 6개월 정도 지난 어느 날, 한국 NCD 본부로부터 갑자기 연락이 왔습니다. 우리 교회를 방문하고 싶다는 것이었습니다. 이유는 컨설팅 결과가 믿기 어려울 정도로 경이적이라 의아해한 것입니다. 아마도 측정이 제대로 이뤄지지 않았을 것이라 생각한 것이지요. 그래서 한국 NCD에서 직접 교회를 방문하여 평신도들 가운데 30명을 선택해 설문을 다시 실시했습니다.

먼저 남녀로 구분하고, 그들을 다시 연령과 신앙 수준에 따라 분류해 선별하였습니다. 그밖에도 공정성을 기하느라 설문 규칙들을 엄격히 적용하는 등 최선을 다하는 듯 했습니다.

그런데 2차 설문 조사의 결과는 놀랍게도 1차에 비해 더 높은 질적 수치를 보였습니다. 한국 NCD에서는 평균 99점으로 그 당시 국내 교회 가운데 최고 수준의 질적 건강 수치라고 하였습니다. 각 항목별 점수를 보면 사역자를 세우는 지도력 84점, 전인적인 소그룹 99점, 필요 중심적 전도 109점, 영감 있는 예배 91점, 열정적 영성 103점, 기능적 조직 93점, 은사 중심적 사역 100점, 사랑의 관계 109점이었습니다. 풍성한교회를 개척하고 오직 부르심의 상을 향하여 한 길을 달려온 지난 6년간의 목회를 이렇게 객관적으로 검증받았다고 생각하니 기쁨의 감격으로 가슴이 벅찼습니다.


## 컨퍼런스에서 6단계 집중훈련까지

두 차례의 컨설팅 결과, 당시 세계 최고의 점수를 보이면서 많은 분들이 교회 건강의 비결에 대해 관심을 보였습니다. 예배에 탐방을 오기도 하고, 양육과 여러 모임에 대한 문의도 많았습니다.

이에 하나님이 저에게 주신 은혜를 우리 교회만 누려서는 안 되겠다는 생각을 했습니다. 어떻게 건강한 교회를 만들게 되었는지, 건강한 교회의 양육과 예배, 소그룹 모임은 어떠한지. 우리에게 주신 하나님의 은혜를 조국 교회의 목회자들과 함께 나누어야 할 필요성을 느꼈습니다. 그래서 2002년 2월 '두날개로 날아오르는 건강한 교회 컨퍼런스'를 개최하게 되었습니다.

처음 시작할 때만 해도 '해마다 컨퍼런스를 계속 해야겠다'는 계획은 없었습니다. 그러기에 컨퍼런스 첫 회에는 1회라는 말도 붙이지 않았습니다. 그저 우리의 모습을 솔직하게 보여 준다는 생각으로 교회 내에서 200여 명의 목회자들로 참석 인원을 제한하여 조촐하게 진행했습니다.

그런데 생각 이상으로 호응은 좋았으며 지속적인 후속 조치와 2회 컨퍼런스를 열어 달라는 요청이 쇄도했습니다. 사실 저는 교회 안의 사역만으로도 시간이 모자랍니다. 양육에 온 힘을 쏟다 보니 모임에 갈 여유도 없습니다. 그래서 컨퍼런스와 그 후속 조치를 지속적으로 한다는 것은 저에게는 솔직히 부담으로 다가왔습니다.

그런데 하나님께서는 제가 하고 있는 이 사역으로 조국 교회와 열방을 도와야 한다고 말씀하셨으며, 이 시대 마지막 대안은 바로 성경적인 교회의 회복이라고 하셨습니다. 2003년에 그렇게 시작된 것이 두날개선교센터 사역입니다.

컨퍼런스에서는 건강한 교회, 성경적인 교회의 모습을 있는 그대로 보여줍니다. 이후 건강한 교회를 세우는 6단계 집중훈련을 가집니다. 컨퍼런스에는 평신도들이 올 수 있지만, 본격적인 양육과 훈련이 실시되는 집중훈련은 목회자들이 오는 것을 원칙으로 합니다. 왜냐하면 결국 교회의 변화는 목회자의 변화에서 비롯되기 때문입니다.

2회 컨퍼런스부터 시작된 6단계 집중훈련은 1기에 200여 명의 목회자가 수료했으며, 3회 컨퍼런스에는 2,000여 명이 참석해 500여 명의 목회자가 2기 6단계 집중훈련을 수료했습니다. 그 뒤를 이은 4회, 5회, 6회 컨퍼런스는 해가 더할수록 수용이 힘들 정도로 많은 목회자와 선교사, 평신도 리더들이 참석하여 '두날개로 날아오르는 건강한 교회'를 경험하는 감격을 누리고 있습니다. 또한 이후의 후속 조치인 6단계 집중훈련을 통해 건강한 교회를 세우는 실제적인 훈련을 받고 있습

니다. 이처럼 두날개양육시스템을 통한 교회와 목회자, 성도들의 변화
는 저의 상상을 초월하고 있습니다.

사실 목회자가 한 달에 한 번, 혹은 두 달에 한 번씩 3박 4일 혹은
4박 5일의 일정인 집중훈련에 온다는 것이 결코 쉬운 일이 아닙니다.
그것도 부산으로 온다는 것은 쉽지 않습니다. 대부분 서울에 간다는
것도 어렵게 생각하는데 부산으로 내려온다는 것은 더 힘들겠지요. 그
런데도 많은 목회자들이 바쁜 목회 일정 속에서도 시간과 경비를 들여
6차례의 훈련을 받고 돌아갔습니다.

그러나 하나님은 결코 공짜가 없으신 분입니다. 이런 대가를 지불
하고 양육을 받고 돌아가서 적용한 교회들마다 기적적인 부흥과 변화
들이 일어나고 있습니다. 하나님이 하시는 일들을 보면 그저 감탄하고
경이로움을 금치 못합니다.


두날개양육시스템을 적용하여 변화되고 부흥되는 몇몇 교회들의
사례를 살펴보겠습니다.

시흥 산돌감리교회 장우식 목사님은 개척 초기에 교회가 성장하면
서 재미나는 목회를 하고 계셨습니다. 그러나 인근에 신도시가 형성되
고 이동하는 성도가 많아지면서 어려움을 겪게 되었습니다. 심방 목회
만이 전부라고 배웠던 목사님은 쉬는 날도 없이 심방에 더욱 매진했으
나 오히려 결과는 정반대로 나타났고, 그로 인해 생전 다툼이라고는 없
던 사모님과 싸우는 날도 잦아졌습니다.

그 스트레스로 인해 안면신경통이라는 병까지 얻게 되었으며, 그
통증을 멎게 하기 위해 간질 환자들이 복용하는 약을 먹다 말이 어눌해
지고 기억력이 감퇴해 목회까지 지장을 주는 지경까지 이르게 되었습니
다. 그런 와중에 '제2회 컨퍼런스'에 참석하게 되었습니다. 그런데 그곳

에서 그동안 자신이 고민해 왔던 모든 것에 대한 해답을 발견했습니다.

그렇게 기대하는 마음으로 교회에 돌아가 적용하였습니다. 그런데 놀랍게도 소속감이 불분명하던 성도들이 열린모임을 통해 복음을 깨닫고 변화되기 시작했습니다. 그리고 누구보다도 교회와 주의 종을 사랑하는 일꾼으로 변화되고, 전인적 치유수양회에서 성령님의 역사하심을 경험하자 그동안의 상처들이 치유되고 회복되는 것을 체험했습니다.

그 뒤를 이은 양육반과 제자대학은 성도들을 확실한 주님의 제자로, 교회의 일꾼으로 세워 가고 있습니다.


대산제일교회 이순상 목사님은 열린모임을 통해 "목회가 수지맞았다"고 싱글벙글하십니다. 관계 전도로 중학교 배구부 전원이 전도되어 등록하는가 하면 열린모임 곳곳마다 일어나는 치유의 역사로 성도들은 물론 목사님조차 신바람 난다고 합니다. 그리고 성도들은 목사님께서 집중훈련을 다녀오신 이후로 설교부터 시작해 모든 것이 새롭게 달라지고, 목회의 새바람이 불고 있다며 이구동성으로 이야기합니다.

인천 평안교회 노우숙 목사님은 부임 이후 여러 가지 어려움을 겪고 있었습니다. 지금까지 담임하셨던 여러 목사님들이 성도들과의 갈등이나 불신 때문에 위임도 받지 못하고 교회를 떠난 상황에서 노목사님이 새로 부임했기 때문입니다. 성도들은 교회의 부정적인 분위기 때문에 하나둘 교회를 떠났고, 그나마 남은 성도들은 서로에 대한 불신과 정죄로 마음이 지쳐 있었습니다. 특별새벽기도를 통해 성도들의 마음은 차츰 회복되었지만, 문제는 앞으로 어떻게 이들을 변화시키며 영적으로 성장시킬 것인가 하는 것이었습니다. 그러던 중 두날개교회 소식을 접하면서 제4회 두날개컨퍼런스에 참석하셨습니다.

*수정 추가*

노 목사님은 컨퍼런스에 참석하는 동안 교회 회복과 부흥에 대한 비전을 품게 되셨습니다. 양육과 훈련을 통해 평신도를 사역자로 세우는 두날개양육시스템이라면 교회의 고질적인 문제를 해결할 대안이라는 확신을 가지셨습니다.

그래서 두날개 사역으로 교회를 부흥시키고 성장하도록 하는데 목사가 책임지겠으니 반대만 하지 말아달라고 성도들에게 공식적으로 부탁을 했습니다. 그렇게 시작된 양육과 훈련으로 교회의 체질은 건강하게 개선되었고, 목사님과 여러 성도들은 함께 영적으로 성장을 이루며 나날이 새로워지는 역전의 하나님을 경험하게 했습니다.

술집을 운영한다는 핑계로 늘 술에 취해 예배에 오곤 했던 40대 어떤 성도는 양육반과 세계비전제자대학을 마치면서 가장 헌신적인 평신도 사역자로 변화되었고, 교회와 목사님을 섬기는 일에 충성하고 순종하는 모본을 보이게 되었습니다. 그는 평신도 선교사로 자원하여 태국으로 파송되었습니다. 많은 성도들이 도전을 받았고 성도들이 모두 열심을 내게 되었습니다.

또 교회에 온지 얼마 되지 않은 초신자들도 양육과 훈련을 받고 전도 왕이 되는 등 탁월한 평신도 사역자들이 계속해서 세워지고 있습니다. 인천 평안교회는 두날개양육시스템을 적용한지 5년 만에 3배의 부흥을 일으키며 영적 성장을 이루는 놀라운 기적을 누리고 있습니다.

그런가 하면 김진하 목사님이 담임하는 서울의 예수사랑교회는 나름대로 성공한 목회라고 인정받았지만, 두날개양육시스템을 적용하면서 "이제야 비로소 참 목회를 하는 기분이다"고 고백합니다. 그것은 성도들이 변화되는 것을 실제적으로 경험하며, 단순히 양적으로만 성장하는 것이 아니라 생명으로 꿈틀거리며 질적으로 성장하고 있기 때문입니다. 그토록 고민하던 사도행전적인 교회의 모델을 찾았으며, 예수사랑교회도 이제 그렇게 변화되고 있다는 것이 김 목사님의 가장 큰 기쁨이며 보람이라고 합니다.

광주 중부교회 김종원 목사님은 두날개양육시스템을 적용 후 "하루하루가 감동"이라고 고백합니다. 사막에서 길을 잃은 사람, 도적에게 쫓기듯 쫓기는 사람, 숨을 곳만 찾던 사람이 바로 두날개양육시스템을 만나기 전 자신의 모습이었는데 컨퍼런스와 6단계 집중훈련 참석 후 모든 것이 달라졌다고 합니다. 목회의 의욕을 잃고 숨을 곳만 찾던 김 목사님에게 컨퍼런스와 6단계 집중훈련은 목회의 비전과 대안을 제시했고, 두날개양육시스템을 그대로 적용하여 지금은 모두가 부러워할만한 목회를 하고 계십니다. 열린모임, 전인적치유수양회, 양육반, 세계비전제자대학을 통해 생명을 건 일꾼들이 재생산되고 있으며 교회의 배가부흥과 더불어 건축, 재정에도 축복이 더해지고 있습니다. 그러기에 두날개양육시스템이 자신과 광주 중부교회를 운명을 바꾸어놓았다고 입버릇처럼 자랑합니다.

서울 경찰청교회 이신기 목사님은 경찰이라는 특수목회를 하고 계십니다. '경찰은 경찰이 전도한다'는 취지아래 1990년 창립예배를 드리고 경찰복음화를 위해 조직을 전환하고 6년간 제자훈련을 계속했지만 이렇다할 열매가 보이지 않아 한계상황에서 '제3회 컨퍼런스'에 참석하게 된 것입니다.

이 목사님은 컨퍼런스 시작부터 주체할 수 없는 감동을 맛보고 6단계 집중훈련에 참석하면서 곧 열린모임을 열어 경찰청 교회에 두날개양육시스템을 적용해 갔습니다.

그러자 놀랍게도 성도들이 삶의 포커스를 전도에 맞추기 시작했고 간부급들이 자발적으로 훈련받기를 원해 그토록 소원하던 재생산이 일어나기 시작했습니다. 열린모임, 전인적치유수양회, 양육반 등 두날개 양육시스템 적용 후 성도들의 변화, 그로 인한 경찰청교회의 변화는 가히 기적적이라고 합니다. 양육을 통해 가치가 변화되자 삶이 달라지기 시작하고 놀라운 복음의 능력을 체험하면서 가르치고 전도하고 치유하는 능력있는 제자의 삶을 살게 된 것입니다. 이 목사님은 이제 서울 뿐 아니라 전국의 경찰복음화를 꿈꾸고 있습니다.

목포 유달교회 최광열 목사님은 내성적인 성격으로 두날개양육시스템을 적용하면서 수많은 기도를 하나님께 드렸다고 합니다. 과연 자신이 열린모임을 잘 인도할 수 있을지, 전인적치유수양회에 성령의 역사가 나타날 것인지 한 단계 한 단계를 적용할 때마다 기도했고, 결과는 늘 상상 이상의 것을 하나님께서 채우셨다고 합니다.

원로목사님이 개척하여 23년간 목회를 하신 교회에 부임을 하면서 최 목사님은 평생 붙들고 달려가야 할 목회철학과 전략을 찾아 여러 목회 세미나를 찾아다녔지만 이렇다할 정답을 찾지 못해 고민 가운데 있었습니다. 그러던 중 3회 컨퍼런스에 오게 되었고, 그곳에서 그토록 찾아 헤매던 답을 발견한 것입니다.

당연히 6단계 집중훈련에 참석하였지만 열린모임을 앞두고 자신의 내성적인 성격으로 베스트를 초청하고 복음을 전한다는 것이 너무나 큰 부담이 되었습니다. 하지만 하나님께서는 말씀과 꿈으로 확신과 담대함을 주셨고 열린모임을 할 때마다 20~30명의 영혼을 보내주셨습니다.

전인적치유수양회도 마찬가지입니다. 최 목사님을 통해 성령의 기름 부으심이 나타나고 상상을 초월하는 은혜가 있었습니다. 그 뒤를 이은 양육반, 세계비전 제자대학 역시 그 은혜는 이루 말할 수가 없습니다.

행복한 목사, 행복한 성도, 행복한 교회, 그러기에 최 목사님은 두 날개양육시스템이 행복을 가져다 준다고 날마다 자랑합니다.

두날개양육시스템 적용의 놀라운 변화는 비단 국내만이 아닙니다.

대만에 불고 있는 두날개양육시스템의 영향도 가히 태풍입니다. 특히 민한식 선교사님이 담임하고 있는 대만 경미복음당교회는 두날개양육시스템 적용 후 놀라운 변화와 부흥을 경험하고 있습니다. 대만 인구의 90%가 불교와 도교, 민간신앙이 혼합된 '빠이빠이'라는 전통종교에 매여있는 현실에서 열정만 가지고 선교사로 헌신했던 민 선교사님은 몇 년 동안 전혀 성장하지 않는 목회지를 보며 서서히 그 열정이 식어지며 지쳐가고 있었습니다.

그러던 중 친구인 대명교회 신흥우 목사님의 간절한 권고로 컨퍼런스에 참석하게 되었고 6단계 집중훈련도 수료하게 되었습니다. 대만에서 부산으로 6번을 참석한다는 것이 경제적, 시간적인 부담이 컸지만 그보다는 두날개양육시스템에 대한 도전이 컸기에 모든 것을 하나님께 맡기고 훈련에 임한 것입니다.

집중훈련 수료 후 교재를 중국어로 번역해 곧 열린모임에 들어갔습니다. 시행착오를 겪긴 했지만 열린모임을 통해 복음의 능력을 누리기 시작했습니다. 처음에는 마지못해 참석하던 성도들 역시 복음의 능력을 체험하자 변화되기 시작했으며 베스트전도 대상자들이 초청되어 예수를 영접하고 기도응답 받는 일들이 계속적으로 일어났습니다.

전인적치유수양회 역시 놀라운 성령의 기름부으심이 나타났고 양육반과 세계비전제자대학을 통해 가치 변화와 그로인한 삶의 변화들이 일어났습니다. 대만에도 두날개로 날아오르는 건강한 교회가 세워져가고 있는 것입니다.

수정 추가

동경 임마누엘교회는 15년 전 복음의 불모지인 일본의 한 변두리에 세워진 교회입니다. 지역 특성상 성도들 대부분이 유학생이라 성도들의 잦은 이동 때문에 장기 목회계획을 세울 수 없었습니다. 그래서 담임이신 설진복 목사님은 그 문제를 해결할 방법으로 여러 대안을 찾아보았지만 결국 영적탈진으로 지칠 대로 지친 상황에 처해 있었습니다.

때마침 한국에서 목회하는 동생으로부터 두날개컨퍼런스를 소개받았습니다. 컨퍼런스에 참석한 설 목사님은 영적 회복과 함께 목회의 비전을 발견하게 되었습니다. 그리고 집중훈련을 받아 곧바로 교회에 적용하기 시작했습니다. 무조건 열린모임부터 열었습니다. 처음에는 이렇다 할 열매가 보이지 않았지만 단순, 지속, 반복적으로 꾸준히 진행하니 열린모임 가운데 역사하시는 하나님을 만나게 되었습니다.

어느 집사님의 가정에서 열린모임을 진행하고 있을 때였습니다. 갑작스레 집사님의 남편에게 뇌종양이 발견된 것입니다. 의사는 수술해도 언어와 반신마비 장애를 우려했지만 수술 당일 날, 전 성도들은 아침 금식하며 중보기도를 했습니다. 그 결과, 아무런 후유증 없이 수술도 잘되어 일주일 만에 퇴원했습니다.

전인적치유수양회에서도 가정이 회복되는 놀라운 역사가 있었습니다. 이혼까지 들먹이면서 격하게 싸우던 어떤 부부는 전인적치유수양회 후에 갈라서기로 했지만 시간이 지날수록 표정이 밝아지며 마지막 시간에는 눈물로 회개한 후 서로 화해했습니다. 화목한 가정으로 회복된 이 부부는 제자대학 1기를 졸업하고 지금은 셀리더로 열심히 교회를 섬기고 있습니다.

또한 40여 년 이발사였던 일본인 어떤 집사님은 가운데 손가락이 휘어져서 펴지도 못하고 무거운 물건도 들지 못했습니다. 그런데 전인 적치유수양회를 하는 동안 하나님은 그분의 손가락을 만져주시고 정상이 되게 하셨습니다. 이 외에도 당뇨병, 만성 두통, 위장병, 관절염 등 육체의 질병이 깨끗하게 치유되도록 하나님은 역사하셨습니다.

동경 임마누엘교회는 두날개 양육시스템을 적용한 후, 성도들의 삶이 변화되고 기쁨과 감격으로 사역하는 모습을 보며 설진복 목사님은 목회의 진정한 행복을 느꼈다고 합니다.

## 건강지수 107점

'제1회 두날개로 날아오르는 건강한 교회 컨퍼런스'를 개최하기 전, 또한 번의 컨설팅을 가졌습니다. 세 번째 컨설팅인 셈이었습니다. 사실 컨퍼런스를 앞두고 점수가 떨어지면 어쩌나 하는 부담감도 있었습니다. 그래도 모든 결과를 하나님께 맡기기로 하고 세 번째 컨설팅을 실시했습니다.

결과는 컨퍼런스를 앞둔 며칠 전에 나왔습니다. 내심 초조하게 결과를 기다렸는데 감사하게도 건강지수 107점이 나왔습니다.

각 항목별 점수를 보면 사역자를 세우는 지도력 103점, 전인적인 소그룹 103점, 필요 중심적 전도 115점, 영감 있는 예배 103점, 열정적 영성 109점, 기능적 조직 97점, 은사 중심적 사역 110점, 사랑의 관계 119점이었습니다. 1,2차 컨설팅에서 최소치를 보인 사역자를 세우는 지도력에 집중한 결과 103점으로 향상되었습니다. 감사하게도 교회는 질적·양적으로 꾸준한 성장을 보이고 있었습니다.

1회 컨퍼런스를 가질 당시 출석 성도 300여 명의 작은 교회였습니다. 대형 교회에 비한다면 형편없는 숫자요, 예배홀 수용 인원 230여 명에 불과한 소형 교회였습니다. 그런 상황에서 한국 교회의 목회자들을 대상으로 컨퍼런스를 한다는 것이 무모해 보일 수 있었습니다.

그런데 저는 우리 교회와 같은 전국의 90%나 되는 작은 교회, 1년에 500여 개의 교회가 문을 닫고 더 이상 전도가 되지 않는다며 비통해 하는 조국의 교회, 개척 교회는 더더욱 힘들다는 좌절감에 묻혀 있는 목회자들에게 소망을 보여 주고 싶었습니다. 작다고 안 되는 것이 아니라 대형 교회만큼의 물적, 인적 자원이 없다고 안 되는 것이 아니라 맛이 있는 교회, 건강한 교회는 반드시 된다는 것을 얘기하고 싶었습니다.

그래서 저와 풍성한 가족들은 최선을 다해 컨퍼런스를 준비하며 건강한 교회와 건강한 성도의 모습을 보여 주었습니다. 실제로 컨퍼런스에 참석한 많은 분들이 강의뿐만 아니라 성도들의 섬기는 모습을 보며 은혜와 도전을 받습니다.


## 건강한 교회를 꿈꾸는 변화된 목회자

부산에서 태어난 저는 모태 신앙인으로 자랐습니다. 어릴 때부터 타협하지 않는 엄격한 신앙의 본을 보이신 부모님의 영향을 많이 받았습니다. 중·고등학교 시절에는 학생회 임원으로, 청년 시절은 교사로, 또 결혼 후에는 집사로 교회를 섬겼습니다.

범생이라는 말이 있지요. 저의 어린 시절은 적어도 신앙생활만큼은 그야말로 범생이었습니다. 물론 범생이가 언제나 옳거나 긍정적인 것은 아닙니다. 마찬가지로 저에게도 그런 점이 보였습니다. 모태 신앙으로 신앙생활을 한 많은 사람들처럼 저 또한 열정이 없고 미지근한 모습을 지니고 있었습니다.

대학에서 건축을 전공하고 졸업 후 건설 회사에 취직해 건축 기사로 출발해서 몇 년 후 현장 소장이 되었습니다. 그런데 건축 현장 일이란 게 주일을 지키기 힘든 환경입니다. 그래서 사장과 만나 주일 낮에는 예배를 드리고 오후부터 근무할 수 있도록 특별히 허락을 받았습니다. 하지만, 주일 성수에 대한 영적 갈등은 시간이 갈수록 심각해져 갔고, 이를 위하여 더욱 하나님께 매달리며 기도하기 시작했습니다. '주일을 성수할 수 있는 직장을 주시든지, 아니면 사업을 할 수 있게 해 주시옵소서' 하고 기도했습니다.

기도한 지 2년. 드디어 하나님께서는 건축업으로 독립할 수 있는 길을 열어 주셨습니다. 주일 성수, 그건 저에게 있어선 '목숨'과도 같은 일이었습니다.

사업을 시작하면서 기도에 대한 열정이 불붙기 시작했습니다. 1987년 1월 1일, 저는 한 주간 금식 기도를 작정하고 기도원을 찾았습니다. 그렇게 간 기도원이 여의도 순복음교회의 오산리 금식 기도원이었습니다.

그런데 그곳에선 놀라운 광경들이 펼쳐지고 있었습니다. 예배 시간 사람들이 박수를 치고, 손을 들며 찬양을 부르는 것이 아닙니까! 전통적인 장로교회에서 성장한 저는 당시만 해도 예배 시간에 박수를 친다거나, 손을 드는 행위를 이상하게 여겼습니다. 그러니 오산리 기도원의 그 이색적인 풍경이 얼마나 놀라웠겠습니까? 큰 실내 체육관과도 같은 기도원과 박수를 치고 미친(?)듯이 손을 흔들어 대며 기도하는 모습은 저의 고정관념으로는 도저히 이해할 수 없었습니다.

처음에는 맨 뒷자리에 앉아서 관망하며 '내가 잘못 왔다, 일찌감치 돌아 가야겠다'는 생각만 계속했습니다. 그러나 한편으로는 '여기까지 와서 그냥 갈 수 있나. 밑져야 본전인데. 그리고 누가 보는 것도 아니고 나도 한 번 박수치고 손들고 기도해 보자. 혹시 응답을 주실지 모르잖아' 하는 생각이 들기도 했습니다.

그러다 결국엔 후자 쪽을 택하기로 했습니다. 서서히 남들처럼 박수도 치고, 손을 들어 찬양하고 나중에는 부르짖기 시작했습니다. 또 예배를 마치면 기도 굴에 들어가서 몇 시간이고 부르짖으며 기도했습니다. 그야말로 은혜였습니다. 이런 과정에서 저는 뜨거운 성령의 역사를 체험하였습니다. 깊은 회개의 기도로 눈물, 콧물을 쏟기도 했습니다. 그리고 어릴 때 몽당연필 한 자루 훔친 것부터 시작해서 까마득히 잊고 지냈던 과거의 죄들까지 쏟아내며 회개했습니다.

심령이 너무나 깨끗해진 체험을 하는 바로 그 순간, "너는 나의 종, 목사가 되리라"는 하나님의 음성이 들려왔습니다. 그건 다름 아닌 부르심의 메시지였습니다. 그야말로 충격이었습니다.

그런데 저는 그 부르심에 즉시 순종할 수 없었습니다. 가족 중에는 이미 목사가 된 분이 많았습니다. 아버님, 숙부님 그리고 외숙부 두 분, 사촌 동생, 이들이 모두 목사였습니다.

아주 오래전부터 저는 평신도로서 사업에 성공하고, 신앙도 성공하겠다는 소신이 있었습니다. 그런데 웬일인지 기도를 하면 할수록 더 강하게 부르시는 주님의 음성이 들렸습니다. 그래서 저는 다메섹 도상의 사도 바울처럼 무릎을 꿇을 수 밖에 없었습니다.

이렇게 금식 기도를 마치고 마음속으로 부르심에 순종하리라는 각오를 하며 돌아왔습니다. 하지만 벌여 놓은 사업을 당장 정리하기가 그리 쉽지 않았습니다. 우물쭈물 망설이는 저에게 하나님은 한 번 더 아내를 통해 목회자로 부르셨다는 사실을 확신시켜 주셨습니다.

사업을 핑계로 미적거리다 보니 가장 사랑하는 아내의 건강을 치셨습니다. 어느 날 아내는 갑자기 감기 몸살 기운이 있다며 자리에 누웠는데 고열이 나기 시작했습니다. 열이 40도를 오르내렸습니다. 대학 병원에 입원하여 모든 검사를 받았지만 원인이 발견되지 않았습니다. 그때도 저는 하나님의 뜻을 깨닫지 못하고 소문난 약사들을 찾아 다녔습니다. 그런데 갈수록 첩첩산중이라고, 이번에는 약물 중독까지 겹쳐 병세는 더욱 악화된 것입니다. 결국 두 손 들고 하나님께 눈물 흘리며 부르짖을 수밖에 없었습니다.

"하나님, 아내를 살려 주십시오. 살려만 주시면 당장 순종하고 신학교에 가겠습니다."

이런 기도를 드린 뒤 며칠 만에 하나님께서는 신유 은사를 받은 어느 여 집사님을 통해 아내의 병을 깨끗하게 고쳐 주었습니다. 하나님의 은혜였습니다. 결국 저는 신학교에 지원했습니다.

그러나 신학교에 가긴 했지만 새로운 고민들이 계속 몰려왔습니다. 몸만 신학교에 왔을 뿐, 여전히 예전의 모습에 머물러 제 자신이 기대하는 신학도의 모습으로부터 멀어져 있었습니다.

변화되지 않은 자신을 보면서 갈수록 처절하게 무릎을 꿇을 수밖에 없었습니다. 신학을 공부한다고 사람이 저절로 변화되는 것이 아니었습니다. 그러나 달라지고 싶었습니다. 소망하는 바, 그 기대치까지 이르고 싶었습니다.

모태 신앙은 '못된 신앙'이라고 하더니 제가 그 꼴이었습니다. 들은 것은 많아서 마치 ET와 같은 기형적 신앙인이었습니다. 경건의 모양은 있으나 경건의 능력이 없는 자였지요. 그래서 하나님께 매달렸습니다. '신앙의 기초부터 다시 훈련받아 변화되고 싶다'고 간절히 기도로 매달렸습니다.

제자훈련을 하는 선교단체를 만나고 그곳에서 훈련을 받게 된 것은 바로 제 기도의 응답이었습니다. 아내와 함께 그곳에서 열심히 양육 받고 훈련 받았습니다. 나중에는 리더로도 사역했습니다.

그곳에서의 양육과 훈련은 제 인생에서 가장 큰 기쁨이었고 소망이었습니다. 저를 도와주신 리더는 저보다 두 살이나 어렸으며 같은 소그룹의 지체들도 저에 비해 열 살 정도 아래였지만 저도 그들도 전혀 나이 같은 것에는 개의치 않았습니다.

하나님의 말씀은 살아있어 제 심령의 골수를 찔러 쪼개며 대대적인 수술이 진행되었습니다. 그 과정에서 빠르게 변화되어 갔습니다. 하루 3시간의 기도, 잡념 없이 하루 35장씩 성경 읽기, 경건 서적 읽기, 수레바퀴의 삶, 제자도 등 전통적인 교회 안에서는 한 번도 배우지도 듣지도 못했던 영적인 체험들의 연속이었습니다.

저는 이 때 신앙 성장에도 지름길이 있다는 사실을 깨달았습니다. 어머니 배 속에서부터 예수를 믿은 33년의 세월보다 선교단체에서 집중적인 양육과 훈련을 받은 3년이 훨씬 더 강력하고 빠른 변화를 가져온 것입니다. 그렇게도 갈급했는데, 그 마른 목을 적실 수 있었던 것입니다. 그야말로 배에서 날마다 생수의 강이 흘렀습니다.

또, 개인의 변화와 함께 놀라운 패러다임의 변화를 체험하며 평신도 사역자의 영광을 보았습니다. 그곳에서 평신도들이 얼마나 탁월한 만인 제사장의 모습으로 설 수 있는지 보게 된 것입니다.

선교단체에서 섬기고 있던 다수의 평신도 전임 사역자들은 저를 황홀하게 만들었습니다. 주님의 심정, 경건의 능력, 섬김과 사랑 등 그들의 영적 지도력은 말로 다 표현할 수 없을 정도로 저를 압도했습니다. 그들은 모두 자비량으로 섬기는 분들이었습니다. 그들의 순수하고 열정적인 섬김의 삶은 너무나 아름다웠습니다. 오직, 가서 제자를 삼아 세계비전을 이루는 것만이 그들의 소망이었고, 이 비전을 위해 그들은 마치 생명을 던진 사람 같았습니다.

이런 훈련이 저의 패러다임을 바꾸었습니다. 전통적인 교회에서 자라 전통적인 교회의 패러다임으로 굳어져 있던 목회관은 그곳에서의 새로운 도전과 충격으로 허물어지기 시작했습니다. 돌이켜보니 지도력, 소그룹, 전도, 예배, 영성, 조직, 사역, 관계 등 건강한 교회에서 말하는 8가지 질적 특성을 그곳에서 모두 보고 배운 것이 아닐까 하는 생각이 듭니다.

그러나 선교단체에서 배운 것을 지금 우리 교회 안에서 그대로 적용하고 있는 것은 하나도 없습니다. 선교단체에서는 제자를 삼는 원리와 비전을 배운 것이지 그 방법을 배운 것이 아니기 때문입니다.

만약 제가 20대에 그와 똑같은 것을 보았더라면 느끼는 것이 훨씬 달랐을 것입니다. 30대에 부름 받은 목회 후보생이 보는 시각은 나이만큼 달랐습니다. 모든 것이 공부였습니다. 하나님은 가장 적절한 시기에, 가장 적절한 선교단체로 저를 보내신 것입니다. 그래서 하나님이 기뻐하시는 교회, 성경적인 교회의 패러다임을 갖도록 하셨습니다. 이 모든 것이 점점 저의 목회철학에 반영되도록 하셨습니다.

교회의 본질이 회복되기를 원하시는 하나님을 만난 것도 이 무렵이었습니다. 선교단체에서 많은 평신도들이 훌륭한 일꾼으로 자라 거룩한 꿈을 품고 지역 교회에 돌아갑니다. 하지만 교회 안에는 일꾼이 된 평신도들의 열정을 불태울 수 있는 마땅한 사역 현장이 없으며, 그들이 흔들 수 있는 깃발도 없습니다. 기존의 교회들은 그들을 받아 줄 체제가 전혀 갖추어져 있지 않은 것입니다. 안타깝게도 그들은 전의를 상실하고 교회를 떠나 다시 선교단체로 돌아오곤 합니다. 일꾼은 일을 해야 하는데 마땅히 일할 곳이 없었던 것입니다.

하나님은 이런 것들을 경험하게 하심으로써 제가 해야 할 목회의 밑그림을 그리게 하셨습니다. 강력한 제자훈련으로 평신도 사역자를 세워 세계 선교의 비전을 이루는 교회, 사도행전에 등장하는 두날개로 날아오르는 바로 그 교회의 본질로 돌아가 하나님의 교회다움이 회복되기를 원하셨습니다. 그것은 교회가 제자 삼는 사역을 담당함으로써 땅 끝까지 주님의 제자를 파송하는 일이었습니다. 저를 선교단체에 보내신 그분의 의도를 비로소 깨닫게 되었습니다. 성경적인 교회의 패러다임이 충만하게 그려진 것입니다.

풍성한교회는 바로 이런 비전 위에 세워졌습니다. "너희는 가서 모든 족속으로 제자를 삼으라"는 주님의 지상 명령을 이루는 교회, 사도행전적인 교회의 꿈을 안고 1994년 5월 29일 첫 예배를 드렸습니다.

## 전통 고수 vs 패러다임의 전환

21세기는 무엇보다 패러다임의 변화를 요구하고 있습니다. 그렇다면 패러다임은 무엇입니까? 스티븐 코비가 『성공하는 사람들의 7가지 습관』에서 정의한 것처럼 '어떤 사물이나 실제를 이해하고 설명하는 패턴 혹은 지도地圖'입니다. 이처럼 누구든지 나름대로 사물을 보는 눈 즉, 자기만의 패러다임을 가지고 있습니다.

세계 시계 산업에서 패권을 일본에게 빼앗긴 스위스와 1829년 1월 31일에 마틴 반 뷰렌Martin Van Buren이라는 뉴욕 주지사가 기차를 교통수단으로 사용하는 것에 반대한 일화는 패러다임을 전환하는 것이 얼마나 중요한지를 일깨워 줍니다.

1968년 당시 스위스는 세계 시계 시장에서 발생하는 이익률의 80%를 차지하고 있었습니다. 그런데 1980년대에는 단지 10%의 생산률과 20%의 이익률만을 기록했습니다. 그 이유는 스위스의 어느 회사에서 개발한 전자시계를 스위스인들이 외면했기 때문입니다. 스위스인들은 자신들의 패러다임으로 전자시계가 사람들로부터 외면당할 것이라 판단했던 것입니다. 그러나 일본의 세이코사는 이 아이디어를 도입해 전자시계 생산을 시작하였는데, 1968년까지 단 1%였던 생산량이 전 세계 시계 생산량의 30%를 차지하기에 이르렀습니다.

한편, 뉴욕 지사였던 마틴 반 뷰렌은 운하 체계가 철도라는 새로운 운송 방식에 위협을 받을 당시 다음과 같은 이유들 때문에 운하를 지켜야 한다고 잭슨 대통령에게 편지를 보냈습니다.

첫째, 만약 운하를 운행하던 선박들이 철도로 대체되면 심각한 실업사태가 벌어질 것이다.

둘째, 선박 제조업자들이 고통을 당하게 될 것이고, 아울러 견인용 밧줄, 채찍, 마구들을 만드는 제조업자들이 빈곤에 처하게 될 것이다.

셋째, 운하를 운행하는 선박들은 미합중국방위에 절대적으로 필요하다. 그 이유는 영국과의 분쟁이 발생할 경우, 운하는 현대전을 수행하는 데 필수적인 군수 물자들을 수송할 유일한 수단이 될 것이다.

이런 주장을 하면서 그는 다음과 같이 편지를 끝맺고 있습니다.

대통령 각하께서도 잘 알고 계시겠지만 기차는 '엔진'의 힘으로 시속 15마일 이라는 엄청난 속도로 달립니다. 기차는 승객들의 목숨과 신체를 위협할 뿐만 아니라, 시골을 통과하는 철로를 달리며 굉음을 내고 증기를 내뿜어 곡식에 불을 지르고 가축들을 놀라게 하고 부녀자와 아이들을 두려움에 떨게 만들 것입니다. 하나님께 서는 분명히 사람들이 그런 위험천만한 속도로 여행하도록 계획 하지 않으셨을 것입니다.

지금 생각하면 우스운 일이지만, 당시에 이 철도 문제는 심각한 사 안이었습니다. 이렇게 사람들은 각자 나름대로의 패러다임을 가지고 있 습니다. 그런데 그 고집에 집착하여 변화를 수용하지 못한다면 마침내 퇴보와 몰락을 가져올 것입니다. 변화란 결국 살아 있다는 증거입니다. 변화에 민감하다는 것은 패러다임이 열려 있다는 의미입니다.

목회도 마찬가지입니다. 목회자가 어떠한 목회 패러다임을 가지느 냐 즉, 어떤 목회철학을 가지고 있느냐에 따라 매우 다른 목회의 열매 들이 열리게 됩니다.

슈바르츠는 교회 성장에 관한 잘못된 패러다임이 있다고 지적합니 다. 그 오해를 몇 가지로 나눠 볼 수 있습니다.

첫 번째, 방법 지향적 패러다임 즉, 기술적 패러다임입니다. 방법 지향적 사고는 광범위하고 다양한 형태를 취하는데, 기술이나 어떤 조 직 그리고 프로그램이 갖춰지면 교회가 성장한다고 생각하는 것입니 다. 즉, 새로운 것을 도입하여 이식하면 성장할 것이라는 생각입니다.

예를 들면, 우리나라에서 한때 열린 예배가 유행처럼 번진 적이 있 습니다. 열린 예배는 미국의 새들백교회나 윌로우크릭교회의 구도자 예 배를 한국 교회에 접목시킨 것입니다.

제가 알기로는 서울의 어느 영향력 있는 교회가 처음 열린 예배를 드린다고 해서 많은 목회자들의 주목을 받았습니다. 하지만 우리 풍토 에서 열린 예배는 단순히 하나의 문화 현상으로 그쳤을 뿐, 구도자 예배의 필수적인 요소인 전도에는 실패하고 말았습니다.

열린 예배의 도입으로 부흥을 기대했던 교회들로선 매우 실망스러운 일이었습니다. "이런 성장 프로그램을 사용하라. 그러면 당신의 교회는 성장할 것이다"라는 사고 역시 방법 지향적인 사고로 이러한 사고의 이면에는 본질을 추구하기 보다는 표면에 더욱 관심을 쏟는 의식이 폭넓게 깔려 있습니다. 이들은 주님의 교회를 유기체로 보고 그 생명의 법칙에 주목하는 것이 아니라 단순히 성장을 보장해 줄 프로그램을 찾느라 한 눈을 팔고 있는 것입니다.

두 번째는 영성 지상주의 패러다임 즉, 신비주의적인 패러다임입니다. 방법 지향적 사고방식에 대한 반작용으로 이들은 단지 성령의 역사만을 강조합니다. 이런 영성 지상주의 사고방식의 이면에는 일종의 이원론적 세계관이 깔려 있습니다. 이 때문에 그들은 교회를 세워 나가는 방법으로써 프로그램, 조직, 계획, 교회 경영법 등을 사용하는데 매우 회의적인 반응을 보입니다. 이것은 위험할 뿐만 아니라 결코 바람직하지도 않습니다.

세 번째는 성경적인 패러다임입니다. 교회의 성장은 전적으로 하나님의 몫이란 관점입니다. 우리는 단지 성장에 필요한 환경을 만들 수 있습니다. "나는 심었고 아볼로는 물을 주었으되 오직 하나님은 자라나게 하셨나니"고전 3:6. 하나님이 자라게 하시도록 심고 물을 주는 것은 우리의 몫으로 여기는 것입니다.

우리 교회가 가장 건강한 교회로 객관적인 자료에 의해 검증될 수 있었던 것도 바로 이러한 목회철학을 소중히 여긴 결과라고 볼 수 있습니다. 어느 한 가지 프로그램이나 방법에 매달리지 않고, 어떤 한 요소만을 강조하여 한쪽으로도 치우치지 않았습니다.

교회가 생명체란 말은 건강한 조건만 갖춰지면 성장은 반드시 뒤따른다는 논리입니다. 그러므로 건강한 교회를 만드는 일이 무엇보다 우리의 관심사가 되어야 합니다.

기존의 사고틀을 고집할 것인가? 그렇지 않으면 시대를 보는 새로운 안경을 쓸 것인가? 분명한 것은 새로운 시대는 새로운 사고를 요구한다는 사실입니다.

## 이제는 프로세스 목회다

모든 교회는 무엇인가에 의해 움직입니다. 여기서 '무엇이 교회를 움직이느냐' 하는 것이 중요합니다. 새들백교회의 릭 워렌 목사는 교회를 움직이는 추진력을 8가지로 분류했습니다.

첫째, 전통에 따라 움직이는 교회입니다. 모든 일들이 전통에 근거하여 결정됩니다. "우리는 언제나 이런 식으로 해 왔다"고 이야기 합니다. 그리고 언제나 과거를 되풀이하려고 노력합니다. 이런 교회의 지도자들은 변화를 싫어하며 기존의 체제가 약간만 흔들려도 용납하지 않습니다. 이런 교회는 때로는 하나님의 뜻도 전통의 힘에 밀려 부차적인 요소로 전락해 버리기도 합니다.

랄프 네이버Ralph W. Neighbour는 『셀교회 지침서Where do we go from here?』에서 그런 교회가 하는 최후의 말은 "우리는 이전에 그런 식으로 하지 않았어"라고 거부하는 것이라고 합니다. 저는 한국 교회에서 특히 전통이 교리가 된 안타까운 모습을 많이 발견했습니다. 그러나 이들은 대부분 자신이 전통에 빠져 있음을 깨닫지 못합니다. 단지 지켜야 할 법을 지키고 있다고 항변합니다. 그러나 그들은 그 법의 정체를 정직하게 볼 수 있어야 합니다. 그것이 성경에서 출발하고 있는지, 아니면 인간적인 개입에 의해 만들어진 것인지 말입니다.

둘째, 사람에 의해 움직이는 교회입니다. 어떠한 특정인, 카리스마적인 목회자, 핵심적인 인물에 의해 움직이는 교회입니다. 이러한 교회는 하나님의 뜻이나 교인들의 필요보다는 지도자 자신의 필요에 의해 모든 일이 결정될 가능성이 늘 존재합니다. 그리고 그 사람이 떠나거나 죽게 되면 교회는 방향성을 잃게 됩니다.

실제로 한국의 많은 교회들이 이러한 문제에 부딪쳐 선한 방법들을 찾지 못한 채 안타깝게 교회다움을 상실해 버리는 사례들이 많이 있습니다. 그러니 사람에 의해 움직이는 교회 또한 옳지 않습니다.

셋째, 재정이 교회를 움직이는 경우입니다. 가장 큰 관심은 "돈이 얼마나 드느냐?"는 것입니다. 그래서 재정을 쥔 사람에 의해 움직이게 되며, 재정 확보를 위해 교회다움을 포기하게 됩니다.

교회가 돈이 나오는 곳을 향해 눈을 돌리고 그렇지 못한 곳에 대해서는 등을 돌린다면 이미 교회다움을 잃어버린 것이라고 할 수 있습니다. 주님은 돈을 주님의 자리와 비교하면서까지 두 주인을 섬기지 말 것을 경고하셨습니다. 돈은 그만큼 교회를 위협하는 강한 세력입니다.

넷째, 프로그램에 의해 움직이는 교회입니다. 모든 에너지가 교회의 프로그램에 집중됩니다. 좋은 프로그램만 있으면 교회가 성장할 것이라고 믿기 때문입니다. 그렇기 때문에 조금 잘 된다 싶은 교회가 어떤 목회 프로그램을 공개하기라도 하면 그곳으로 몰려갑니다.

그런 교회의 목회자들은 세미나만 열리면 모두 참가하는 세미나 병에 걸린 경우가 많습니다. 그런 교회의 성도들은 목사가 세미나를 간다고 하면 겁부터 냅니다. '이번에는 또 어떤 프로그램을 배워 와서 우리를 힘들게 하려나' 하고 생각하니 성도들에게는 고통입니다.

대부분의 경우 그러한 세미나의 효과는 아무도 보장할 수 없습니다. 세미나의 흥분이 가라앉고 제정신이 들면 현실은 더욱 답답할 뿐입니다. 세미나에 참가했을 때에는 무언가 흥분되는 것이 있는데 교회에 돌아와 보면 적용할 수가 없어 의욕이 식어 버리는 일명 '필로폰 세미나'의 결과입니다. 목회는 결코 깜짝쇼로 승부할 수 없을 만큼 그 범위와 깊이가 심오합니다.

다섯째, 건물에 의해 움직이는 교회입니다. 이런 교회에서는 건물을 사거나 건축한 후에 이를 유지하는 비용이 교회 예산에서 가장 큰 부분을 차지합니다. 그래서 윈스턴 처칠 경은 이런 말을 했습니다. "우리가 건물의 형태를 만들지만, 후에는 건물이 우리의 형태를 만든다."

교회는 건물이 아닙니다. 건물보다 천 배, 만 배 중요한 것은 사람이며 그 영혼의 소생입니다. 건물이 한 영혼을 다치게 만든다면 그것은 하나님의 마음을 외면한 것입니다.

여섯째, 행사에 의해 움직이는 교회입니다. 교회가 하는 일에 분명한 목적도 없이 그냥 바쁘기만 합니다. 행사에 의해 움직이는 교회의 달력을 보면 교회의 목적이 사람들을 바쁘게 만드는 것이 아닌가 하는 생각을 하게 만듭니다.

이런 교회의 특징은 출석률을 가지고 교인들의 충성도와 성숙도를 평가합니다. 행사의 목적이 언제나 양적 성장에 맞춰져 있기 때문입니다. 물론 행사가 나쁘다는 것이 아닙니다. 중요한 것은 행사의 목적입니다. 그 목적이 교회다움을 담보하지 않는 이상 진정한 교회다움은 행사를 위한 들러리에 불과한 것입니다.

일곱째, 구도자에 의해 움직이는 교회입니다. 이러한 교회에서 가장 먼저 묻는 질문은 "불신자들이 무엇을 원하는가?"입니다. 물론 구도자의 필요와 상처에 관심을 가져야 합니다. 하지만 교회의 모든 계획이 그들의 필요에 의해 좌지우지 되어서는 안 됩니다.

교회 안에서 기존의 성도들 사이에 형제애를 가지고 교제를 나누는 일 또한 교회다움을 세상에 증거하는 중요한 수단입니다. 일차적으로 그들이 더욱 감동받는 예배를 드려야 하며, 그들을 위해 다양한 신앙 프로그램들이 있어야 합니다. 구도자에 대한 사랑이 자칫 성장에 대한 집착에서 나온 경우, 이것은 매우 위험한 결과를 초래할 수도 있습니다.

여덟째, 목적에 의해 움직이는 교회입니다. 오늘날 무엇보다 필요로 하는 교회는 다른 힘들에 의해서가 아니라, 목적에 의해서 움직이는 교회입니다. 새로운 패러다임은 기존의 교회에 대한 가장 성경적인 대안으로 목적이 이끌어 가는 교회를 제시하고 있습니다. 이것은 곧 비전이 이끌어 가는 교회를 말합니다.

교회는 주님이 주신 목적에 의해 움직여야 합니다. 이 목적을 이루기 위해 필요한 것이 곧 비전이자 사명입니다. 교회에서 하는 모든 양육과 행사는 이 목적에 의해 기획되어야 합니다. 그리고 목적을 이루기 위한 과정이 있어야 합니다. 이것을 프로세스process목회라고 합니다.

많은 목회자들이 교회 성장을 위해 프로그램 목회를 하고 있습니다. 프로그램 목회는 백화점처럼 여러 가지 프로그램으로 성도들의 입맛을 충족시킬 수 있을지는 몰라도 양육하고 재생산하는 과정에까지 이르지는 못합니다.

마치 백화점에 사람들이 모여들 듯 실제로 프로그램 목회에도 사람들이 몰려듭니다. 하지만 그들은 이것저것 맛을 보고는 또 다른 프로그램을 찾아 금세 떠나기도 합니다. 실질적으로 저력을 발휘하는 목회는 프로그램을 중심으로 한 목회가 아니라 사람을 키우고 훈련하여 파송하는 프로세스에 중점을 둔 목회입니다.

프로세스는 목적을 이루기 위한 과정으로, 그 과정을 거치면 한 사람의 건강한 평신도 사역자가 탄생하는 것입니다. 건강한 평신도 사역자가 바로 건강한 교회를 만듭니다. 풍성한교회는 목적이 분명한 교회입니다. 우리의 목적은 주님의 지상 명령이 위대한 사명에 근거합니다.

> 그러므로 너희는 가서 모든 족속으로 제자를 삼아 아버지와 아들
> 과 성령의 이름으로 세례를 주고 내가 너희에게 분부한 모든 것을
> 가르쳐 지키게 하라 볼찌어다 내가 세상 끝날까지 너희와 항상 함
> 께 있으리라 하시니라 마 28:18~20

교회는 주님께서 성령을 통해 명령하신 바로 그 사명에 충실해야 합니다. 그것이 교회의 기초이며 뿌리입니다. 앞에서 언급했듯이 이 사명을 이루기 위하여 사명 선언문과 8대 핵심가치를 세워 놓고 있습니다. 그리고 이 8대 핵심가치는 NCD의 건강한 교회 8가지 질적 특성과 동일합니다.

건강한 교회에서 나타나는 8가지 질적특성을 8대 핵심가치에 접목시켜 시행하고 있는데 아주 높은 교회 건강 질적 수치가 나온 것도 바로 이러한 명확한 목표 설정하에 교회가 노력하였기 때문일 것입니다.

우리는 사명 선언문을 기초로 8대 핵심가치의 기둥을 세워, 주님의 지상명령인 '가서 모든 족속으로 제자 삼는' 2천2만의 세계비전을 이루기 위해 한결같이 달려왔습니다.

우리 교회는 이 목표 즉, 2천2만 세계비전을 이루기 위해 실질적이고도 효과적인 양육 시스템을 갖추고 있습니다. 그것은 다름 아닌 '두날개양육시스템'입니다.

신앙 성장에도 지름길이 있습니다. 양육과 훈련이 바로 성장의 지름길입니다. 실제로 우리 교회의 성도들 대부분은 예수를 전혀 알지 못

하다가 전도되어 양육과 훈련을 거쳐 훌륭한 사역자로 변화됩니다.

우리 교회가 건강한 것은 불신자가 전도되면 영적으로 성장하여 재생산을 할 정도의 훌륭한 제자에 이른다는 사실 때문입니다. 이것이 바로 목적이 분명한 교회가 가진 프로세스 목회의 힘입니다.

3장 가치 변화, 비전,
영성, 시스템

## 하나님 나라 가치발견

건강한 교회로의 회복은 하나님 나라의 가치를 알고 발견하는데서 출발합니다.

하나님 나라의 가치란 무엇입니까? 예수님은 마태복음 13장 44~46절에서 밭에 숨겨진 보물을 발견한 사람의 비유와 값진 진주를 찾아낸 사람의 비유, 이 두 가지를 통해 하나님 나라의 가치를 잘 설명해 주십니다.

내용은 이렇습니다. 남의 밭에서 일하던 사람이 그 밭에 숨겨진 보물을 발견했습니다. 누구도 본 사람이 없습니다. 밭의 임자도 그 사실을 알지 못합니다. 누군가가 묻어 두고 죽은 모양입니다.

보물을 발견한 사람은 집에 돌아가 모든 재산을 처분하여 그 값을 치르고 밭을 삽니다. 여기서 보물을 발견한 사람이 그 밭에 보물이 있음을 숨기고 밭을 산 것에 대한 도덕적으로 옳고 그름을 판단할 필요는 없습니다. 이 비유의 초점은 보물의 가치를 알기 때문에 그것을 위해 모든 것을 팔고 밭을 샀다는 데 있습니다.

또 하나의 비유는 진주 이야기입니다. 아주 값지고 귀한 진주를 찾아다니던 진주 보석 전문가가 어느 날 지금까지 본 적이 없는 값진 진주를 발견하였습니다. 그 상인은 자기가 가지고 있던 모든 소유를 다 팔아 값진 진주를 샀습니다. 진주의 가치를 아는 사람이 아니면 할 수 없는 행동입니다.

이 두 가지 비유를 통해 주님은 하나님 나라의 가치에 대해 이야기하고 계십니다. 이 비유는 천국의 가치를 생각하게 해 주는 것일 뿐 아니라 우리가 천국의 가치를 얼마나 인식하고 있는가를 질문하는 것이기도 합니다. 이 두 가지 비유가 우리에게 가르쳐 주는 천국에 대한 몇 가지 중요한 원리가 있습니다.

첫째, 천국은 감추어져 있습니다. 둘째, 감춰진 천국의 가치를 아는 사람은 많지 않다는 것입니다. 셋째, 천국의 가치를 아는 사람은 천국을 위해 모든 것을 투자한다는 것입니다.

여기서 '감추어져 있다'는 말에 아주 중요한 의미가 있습니다. 예수 그리스도에게 천국이 있다는 것은 감춰진 비밀이었습니다. 누구도 말구유에 누운 그분이 천국의 주인인 줄 알지 못했습니다. 그분이 외치는 그 말씀 속에 천국이 있음을 깨닫는 사람 역시 많지 않았습니다. 왜냐하면 사물의 가치를 그 가치만큼 안다는 것은 쉽지 않은 일이기 때문입니다.

예수님의 비유에 나오는 보물도 밭에 숨겨져 있었기에 보물이 있음을 안다는 것은 무척 어려운 일이었습니다. 좋은 진주도 찾기 어려운 보물이었음을 말씀하고 있습니다.

사람의 가치도 마찬가지입니다. 누가 정말 훌륭한 가치를 지닌 사람인지 잘 구별이 안 됩니다. 사람은 그래서 잘 속습니다. 보물의 가치를 아는 눈이 필요한 것입니다. 가치를 모르면 귀한 것을 놓칠 수 있습니다. 그것이 돈으로 환산 되는 세상의 보물 정도일 때는 큰 문제가 아니지만 정말 인생의 영원한 가치를 결정하는 것인데 그것을 놓치면 얼마나 인생에 치명적인지 모릅니다.

예수님을 십자가에 못 박은 사람들은 누구였습니까? 겉모습만 보고 말씀 안에 있는 진정한 하늘나라의 가치를 발견하지 못한 사람들이 아닙니까? 예수님으로부터 무엇이 보물인지를 발견하지 못한 사람들이 예수님을 십자가에 못 박아 죽인 것입니다. 생명의 근원되신 주님을 잃은 것입니다. 많은 사람들이 천국의 주인 되신 예수님의 가치를 몰랐습니다. 마태복음 19장 16~22절에 한 부자 청년이 주님을 찾아 온 사건이 기록되어 있습니다. 주님은 청년과 대화중에 이렇게 제안하셨습니다.

> 네가 온전하고자 할찐대 가서 네 소유를 팔아 가난한 자들을 주라 그리하면 하늘에서 보화가 네게 있으리라 그리고 와서 나를 좇으라 그 청년이 재물이 많으므로 이 말씀을 듣고 근심하며 가니라
> 마19:21~22.

예수님은 재물에 대한 욕심 때문에 아직 천국의 가치를 발견하지 못한 청년에게 그 장애물을 제거하라고 말씀하셨습니다. 그러자 그는 고민합니다. 그리고 주님을 떠나버리게 됩니다.

그 젊은 청년에게는 주님이 많은 재물을 포기할 만큼의 가치 있는 분으로 보이지 않았기 때문입니다. 가치를 아는 사람은 모든 것을 투자합니다. "자기의 소유를 다 팔아 그 밭(진주)을 샀느니라"마13:44,46. 이들은 숨겨진 보물과 좋은 진주의 가치를 알고 있었기 때문에 그 가치를 위해 자신들의 모든 것을 투자할 수 있었던 것입니다.

예수님을 보물로 여긴 사람들은 예수님께 모든 것을 걸었습니다. 훌륭한 어부 출신인 베드로와 안드레는 배와 그물을 버리고 좇았고마4:20, 야고보와 요한은 배와 부친을 버려두고 예수님을 좇았습니다. 그리고 마태는 돈벌이가 잘되는 세리직을 박차고 나와 예수님을 좇았습니다마9:9.

바울 사도는 어떠합니까? 예수 그리스도를 만나고 점점 예수님을 알아 가며 예수가 삶의 진정한 보배인 것을 발견했을 때, 그는 자신이 가진 모든 것을 배설물처럼 포기했다고 했습니다. 그렇게 소중하고 가치 있게 여기던 것들이, 진정 가치 있는 것을 만나게 되었을 때는 한낱

부질없는 것으로 여겨지게 된 것입니다. 매를 맞고 감옥에 들어가도 누릴 수 있는 천국이 예수 안에 있었습니다.

순교가 무엇입니까? 예수님을 가장 귀한 가치로 알기에 그분을 위해 목숨까지도 드리는 것입니다. 예수님을 통해 하늘나라의 가치를 발견한 사람들은 높은 가치를 위해 낮은 가치는 스스럼없이 포기하게 됩니다.

돈을 들이고 땀 흘리며 등산을 하는 사람들이 있습니다. 운동 삼아 하는 것 말고 목숨까지 걸고 산에 오르는 사람들 말입니다. 등산을 하면서 많은 사람들이 죽었는데도 그들은 또 올라갑니다. 그것을 귀하게 여기지 않는 사람들은 이해할 수 없는 일입니다. 하지만 그것의 가치를 아는 사람은 목숨을 잃더라도 가는 것입니다.

우리는 우리가 가치 있다고 생각하는 것에 얼마나 우리의 삶을 투자하고 있습니까? 오늘날 세상은 말할 것도 없고 교회 안에도 세속적인 가치관이 자리 잡고 그것들이 영원한 가치를 잃어버리게 하고 있습니다. 실용주의 사고에 익숙해지면서 인스턴트 문화가 자리 잡고 이에 따른 가치관의 변질은 심각한 상태에 이르고 있습니다.

우리에게 보물이 있습니까? 그것은 진짜 보물입니까? 아니면 아직도 엉뚱한 것을 보물처럼 끌어안고 살지는 않습니까? 보물인 천국에 모든걸 투자하는 자가 많아질 때 세상은 분명 달라질 것입니다.

하나님 나라와 예수님의 가치를 발견하고 너무 좋아서 자기의 모든 재능을 다 주님께 돌린 사람이 있습니다. 그는 어렸을 때부터 교회에 나갔으나 점점 성장하면서 출세하게 되었고 돈을 벌고 쾌락을 즐기다가 예수님을 떠난 인생을 살았습니다. 그는 시카고 방송국의 연출가였고 인기 절정의 가수였습니다. 그런데 돈을 벌고 출세하고 인기가 높아지면서 그의 마음은 불안이 늘 떠나지 않았습니다. 그러던 어느날 성경을 읽다가 예수님에 관한 추억과 향수가 진하게 살아났습니다. 그 후 어느 모임에 참석하게 되었는데 그곳에서 자신의 전 삶을 예수님께 드리는 결단을 하였습니다.

그가 집에 도착하자마자 방송국에서 전화가 걸려 왔습니다. 선속계약을 체결하면 지금까지의 대우보다 몇 배나 더 주겠다고 제안을 해온 것입니다. 그러나 그는 이 제안을 거절하며 유명한 말을 남겼습니다.

"미안하지만 전화를 너무 늦게 걸었습니다. 앞으로 나의 목소리와 모든 재능은 나를 구원하신 예수님, 나의 주인 되신 창조의 하나님, 그분의 영광을 위해 쓰여질 것입니다."

그 후 이 사람의 마음속에 멜로디가 솟아나기 시작했습니다. 자기를 위해 늘 기도하던 어머니가 친구 밀러 여사에게서 가져온 성시에 맞춰 그가 작곡을 했는데, 그 곡은 우리가 잘 아는 찬송가 102장 "주 예수보다 더 귀한 것은 없네"입니다.

1절  주 예수보다 더 귀한 것은 없네 이 세상 부귀와 바꿀 수 없네
　　　영 죽을 내 대신 돌아가신 그 놀라운 사랑 잊지 못해
2절  주 예수보다 더 귀한 것은 없네 이 세상 명예와 바꿀 수 없네
　　　이 전에 즐기던 세상일도 주 사랑하는 맘 뺏지 못해
3절  주 예수보다 더 귀한 것은 없네 이 세상 행복과 바꿀 수 없네
　　　유혹과 핍박이 몰려와도 주 섬기는 내 맘 변치 못해
후렴  세상 즐거움 다 버리고 세상 자랑 다 버렸네
　　　주 예수보다 더 귀한 것은 없네 예수 밖에는 없네

이분이 바로 빌리 그래함 목사님과 평생을 동역한 조지 비브리 쉐아입니다. 그는 1973년 여의도에서 빌리 그래함 한국 선교대회와, 1984

년 한국기독교 100주년 선교대회가 여의도에서 열렸을 당시 75세 고령의 나이로 굵은 안경테를 쓰고 변함없는 온화한 미소와 함께 이 찬양을 불러 성도들에게 깊은 은혜를 주었습니다.

오래 전 암스테르담에 세계 모든 전도자들이 모여 '복음을 어떻게 전할 것인가'라는 주제 하에 복음대회를 가졌습니다. 그 대회 절정에 빌리 그래함 목사님이 설교를 하고 조지 비브리 쉐아가 부른 찬송도 이 "주 예수보다 더 귀한 것은 없네" 였습니다. 장내에 참석했던 모든 사람이 감동을 받아 우레와 같은 박수갈채를 보냈습니다. 그때 그는 이렇게 답례했습니다.

"이 부족한 사람을 위해서 많은 갈채를 보내 주신 것을 감사합니다. 그러나 저는 예수님을 어떤 박수갈채와도 바꿀 수 없습니다."

## 가치 변화는 어떻게 가능한가

가치의 변화는 단번에 이뤄지지 않습니다. 점진적입니다. 저는 양육과 훈련의 초점을 가치 변화에 두고 있습니다.

건강한 교회 세우기 부흥회를 인도하러 전주에 갔을 때의 일입니다. 선교사로 5년을 사역을 하고 돌아온 목사님이 "김 목사님, 사람이 변화 됩니까?"라고 질문을 했습니다.

사람의 변화에 대한 회의적인 질문이었습니다. 그 질문에 대한 저의 대답은 다음과 같았습니다. "반드시 변화됩니다. 그런데 사람들은 변화의 초점을 성품에 둡니다. 하지만 저의 양육은 가치 변화에 두고 있습니다. 가치가 변하면 사람은 변화되기 때문입니다."

언젠가 제자들과 이런 이야기를 나눈 적이 있습니다. 리더십의 자

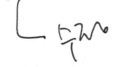

질 중 '비전이 중요한가, 성품이 중요한가?'라는 주제였습니다. 물론 인격이 뒷받침되지 않는 비전은 이루기 힘들고, 비전이 없는 인격 훈련은 한계가 있습니다.

비전이 확실하면 성품은 변화됩니다. 비전이 확실한 사람은 비전을 이루는 데 걸림돌이 되는 성품을 위해 몸부림칠 것이며, 비전을 이루기 위해 날마다 순간마다 자기 자신을 쳐서 온전히 복종시킬 것이기 때문입니다.

비전에 사로잡힌 사람, 하나님 나라의 가치에 사로잡힌 사람, 그러한 사람을 키워내는 것이 저의 양육과 훈련의 목표입니다. 그리고 그것은 다름 아닌 가치 변화에서부터 비롯됩니다.

우리 교회는 양육과 훈련으로 가치 변화를 경험하여 변화된 사람들이 많습니다. 아니, 양육반과 세계비전제자대학을 거치면서 99%가 가치 변화를 경험합니다. 아이가 셋이나 있는데도 풀타임 사역간사를 자원해 셀을 번식시켜 슈퍼 셀리더가 된 여 집사님도 있고, 하던 일을 내려놓고 사역간사로 지원하여 헌신하는 사람들도 많습니다.

그렇습니다. 가장 중요한 것은 가치 변화입니다. 가치가 변하지 않고 건강한 셀교회로 간다고 하는 것은 또 하나의 프로그램을 더하여 짐이 될 뿐입니다. 하나님 나라의 가치에 헌신되도록 하는 것, 하나님의 부르심과 비전에 사로잡히도록 일꾼을 양육해 내는 것이 선행되지 않고 방법만을 배워 적용한다면 그것은 셀교회가 아니라 셀이라는 이름을 가진 교회에 불과합니다.

그러므로 가장 중요하게 다루어지는 것은 패러다임의 변화입니다. 두날개로 날아오르는 건강한 교회를 세우기 위해서는 먼저 교회에 대한 기존의 전통적인 생각을 바꾸는 것이 중요합니다.

# 비전

하나님 나라의 가치로 변화되면 비전이 보입니다. 비전이 무엇입니까? 비전이란 현재 보이는 것뿐만 아니라 미래의 그림을 보는 것입니다. 비전은 보이지 않는 것을 보게 만듭니다. 하나님이 우리에게 주시는 미래를 비전이라는 안경을 가지고 미리 보는 것입니다.

하버드 경영대학원의 존 커터 교수는 "비전이란 미래의 그림을 말하는 것으로, 사람들이 그 미래를 창조하기 위해 노력하는 이유를 명시하거나 묵시적으로 언급하는 것이다"라고 정의 했습니다.

그런가하면 케네디 스쿨의 리더십 교수인 데이빗 거건은 "비전은 조직의 핵심가치를 반영해야 한다. 리더는 현재 우리가 소유하고 있는 가치에 새로운 생명을 불어넣어야 한다. 그리고 이 시대의 상황 속에 그것을 적용하고, 조직을 잘 리드해 비전을 성취해야 한다"라고 이야기 합니다.

존 커터 교수는 효과적인 비전이 갖는 특징을 여섯 가지로 제시합니다. 첫째, 비전은 상상이 가능해야 합니다. 시각적이거나 청각적으로 마음에 그려볼 수 있어야 합니다. 둘째, 선의, 희생, 정의 등과 같이 바람직한 것이어야 합니다. 그래야만 모든 사람을 포괄할 수 있습니다. 셋째, 실행 가능한 것이어야 합니다. 균형 잡혀 있고, 리더와 추종자 간의 의사소통이 가능해야 합니다. 넷째, 초점이 있어야 합니다. 가능하면 구체적으로 "예, 아니요"라고 답변할 수 있을 정도여야 합니다. 다섯째, 유연해야 합니다. 상황과 조건의 변화에 따라 적용할 수 있어야 합니다. 여섯째, 이해할 수 있는 것이어야 합니다. 리더는 추종자에게 비전을 설명할 수 있어야 합니다.

명쾌한 비전은 성장의 원동력이 됩니다. 성경 속 인물 중 대표적인 비전의 사람을 꼽으라면 사도 바울이라고 말하고 싶습니다. 그는 다메섹 도상에서 예수님을 만난 후 가치관이 변하여 비전을 발견합니다. 그리고 그는 비전을 이루기 위해 일생동안 한결 같이 달음질칩니다.

> 나의 달려갈 길과 주 예수께 받은 사명 곧 하나님의 은혜의 복음 증거하는 일을 마치려 함에는 나의 생명을 조금도 귀한 것으로 여기지 아니하노라행20:24.

그는 비전을 이루기 위해 생명을 아끼지 않았노라고 고백하고 있습니다. 그렇습니다. 비전은 생사를 초월합니다. 감옥에 갇히고, 채찍에 맞고, 죽음의 위협을 당하면서도 비전을 향한 달음질을 멈추지 않습니다. 총독 벨릭스와 베스도, 아그립바 왕, 심지어는 로마왕 가이사 앞에서도 담대하게 복음을 전했습니다. 비전이 그를 사로잡았기 때문입니다.

비전은 또한 마땅히 볼 것을 보는 것입니다. 가나안을 정탐하러 갔던 12명의 정탐꾼 이야기를 잘 아실 것입니다. 12명의 정탐꾼 중 10명은 보아야 할 것은 보지 못하고 보지 말아야 할 것을 보고 왔습니다. 겁에 잔뜩 질려 부정적인 보고를 하였고, 그들의 부정적인 태도는 40년간 비극적인 광야 생활의 결과를 가져왔습니다.

하지만 여호수아와 갈렙은 눈에 보이는 가나안 이면에 숨겨진 하나님의 약속을 보았습니다. 그리고 믿음으로 선포했습니다. 결국 여호수아와 갈렙 만이 약속의 땅을 차지했습니다. 이처럼 비전은 인생의 방향과 축복을 결정합니다.

그런데 비전은 배우거나 만들어지는 것이 아닙니다. 하나님이 주시는 것이며, 비전이 나를 사로잡는 것입니다. 하나님은 저에게 하나님이 디자인하신 성경적인 교회의 회복과 황홀한 평신도 사역자들을 세우라는 비전을 보여주셨습니다.

해가 갈수록 그 비전은 더욱 저를 강력하게 붙들었으며, 하나님께서는 그 비전을 이루어가도록 구체적인 길을 열어 주셨습니다. 비전은 내가 만드는 것이 아니라 하나님이 주시는 것이며, 하나님으로부터 온 비전은 시간이 지날수록 이처럼 선명해집니다.

## 우리가 꿈꾸는 것, 2천2만 세계비전

하나님이 우리 풍성한 공동체에 주신 비전은 공동체, 사회, 세상을 변화시키는 2천2만 세계비전입니다.

'2천2만 세계비전'이란 2천 명의 선교사를 각 민족과 열방에 파송하고, 2만 명의 셀리더를 세워 지역과 민족을 복음화하여 세계 복음화를 감당코자 하는 비전입니다. 이는 재생산 비전으로 성취될 것입니다.

주님이 12제자를 세워 세계 복음화의 꿈을 위임하셨듯이 모두가 셀리더가 되고 또 자신의 12명의 셀리더를 세우는 꿈이 바로 재생산 비전입니다. 우리는 각 개인이 가진 재생산 비전으로 2천2만 세계비전을 이뤄갈 것입니다. 우리의 모든 양육과 훈련은 이 비전을 향해 집중됩니다.

첫째, 우리는 2만 비전으로 공동체를 세울 것입니다 행2:42.

우리가 꿈꾸는 공동체는 사람들의 삶에 확실한 변화를 가져오는 공동체입니다. 그것은 초대교회 공동체의 모습이며, 하나님께서 디자인하신 성경적인 교회의 모습입니다.

공동체 안에서는 무조건적으로 사랑을 나누며, 서로를 책임지며,

각기 다른 은사를 가진 사람들이 서로 은사에 따라 조화를 이룹니다. 공동체의 생명력은 예수 그리스도이며, 모일 때마다 성령님의 임재와 능력과 목적이 체험되는 공동체입니다.

이것은 세상에서 한 번도 경험하거나 생각하지 못한 공동체입니다. 우리의 꿈은 이러한 공동체를 이루는 것입니다. 교회가 행복한 가정이며 혈육보다 더 진한 영적인 가족이 되는 것입니다. 이러한 공동체를 우리는 셀가족 모임이라 하며, 셀가족 모임의 영적인 아비인 셀리더 2만 명을 세우는 것이 우리의 비전입니다.

우리는 2만 비전을 '재생산 비전'으로 성취해 나갈 것입니다. 재생산 비전이란 주님이 12제자를 세우시고, 그들에게 비전을 위임하신 것처럼 내가 먼저 제자가 되고 나 역시 12명의 제자를 셀리더로 세우는 비전을 말합니다.

둘째, 2만 비전으로 지역과 민족을 변화시킬 것입니다마9:35~38.

예수님께서는 가장 먼저 잃어버린 영혼을 향해 나가셨습니다. 또한, 양들을 보살피셨습니다. 이것은 모든 문화와 시대에 누구에게나 적용되어야 합니다. 잃어버린 영혼을 향해 나아가며, 그들을 보살피고 사람들을 양육하는 것이 바로 지역과 민족을 변화시키는 것입니다.

우리는 2만 명의 셀리더를 통해 잃어버린 영혼에게 나아가 그들을 제자삼고, 그들이 다시 12명을 제자 삼는 재생산 비전으로 지역과 민족을 변화시킬 것입니다. 이것이 지역과 민족을 변화시키는 우리의 2만 비전입니다.

셋째, 2천 비전으로 열방을 변화시킬 것입니다마28:18~20.

우리의 비전은 땅끝까지 복음을 전하는 것입니다. 이 역시 재생산 비전으로 성취될 것입니다. 주님이 12명의 제자를 세우시고, 그들에게 세계비전을 위임하신 것처럼 각 나라 족속들을 제자 삼으며, 그들이 다시 12명을 제자 삼아 땅끝까지 나아가 세상을 변화시키는 것입니다.

이것이 바로 예수님의 계획이며, 그분의 명령입니다. 우리는 2천 명의 선교사를 열방에 파송하며 땅끝까지 복음을 전하여 그들을 제자 삼아 열방을 주님의 나라로 변화시킬 것입니다. 이것이 우리의 2천 비전입니다.

주님은 마태복음 28장 18~20절에 세계 복음화의 사명을 명령하셨습니다. 이를 위해 하늘과 땅의 모든 권세를 우리에게 주셨다고 말씀하셨습니다. 우리가 우직하고 충성스럽게 주님이 주신 사명을 품고 달려가면 반드시 비전은 성취될 것입니다. 아브라함과 야곱과 요셉이 그러했듯 미래는 꿈꾸는 자의 것이며, 그 꿈을 이루기 위해 사도 바울처럼 한결같이 달려가는 자의 것입니다.


## 비전을 이루는 힘, 열정적 영성

비전을 이루는 힘은 열정적 영성입니다. 영성이 뒷받침되지 않은 비전은 무거운 짐이 될 뿐입니다. 두날개양육시스템은 비전을 이루기 위해 달려가는 열정적 영성의 사람으로 만들어 냅니다.

열정을 가지려면 자신이 하는 일을 사랑해야 합니다. 자신이 하는 일을 사랑하지 않으면 열정을 가질 수가 없습니다. 신시아 커지가 지은 『걸림돌을 디딤돌로 삼아라』는 책에 프란시스코 부시오라는 사람의 열정적인 삶이 소개되어 있습니다. 그의 가장 간절한 소망은 외과의사가 되는 것이었습니다. 그의 소원이 이뤄져 스물일곱 살에 성형외과의 레지던트가 되고, 몇 년 뒤 자신의 병원을 개업하게 됩니다.

그런데 그에게 뜻하지 않은 고난이 닥치게 됩니다. 1985년 9월 19

일. 살고 있던 샌프란시스코에 리히터 지진계로 8.1의 강도가 되는 대지진이 일어납니다. 이 사건으로 그는 나흘간 땅 속에 있다가 기적적으로 구출됩니다. 그러나 외과 의사에게 결정적으로 중요한 오른손 엄지손가락을 제외한 나머지 모두를 절단해야만 하는 상황에 도달하게 됩니다.

하지만 그는 외과의사의 소망을 버릴 수가 없었습니다. 그래서 급기야는 자신의 발가락 두 개를 잘라 손가락이 있어야 할 자리에 이식해 버립니다. 이후 피나는 반복훈련을 거듭하였으며 병원을 개업하여 존경받는 성형외과 전문의로 재기하게 됩니다.

자신의 꿈을 이룬 것입니다. 지금은 여러 가지 의료 서비스를 제공하며 가난한 자들을 위한 봉사활동도 열심히 하고 있습니다. 외과의사가 되려는 그의 강한 열정이 모든 어려운 역경을 이기게 한 것입니다.

그는 열정에 대하여 의미 있는 말을 남겼습니다. "우리는 누구나 인생에서 이런저런 장애물에 부닥칩니다. 하지만 가장 뜨거운 열정을 연료로 이용할 수만 있다면 결국 꿈을 실현할 수 있을 것입니다."

열정은 이처럼 우리가 사랑하는 일을 하는데 모든 시간과 정력을 소모하여도 힘들어하지 않고, 장애물이 있어도 극복하게 하는 힘이 있습니다.

미국 제39대 대통령을 지낸 지미 카터를 잘 아실 겁니다. 그는 조지아 주의 한 시골에서 땅콩을 재배하던 가난한 농부의 아들로 태어났습니다. 어릴 때 집이 가난하여 학교를 다닐 형편이 되지 않아 무료로 공부를 가르쳐 준다는 해군사관학교에 진학을 하여 해군 장교로 근무를 하게 됩니다.

군복무를 마친 뒤에는 고향으로 돌아와서 부친의 뒤를 이어 땅콩 농장을 경영하다가 조지아 주州 지사를 거쳐 1977년 1월 미국의 대통령으로 취임하면서 세계적인 지도자의 길을 걷게 됩니다.

그런데 대통령으로서의 그의 길은 그렇게 순탄하지만은 않습니다. 수많은 문제들을 잘 처리하지 못하자 그는 무능력한 대통령으로 낙인이 찍혔고, 결국 임기 후 고향으로 돌아간 뒤에는 많은 사람들의 기억 속에서 잊혀져 갔습니다.

그런 그가 얼마 후 집이 없는 가난한 사람들을 위하여 손수 집을 지어 주는 해비타트 운동에 참여하면서 다시 많은 사람들의 관심을 끌게 됩니다. 전직 미국 대통령이란 경력이 세목을 끈 것이죠.

'해비타트'라는 말은 거주지 또는 동물들의 서식처라는 뜻입니다. 그는 지금도 전 세계 어느 곳이든지 무주택자를 위한 봉사와 섬김이라면 어디든지 망치와 페인트 통을 들고 달려갈 정도로 열정을 가진 사람이 되었습니다.

이 해비타트 운동 안에 'JCWP'라는 이름의 사역이 있는데 이것은 'Jimmy Cater Work Project'라는 운동의 약자입니다. 즉 지미 카터의 집 지어 주기 운동 계획이라는 뜻입니다.

2001년에는 한국을 방문하여 전국 6개 지역에서 9,000명의 자원봉사자들과 함께 집이 없는 가난한 사람들을 위해 174세대의 집을 지어 나누어 주기도 했습니다.

그의 이러한 봉사와 헌신에 대해 많은 사람들이 궁금해 하자 지미 카터는 "하나님께서 나를 대통령에 당선시킨 것은 대통령직을 잘 감당하라고 한 것이 아니라 대통령을 마친 뒤에 하나님께서 시키실 일이 있어서 나를 대통령으로 세우셨다"라고 서슴없이 고백하였습니다.

실제로 전직 대통령이 가난한 사람들을 위하여 집을 지어 주는 일에 직접 망치를 들고 못을 박으면서 일을 한다는 것이 많은 사람들에게 감동과 도전을 주어 동참하도록 했습니다.

그는 고령이지만 여전히 망치질과 벽돌 쌓기와 페인트를 칠하는 일을 즐거워하고 있습니다. 지금도 어려운 이웃들을 섬기고 보살피는 작은 예수의 삶을 즐겁게 그리고 행복하게 감당하고 있습니다.

이처럼 열정은 나이와 환경을 초월합니다. 두날개양육시스템은 이러한 열정적인 영성을 소유한 사람으로 변화시킵니다. 그리고 환경을 이기고 모든 문제를 극복하는 열정적 영성이 뒷받침된 탁월한 재생산 사역자를 세워갑니다.

열정적 영성은 의무와 책임이 아닙니다. 하나님을 사랑하기에 그 사랑에서 열정적 영성이 비롯됩니다. 그렇기에 가치 변화에 따른 비전을 이루는 추진력은 하나님을 사랑하는 그 사랑의 힘이라 할 수 있습니다. 열정적 영성은 8장에서 한 번 더 자세히 다루도록 하겠습니다.


## 두날개양육시스템

하나님이 디자인하신 교회, 건강한 교회의 회복은 가치의 변화에서 시작됩니다. 가치가 변화되면 비전을 발견합니다. 영성은 그 비전을 이뤄가는 강력한 엔진과도 같은 역할을 합니다.

두날개양육시스템은 가치변화와 비전, 그 비전을 이루기 위한 열정적인 사역자로 변화시킵니다. 우리는 두날개를 가진 건강한 교회를 세우기 위해 체계적인 양육으로 거듭난 그리스도인 한 사람 한 사람을 하나님 나라 가치로 무장된 일꾼으로 세워 가고 있습니다. 이것은 다름 아닌 두날개양육시스템을 거칠 때 건강한 평신도 사역자가 탄생되며 재생산이 이뤄집니다.

중요한 것은 시스템입니다. 벤츠 자동차를 생산하는 라인을 거치기

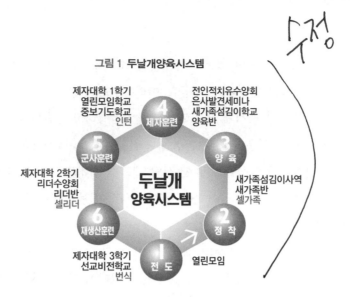

그림 1 두날개양육시스템

만 하면 벤츠가 만들어지듯이 교회 또한 시스템을 거쳐 거듭난 그리스도인을 주님의 제자와 군사로, 재생산 사역자로 만들어야 합니다.

두날개양육시스템은 전도에서부터 정착, 양육, 훈련, 재생산에 이르기까지 일관성 있고 체계적입니다. 또한, 각 단계의 목표가 확실하여 확실한 일꾼이 세워집니다.

## 전도

전도는 우리가 서 있는 바로 이곳이 땅끝이라는 의식을 전제로 시작됩니다. 하나님은 내 주위에 있는 믿지 않는 이웃, 친구, 동료들을 구원하기를 원하십니다. 우리는 직장, 대학, 가정, 병원에서 소그룹으로 열린모임을 열어 관계 전도를 생활화하고 있습니다.

열린모임은 총 12주로 진행됩니다. 첫 주는 7명의 태신자를 정하고, 둘째 주는 그 중 이번에 꼭 전도하고 싶은 세 사람을 다시 정합니다. 그 세 사람을 베스트Best라고 합니다.

베스트와 셋째 주부터 6단계 관계 맺기를 실시합니다. 매주 만나서

관계를 맺다 보면 베스트의 마음이 열려 열린모임에 초청되고, 열린모임에서 복음을 듣고 하나님을 만난 이들은 교회로 등록하게 됩니다. 이를 '열린모임 12주 전략'이라 하는데 이러한 소그룹 관계전도를 통해 많은 불신자들이 복음을 듣고 하나님을 만나 즐겁게 신앙생활을 하고 있습니다.

또 전도특공대는 매일 오전, 지역과 병원을 대상으로 커피, 차를 나누어 주며 지역을 공략하고 있습니다. 또한, 의료, 찬양, 드라마, 미용 전도 등 달란트를 활용한 특수 전도팀이 활동하고 있습니다.

그런가 하면 소그룹을 통한 전도도 시도되고 있습니다. 축구, 농구, 등산 등 운동을 좋아하는 성도들이 불신자들을 상대로 경기를 하며 자연스럽게 복음을 전합니다.

양로원이나 장애인 등 소외된 사람들을 정기적으로 방문하여 섬김과 사랑으로 복음을 전하기도 합니다. 이처럼 건강한 교회의 전도는 이벤트나 행사가 아니라 생활입니다. 전도에는 왕도가 없습니다. 그렇기에 불신자들이 거부감 없이 복음을 받아들이도록 다양한 방법들이 지속적으로 연구되며 시도되고 있습니다.

## 정착

전도만큼이나 중요한 일이 정착입니다. 전도된 새가족만 잘 정착시켜도 교회는 성장합니다. 그렇기에 뒷문을 막는 일이 중요합니다.

우리 교회는 새가족이 등록하면 섬김이를 붙입니다. 섬김이는 새가족이 교회에 잘 정착하도록 교회와 사람들을 소개합니다. 그리고 주중에 만나서 새가족이 좋아할 만한 맛있는 식사를 대접합니다. 이렇게 정착을 돕는 사역을 총칭하여 새가족 섬김이 사역이라고 합니다.

새가족이 잘 정착하도록 주일마다 심방하여 예배에 데려옵니다.

3주 동안 돌보다 4주째가 되면 담임목사와 만남의 시간을 가지는 새가족반으로 데려옵니다. 이때 저의 목회철학과 교회의 비전을 소개합니다. 우리 교회는 이러한 새가족 섬김이 사역으로 80%의 정착율을 보이고 있습니다.

## 양육

총 12주로 진행되는 양육반은 개강 수양회로 전인적치유수양회를 가집니다. 목회현장에서 가장 안타까운 것은 예수를 믿어도 변화되지 않는 사람들입니다. 그저 형식적인 종교생활에 머물면서 마지못해 교회를 다니는 사람들이 있습니다.

그들은 그렇다 치더라도 열심히 신앙생활을 하는데도 다람쥐 쳇바퀴 돌듯 변화가 없는 사람들이 있습니다. 그런데 문제는 본인 역시 그러한 신앙생활에 회의와 절망을 느낀다는 것입니다. 그 이유는 무엇 때문일까요? 그것은 예수를 믿어도 치유되지 않은 내면의 쓴 뿌리와 견고한 진 때문입니다.

쓴 뿌리와 견고한 진으로 인해 가정에 문제가 생기고 주위의 사람들에게 상처를 주며, 삶에 축복의 문이 닫히는 비극을 경험합니다. 전인적치유수양회는 바로 그러한 내면의 문제와 견고한 진을 다루어 영육간의 치유를 경험하는 수양회입니다.

주님께서는 네 가지 밭의 비유로 우리의 마음 상태를 말씀하셨습니다. 좋은 마음밭이 되지 않은 상태에서는 양육으로 인한 변화를 기대하기 힘듭니다. 그래서 양육반 개강 전 전인적치유수양회를 가집니다. 수양회를 통하여 하나님의 은혜를 경험한 이들은 양육으로 엄청난 변화와 성장을 경험하는 것을 보게 됩니다.

양육반은 신앙의 기본을 다지는 시간입니다. 무슨 일이든 기초가 중요합니다. 지난 2002년 월드컵 4강의 신화를 이루어낸 것은 그 이면에 히딩크의 기본기에 대한 철저한 훈련이 있었기 때문입니다. 신앙생활 역시 마찬가지입니다. 구원의 확신, 사죄의 확신, 기도응답의 확신, 인도와 승리의 확신과 더불어 예배, 말씀, 기도, 증거, 섬김, 교제 등의 기본기를 확실히 다지는 것이 중요합니다. 신앙 역시 기초공사가 튼튼해야 거센 태풍이 휘몰아쳐도 승리할 수 있습니다.

양육반에서는 신앙의 기본 확신과 더불어 은사에 따라 교회를 섬기도록 은사발견 세미나를 실시합니다. 하나님께서는 각 사람들에게 은사를 주셨습니다. 열심도 중요하지만 그 열심이 은사에 따라 발휘될 때 더 많은 열매를 맺으며 섬김의 기쁨을 맛볼 수 있습니다. 은사발견 세미나에서 발견한 자신의 은사에 따라 교회를 섬기는 즐거움을 맛보게 하고 있습니다.

또한, 커리큘럼에 새가족 섬김이 학교 과정이 있습니다. 새가족 섬김이 사역은 가르치는 사역이 아닌 새가족을 정착시키는 사역입니다. 몇 개월 전 본인의 경험을 살려 새가족을 섬길 때는 오히려 더 좋은 결과들이 나타납니다. 그리고 새가족을 정착시키기 위해 기도하고 섬기면서 오히려 본인이 더 빠르게 성장하는 것을 보게 됩니다.

### (세계비전)제자대학 1학기 – 제자훈련

양육반을 수료하면 훈련의 첫 관문인 제자대학 1학기 제자훈련에 입문하게 됩니다. 제자훈련이란 제자로의 부르심을 깨달음과 동시에 제자의 삶이 무엇인지에 대해 훈련받는 시간입니다.

제자의 삶이란 다름 아닌 '사람 낚는 어부'의 삶입니다. 주님께서는 제자들을 부르실 때 "말씀하시되 나를 따라오너라 내가 너희로 사람을 낚는 어부가 되게 하리라 하시니"마4:19라고 하셨습니다.

저는 제자훈련의 목표를 특별히 가치 변화에 두고 있습니다. 어디에 가치를 두고 내 인생을 투자할 것인지에 대한 명확한 비전의식을 가진 사람으로 변화시키기 위해서입니다.

세상 나라 가치에서 하나님 나라의 가치에 눈을 뜨게 되면 사람은 반드시 변하게 됩니다. 제자훈련은 그러한 가치관의 변화와 더불어 실제적인 사역의 현장을 제시하고 있습니다. 그래서 1학기 입학 전 방학 동안 열린모임학교를 수강하게 합니다. 열린모임학교에서는 열림모임 실행Ⅰ, 열린모임 실행Ⅱ, 열린모임 실행지침서를 공부하며 12주 실행 지침을 배우게 됩니다. 한 주간 4회 강의가 진행되며, 열린모임에 대한 확실한 동기부여의 좋은 기회가 됩니다.

그리고 1학기에는 열린모임을 의무화하고 있습니다. 이는 사람 낚는 어부로 변화지키기 위한 실제적인 훈련의 장이기 때문입니다. 열린 모임에 참석하여 복음을 듣고 깨달아 영혼들을 섬길 때 생각의 변화가 삶의 변화로 이어지는 놀라운 은혜를 경험하게 됩니다.

1학기 마치고 방학이 되면 중보기도학교를 수강하도록 합니다. 중보기도학교는 총 3회 이론 강의와 4주간의 다양한 실습과정으로 이루어져 있습니다. 실습과정은 교회와 목회자를 위한 월요중보기도회, 영감 넘치는 예배를 위한 예배중보기도회, 주중에 중보기도실에서 진행되는 릴레이중보기도회로 이루어져 있습니다.

아무리 양육을 받아도 영성이 뒷받침 되지 않으면 성장과 변화는 더디게 됩니다. 반면 교회와 목회자와 타인을 위해 중보기도하게 될 때 자기중심적 신앙에서 벗어나 성숙한 신앙인으로의 성장을 맛보게 됩니다. 성경 말씀을 삶에 적용하여 진정한 변화를 경험하기 위해서는 영성, 즉 기도 없이는 불가능합니다. 실제로 중보기도학교에서 기도의 능

82

력을 체험한 이들은 제자대학 훈련 중 어려움이 닥치더라도 기도로 잘 이겨내는 것을 보게 됩니다.

그리고 2학기 개강수련회로 리더수양회가 있습니다. 리더수양회는 제자대학 1학기에서 2학기로 건너가는 다리 역할을 합니다. 1학기 제자 훈련을 통해 사람 낚는 어부인 제자로의 부르심을 발견한 이들에게 리더수양회는 제자가 무엇을 해야 하는지 명확한 역할을 제시해 줍니다. 그것은 하나님이 나를 셀리더로, 역사의 주역으로 부르셨다는 것입니다. 이 시간을 통해 아무리 부족하고 연약해도 하나님께서는 우리를 리더로 만들어 쓰신다는 확신을 갖게 됩니다.

## 세계비전 제자대학 2학기 – 군사훈련

제자대학 2학기 군사훈련은 자신이 군사임을 자각하는 시간입니다. 또 군사로 부르셨음을 깨닫고 순종하는 시간입니다. 군사의 제일 되는 원칙은 순종입니다. 아니 순종을 넘어선 복종입니다. 오직 명령에 복종하여 달려가는 것입니다.

디모데후서 2장 3~4절은 하나님이 우리를 군사로 부르셨으며, 군사로 부르심을 받은 자들은 어떻게 살아야 하는지에 대해 말씀하고 있습니다. 그리스도의 좋은 군사는 주님과 함께 고난을 받으며 자기 생활에 얽매이지 않고 군사로 모집한 자를 기쁘게 합니다.

군사는 철저히 자기를 부인합니다. 부르신 자의 기쁨이 곧 나의 기쁨이요, 부르신 자의 소망이 곧 나의 소망이기 때문입니다. 주님은 그러한 강력한 군사들을 통하여 세계비전을 이루어 가십니다. 2학기 과정은 군사로서 삶의 현장에서 복음을 전하는 열린모임 인도자의 사명을 감당할 수 있도록 훈련 합니다.

## 세계비전 제자대학 3학기 – 재생산훈련

제자대학 3학기 재생산훈련은 재생산 사역자로 훈련하는 과정입니다. 사과나무의 진정한 열매는 사과가 아니라 또 한 그루의 사과나무이듯 제자훈련의 진정한 열매는 재생산을 해내는 사역자입니다.

주님은 부활하시고 승천하시기 전 제자들에게 "가서 모든 족속으로 제자를 삼으라"고 하셨습니다. 주님의 유언, 지상명령을 감당하기 위해서는 바로 재생산을 해내는 제자가 되어야 합니다. 지역, 민족, 열방, 땅끝까지 이르러 복음을 전하고 교회를 세우는 제자를 훈련해 내는 것이 양육과 훈련의 열매이며 목표입니다.

그러므로 두날개양육시스템의 결론은 세계 선교입니다. 지역과 민족을 넘어 세계 복음화를 이루기 위해 두날개 운동은 시작되었습니다. 그 구체적인 실천이 17년간의 임상 끝에 나온 선교비전학교입니다.

선교는 모든 성도, 모든 교회가 하나님께로부터 부여받은 지상 대사명입니다. 우리는 복음을 들고 나가든지 보내든지 해야 합니다. 선교비전학교는 열린모임으로 선교현장에 침투하여 현지인을 전도하고, 양육과 훈련을 통해 그들을 재생산사역자로 세우며, 모든 민족 가운데 두날개로 날아오르는 건강한 교회를 세워 주님의 재림을 앞당기는 강력한 선교의 시작점입니다.

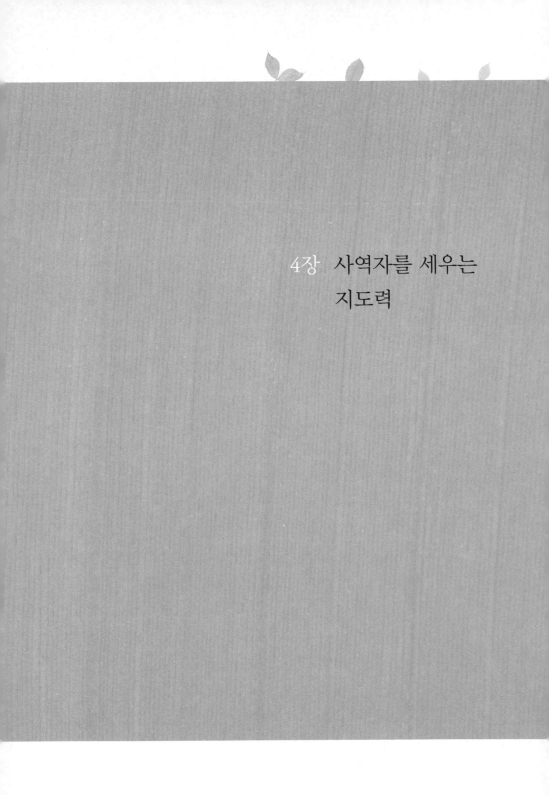

4장  사역자를 세우는
지도력

## 평신도를 사역자로 세우는 꿈

'사역자를 세우는 지도력'이란 평신도 동역자를 발굴하여 그들에게 사역할 수 있는 권한을 위임하는 지도력을 말합니다. 여기에서 가장 중요한 것은 지도력에 대한 패러다임의 변화입니다.

NCD 운동을 주도하고 있는 슈바르츠가 사역자를 세우는 지도력에 대해 '군림하는' 지도력이 아니라 '리더를 세우는' 지도력이라고 말한 것에 주목해야 합니다. 여기서 '군림하는 지도자'란 위대한 비전을 가졌을 뿐 아니라, 다양한 은사도 가진 재능 있는 한 사람을 뜻한다고 할 수 있습니다.

이런 지도자의 경우 자신의 꿈을 실현시키는 데 도움이 될 수 있는 봉사자들만을 필요로 할 것입니다. 이와 비슷한 개념이 교회 안에도 있습니다. 어떤 사람들은 심지어 이런 지도력을 특별히 효과적인 교회성장 원리라고 주장하기도 합니다.

그런데 슈바르츠의 연구 조사 결과에 의하면, 이것은 교회다움, 곧 교회에 대한 성경의 가르침과 아주 동떨어진 잘못된 개념입니다. 성장하는 건강한 교회의 지도자들은 모든 면에서 권한을 행사하기 위해 자기 자신을 주장하지 않는 것으로 나타났습니다. 그러니까 전술한 독재적 지도력에 근거한 교회 성장론은 어쩌면 그럴듯해 보이지만 실상은 허구입니다.

성장하는 교회의 지도자들은 하나님의 계획에 따라 성도들에게 주어진 권한을 더 강도 높게 계발시켜주는 것이야말로 그들이 해야 할 중요한 일이라고 생각합니다. 이런 지도자들은 성도 개개인을 하나님이 원하시는 사람이 되도록 그들을 돕고 격려하고 준비시키고 훈련시킨다는 것입니다.

그러나 평신도 지도자를 세우는 일은 일주일에 한 번씩 참석하는 예배나 설교만으로 되질 않습니다. 여기에는 많은 시간이 소요됩니다. 사람을 세우는 일이 엄청난 노력과 눈물과 대가를 치러야 한다는 것은 우리 주님이 친히 증거 하셨습니다. 이것은 해산의 수고를 아끼지 않는 체계적인 양육, 훈련과 함께 실제로 리더가 사역과 삶을 보여줄 때 가능합니다.

사람이 어떤 제도보다 아름다운 까닭은 이러한 아픔의 과정을 통해서 결국에는 변화를 가져오기 때문입니다. 이것은 마치 대속의 대가를 치르지 않으면 죄 사함이 없다는 진리와 같습니다.

데살로니가전서 2장 7~8절은 양육과 훈련을 '유모가 자기 자녀를 기름과 같이 돌보아 주는 것'이라고 정의하고 있습니다. 한글판 개역 성경에는 '유모'로 번역되어 있지만 원어로 보면 '부모'입니다. 11절에는 '아비가 자기 자녀에게 하듯 권면하고 위로하는 것'이라고 했습니다.

이 말이 무슨 뜻입니까? 그것은 곧 부모의 마음으로 사람을 세우고 양육해야 함을 말합니다. 전도를 사탄과의 영적인 전쟁에서 포로된 영혼들을 자유롭게 해 주는 일이라고 한다면, 양육과 훈련은 영적으로 어린 그리스도인으로 하여금 그리스도의 장성한 분량에 이르기까지 성장하도록 돕는 일이라고 할 수 있습니다. 다시 말하면, 다른 사람을 양육하여 하나님의 일을 할 수 있도록 세워 주는 일입니다. 골로새서 1장 28절에서는 이점을 분명히 하고 있습니다.

우리가 그를 전파하여 각 사람을 권하고 모든 지혜로 각 사람을 가르침은 각 사람을 그리스도 안에서 완전한 자로 세우려 함이니 골1:28.

예수님께서 제자들에게 주신 지상명령인 마태복음 28장 18~20절은 모든 족속을 양육하고 훈련하여 제자 삼으라는 것입니다.

예수께서 나아와 일러 가라사대 하늘과 땅의 모든 권세를 내게 주셨으니 그러므로 너희는 가서 모든 족속으로 제자를 삼아 아버지와 아들과 성령의 이름으로 세례를 주고 내가 너희에게 분부한 모든 것을 가르쳐 지키게 하라 볼찌어다 내가 세상 끝날까지 너희와 항상 함께 있으리라 하시니라 마28:18~20.

선교단체에서 훈련받을 때의 일입니다. 1년 반 정도 훈련을 받았을 때, 목회자 훈련반으로 오라는 권유를 받게 되었습니다. 처음에는 몰랐는데 나중에서야 목회자는 따로 훈련을 받고 있다는 사실을 알게 되었습니다.

당시 그 훈련 그룹에 가도 상관은 없었지만 거절했습니다. 처음 마음먹었던 것처럼 철저하게 밑에서부터 훈련받고 싶어서였습니다. 목회자반은 교역자를 대상으로 지도자 훈련을 하는 곳이었습니다. 그런데 먼저 제자가 되지 않고는 제자를 삼을 수가 없다고 생각했습니다. 먼저 제자가 된 다음 리더가 되는 것이지 지도자 훈련으로 제자가 되는 것이 아니기 때문입니다.

감사하게도 저는 평신도 그룹에서 기본부터 철저히 훈련받아 제자훈련을 제대로 체득할 수 있었습니다. 실제로 많은 목회자들이 제자훈련을 목회에 적용하기 위해 목회자를 위한 지도자반이나 세미나에 참석합니다. 개인적인 생각으로 그렇게 해서는 바른 제자훈련이 될 수 없습니다. 왜냐하면 제자가 되지 않고는 제자를 삼을 수 없기 때문입니다.

지나간 시간들을 돌이켜 볼 때 참으로 감사한 것은 하나님께서 저의 연약함을 아시고 미리 낮추셔서 평신도들과 함께 가장 기초부터 양육 받게 하셨다는 사실입니다. 얼마나 진리에 목마르고 영적으로 갈급했던지 2년의 제자훈련 기간은 눈물과 회개, 변화의 연속된 시간이었습니다. 그리고 하나님의 살아계심, 부요하심, 그 풍성함 속에 보냈습니다. 그리고 제자로 파송되어 2년 동안 리더로 섬겼습니다.

사람이 바뀌려면 먼저 의식이 개혁되어야 합니다. 제 인생에 이런 어마어마한 변화는 양육과 훈련을 통해 일어났습니다. 신앙 성장에는 지름길이 있었습니다. 이전에는 교리적이고 지식적이었던 제 신앙이 확실하게 복음적이고 능력 있는 그리스도인의 삶으로 바뀌었습니다. 어느새 저는 강력한 제자훈련으로 인해 완전한 그리스도의 군사로 바뀌어 있음을 스스로도 확인할 수 있었습니다.

그렇습니다. 평신도 사역자는 강력한 양육과 훈련으로 세워집니다. 그러나 자신이 먼저 제자가 되지 않고는 제자를 삼을 수 없습니다. 한때 선교단체의 전유물처럼 여겨졌던 제자훈련이 1980년대 이후부터는 교회 안으로 들어오기 시작했습니다.

많은 목회자들이 제자훈련 세미나에 참여하여 제자훈련 방법을 배워 교회에서 시도하지만 도중하차 하거나 열매가 없어 실패하는 경우가 많았습니다. 그래서 일부에서는 제자훈련에 대한 부정적인 시각이나 혹은 제자훈련 시대는 지나갔다고 말들을 하며, 많은 목회자들이 또 다시 새로이 유행하는 프로그램을 철새처럼 쫓아다니는 광경을 봅니다.

그러나 제자훈련은 결코 유행이 아니며 단회적인 프로그램도 아닙니다. 가서 모든 족속으로 제자를 삼는 일은 주님의 지상명령이며 목회의 본질입니다. 많은 목회자들이 제자훈련을 실패하는 이유는 자신이 먼저 제자가 되지 못했기 때문이며, 제자훈련을 하나의 목회 프로그램으로 이해하고 책상에서만 가르쳤기 때문입니다.

먼저 제자가 되어야 제자를 삼을 수 있습니다. 그리고 자신이 모델이 되어 사역과 삶을 보여 주어야 합니다. 예수님이 그랬듯이 저도 제자들을 데리고 다니며 사역의 현장과 삶을 보여주고 가르치려고 노력했습니다. 이것이 제자훈련의 성공비결입니다.


## 확고한 목회 철학과 교회론

저는 1992년 10월에 목사 안수를 받았습니다. 목사 안수식을 얼마 앞두고 안수를 받아서 목사가 되어야 하는지, 아니면 평신도로 남아서 평생 제자비전을 실천하며 살아야 할지 무척이나 고민이 되었습니다. 왜냐하면 선교단체를 섬기고 있는 평신도 리더들과 전임 사역자들의 삶이 너무나 아름다웠기 때문이었습니다.

아무런 대가 없이 비전에 사로잡혀 전 생애를 불태우고 있는 그들의 모습은 대단하다는 평가를 넘어서 저를 황홀하게 했습니다. 그렇게 살고 싶은 생각이 너무나 간절했습니다. 그래서 이 문제를 놓고 밤새도록 철야 기도를 하였습니다. 그러던 어느 날 하나님께서는 "말씀과 성령의 능력으로 제자를 삼아 세계 선교비전을 이루는 사도행전적인 교회를 세우라"는 말씀을 하셨습니다. 그것이 제게는 너무도 분명한 목회철학과 비전으로 다가왔기 때문에 이를 이루기 위해 목사가 되기로 결심하였습니다.

그 이후 지금까지 "모든 족속으로 제자를 삼으라"는 주님의 지상명령을 생명을 다해 제자훈련으로 실천해 오고 있습니다. 전도하여 거듭난 한 사람의 그리스도인을 그리스도의 강한 군사로 훈련시키고 세계비전을 이루도록 헌신시키는 일에 오늘까지 열정적으로 달려왔습니다.

목회에서 수많은 좌절을 겪게 되는 이유 중 가장 큰 이유는 확고한 목회철학과 교회론을 갖지 못했기 때문입니다. 목회철학은 올바른 교회론에서 나옵니다. '교회란 무엇인가?'에 대해 고민하고 생각하는 만큼 교회는 교회다움을 찾을 수 있습니다.

저는 예수님께서 의도하시고 사도행전에서 보여 준 두날개를 가진 초대교회의 모습보다 더 완벽하고 이상적인 교회는 있을 수 없다고 생각합니다. 2000년이 지났을지라도 교회를 이루는 원리와 방법은 동일합니다. 교회는 변함이 없고 영원합니다.

왜 목회철학이 중요할까요? 그것은 성경적인 교회론에 기초한 구체적이고도 실제적인 교회의 뼈대가 되기 때문입니다. 성경적인 교회론은 다 같지만 목회철학은 목회자와 교회와 성도의 부르심에 따라 달라질 수 있습니다. 누구를 막론하고 목회철학 없이 목회를 하는 사람은 마치 설계도 없이 마음대로 집을 짓는 사람과 같습니다.

저의 목회철학은 사명 선언문으로 정리하였습니다. 즉 '말씀과 성령의 능력으로 제자가 되어 2천2만 세계비전을 이루는 생명의 공동체' 입니다.

지상 교회가 자기 소명을 다하려면, 목회자는 지도력을 책임지고 평신도는 사역을 책임질 수 있는 공동체로 체질을 개선해야 합니다. 이 과제를 해결하는 지름길은 평신도들을 강력하게 제자훈련하여 그들과 사역을 분담하는 것입니다.

이러한 교회론에 대한 확신은 교회를 개척하고 섬기는 데 있어서 모든 어려움을 극복할 수 있는 버팀목이 됩니다. 교회는 건강해야 일을 할 수 있습니다. 제자훈련은 성장을 위한 프로그램이 아니라 이보다 훨씬 본질적인 문제에 접근하는 것이며, 교회론의 정체를 향하여 나아가는 일입니다.

제자훈련이 그 본질을 존중하는 가운데 올바로 실시된다면 교회는 건강해질 수밖에 없다고 생각합니다. 왜냐하면 그 결과 자체가 그대로 성장의 열매로 나타날 수밖에 없기 때문입니다.

## 세계비전제자대학의 탄생

선교단체에서 훈련을 받고 있던 어느 날이었습니다. 아내와 저는 각각 다른 리더로부터 훈련을 받고 있었습니다. 그런데 공교롭게도 아내와 양육 시간이 겹치게 되어 아이들 때문에 곤란을 겪게 되었습니다.

아내는 이미 출발한 뒤였고, 제 리더가 갑자기 시간을 변경한 탓에 아이들을 어디다 맡길 수도 없는 상황이었습니다. 고심 끝에 일단 아이들을 차에 태우고 출발했습니다.

제가 양육을 받던 곳은 부산 태종대 인근의 산동네였는데 차가 들어갈 수 없는 곳이었습니다. 가장 가까운 곳에다 주차하고 나서 아이들을 재우고 기도했습니다. "하나님, 제가 올 때까지 아이들을 지켜 주십시오." 이제 갓 젖을 땐 작은 아이와 그보다 두 살이 많은 큰 아이를 두고, 차마 아빠로서 발이 떨어지지 않았지만 하나님께 맡겼습니다.

양육을 마친 후, 걱정스러운 마음으로 황급히 차로 돌아왔습니다. 그런데 감사하게도 아이들은 서너 시간이 지난 뒤였는데도 그때까지 잠들어 있었습니다. 그만큼 저는 양육 과정을 소중히 여겼습니다.

저는 이와 같이 제자훈련에는 단순한 열정만이 아니라 심지어 내 목숨보다 소중한 아이들의 목숨까지도 아낌없이 바칠 수 있어야 한다고 생각했습니다. 훈련을 받으면서 이런 급하고 바쁜 일이 자주 발생하였는데, 그때마다 이런 상황들을 이겨 내는 비결은 결국 양육에 최우선순위를 두는 것이었습니다.

예수님도 제자를 부르실 때 "나를 따르라"고 말씀하시면서 즉시 순종할 것을 요구하셨습니다. 제자들 역시 그 부르심에 최고의 가치를 두었음을 봅니다. 베드로와 안드레는 그물을 두고 예수님을 좇았으며, 야고보와 요한은 배와 부친을 버려두고 좇았다고 하지 않습니까?

제자훈련은 바로 이처럼 인생을 드리는 일이어야 하며 실제적인 삶이어야 합니다. 그래서 저는 제자훈련에 들어오는 분들에게 훈련을 받는 동안 모든 삶의 우선순위를 여기에 두겠다는 서약을 받습니다. 절대 아프지도 말고, 죽지도 말고, 초상이 나도 와야 하고, 결혼을 해도 와야 하며, 출산을 해도 올 것을 약속합니다. 이런 첫 다짐이 모든 훈련과정을 마칠 때까지 매우 중요한 동기부여를 제공하게 됨을 봅니다.

실제로 훈련을 받는 중에 결혼을 한 청년들이 있었습니다. 그들은 함께 양육을 받고 있었는데 토요일에 결혼식을 하고 주일 예배에 나왔습니다. 흔히 그렇듯이 예배를 드리고 신혼여행을 떠나려나보다 하고 생각하며 기특하게 여겼습니다.

예수님을 알게 된 지 1년도 채 안 되는 청년이라 신혼여행을 주일 다음날로 미룬 것만 해도 얼마나 고마운 일입니까? 그런데 제자대학이 열리는 화요일 저녁 7시. 양육실에 들어서니 이 청년들이 앉아 있었습니다. 그들은 "결혼을 해도 제자대학에는 와야 한다고 서약했기 때문에 신혼여행을 미뤘다"고 했습니다. 그 당시 양육을 받은 지 4개월도 채 안 된 1학기 과정이었습니다. 그런데 이토록 열심인 것을 보고 얼마나 고맙고 가슴이 찡하던지요. 그 이후 제자대학 학생들은 이 부부의 이야기는 회자되며 자신의 출석을 관리할 정도입니다.

훈련을 받는 동안 출산을 한 주부도 여러 명이 있습니다. 이들 역시 붓기도 가라앉기 전에 훈련을 받겠다고 몸을 추스르고 나와서 앉아 있곤 했습니다. 그런 제자들의 모습을 볼 때마다 제가 오히려 더 큰 은혜를 받습니다. 그러나 실제로는 이런 다양한 이야기들도 모두 훈련의 한 과정에 속해 있습니다. 누군가를 통해 격려를 받고, 또 서로 도전적인 모습을 보여줌으로써 결국 함께 자라가는 것입니다. 소그룹의 묘미가 이런데 있습니다. 그래서 신앙 성장에는 지름길이 있다고 늘 주장하는 것입니다. 바로 양육과 훈련이 신앙을 급성장시켜 줍니다.

선교단체의 제자훈련을 통해 저는 신앙 성장의 지름길을 발견했으며 주님의 제자 된 삶에 눈을 뜨게 되었습니다. 그렇다고 제가 선교단체의 양육 과정을 교회 프로그램 속에 그대로 가져온 것은 아닙니다. 그곳에서는 원리를 배웠고, 그 원리를 목회에 어떻게 적용해야 할지에 대한 저만의 힘겨운 씨름이 여전히 과제로 남아 있었습니다.

왜냐하면, 선교단체와 지역 교회는 다르기 때문입니다. 선교단체는 사명 중심, 비전 중심, 강력한 제자훈련 등이 특징입니다. 모이는 사람들도 비슷한 연령대이고 말과 뜻과 생각이 비슷합니다.

그러나 지역 교회는 모든 것이 서로 다릅니다. 자라온 환경, 학력, 경제력, 문화, 소망, 습관, 비전, 신앙, 연령, 말, 마음, 뜻 등 어느 것 하나 공통적으로 묶어 볼 수 있는 것을 찾기가 어렵습니다.

이처럼 교회에 성도는 많지만 제대로 훈련되어 제자가 된 일꾼이 없습니다. 또한 교회에 모이는 사람들의 성향이나 배경들이 모두 다르기 때문에 이 원리를 어떻게 적용해야 할지 고민하고 기도하며 씨름하였습니다. 그런 고민을 안고 2년 동안 여러 가지 제자훈련의 임상실험을 거친 후 비로소 1996년 6월에 총 3학기의 양육과정인 '세계비전제자대학'이 탄생하게 되었습니다.

현재 성도의 약 80%가 우리 교회에 와서 처음 예수를 믿은 사람들입니다. 구원이 무엇인지, 훈련이 무엇인지, 제자의 삶이 무엇인지 들어 보지도 못한 사람들을 붙들고 제자훈련의 첫발을 내디뎠습니다.

무수한 걱정으로 밤을 새웠고, 새벽마다 이들을 위해 눈물로 기도해 왔습니다. 기억나십니까? 사도 바울이 말한 아비의 심정, 바로 그 마음이었습니다. 그런데 제가 우려하고 염려한 것과는 달리 놀랍게도 많은 분들이 기대 이상의 변화를 보였습니다. 이것은 단순히 변화라는 표현만으로는 부족합니다. 이들은 제자대학을 통해 자신들을 향한 하나님의 꿈을 보았고 하나님의 계획을 보았습니다.

이런 훈련과 경험들을 통해 하나님의 꿈을 본 사람들은 가치관이 달라지고 인생의 목표가 달라졌습니다. 하나님의 꿈에 사로잡힌 사람은 어떤 어려운 일들이 닥쳐와도 그 꿈을 이루는 일을 포기하지 않습니다. 우리에게 시련은 있어도 실패는 없기 때문입니다.

오랜 임상실험을 거쳐 탄생한 세계비전제자대학 1기생들은 훈련기간 동안 말 그대로 주님의 제자로 변화되었습니다. 이런 변화의 과정을 생생하게 지켜 본 많은 성도들이 세계비전제자대학에 소망을 품고 지원하기 시작했습니다. 2기, 3기, 4기, 5기, 6기…, 그 뒤를 이은 기수들 역시 말씀과 성령의 능력으로 뚜렷한 믿음의 진보를 보였습니다.

이제 우리 교회에서 중요한 사역을 맡으려면 훈련 과정을 반드시 이수해야 될 정도로 모두가 공감하고 참여하는 과정이 되었습니다.

이혼 직전에 우리 교회로 와서 은혜를 받고 양육 과정을 거치면서 회복된 한 자매가 있었습니다. 이 자매가 처음 우리 교회에 왔을 무렵에는 가정뿐만 아니라 자신의 삶 또한 자살 직전의 위기 상태였습니다. 그런데 한 집사의 전도로 우리 교회에 오게 되었습니다. 이후, 은혜를 받은 후 자신의 삶은 물론 가정까지 회복되어 남편도 신앙생활에 참여하는 커다란 복을 받았습니다.

그 자매가 자신뿐만 아니라 가정까지 구원에 이르는 복을 받을 수 있었던 것은 바로 양육 과정에서 살아 계신 하나님을 만났기 때문입니다. 그 자매는 구원의 확신을 통해 자신을 구속하신 예수 그리스도의 사랑을 체험하고, 사죄의 확신을 통해 정죄로부터 해방되었습니다. 그리고 기도 응답의 확신을 통해 살아계신 하나님을 만나는 체험을 누렸습니다.

이런 승리와 인도하심의 경험이 늘 패배의식에 젖어 있던 생각을 변화시키기 시작했습니다. 그리고 주님이 늘 함께하시고 인도하신다는 것을 알게 되면서 거칠고 힘겨운 삶을 극복할 수 있는 힘이 생겼습니다. 남편은 택시 운전을 하였는데, 그 역시 우리 교회에 전도되어 양육을 받은 후 크게 변화되었습니다. 택시 기사는 주일 성수하기가 무척 힘든 직업인데 예수님을 믿은 지 얼마 안 되는 분이 주일 예배에 얼마나 열심히 참석하는지 모릅니다. 양육을 통한 변화의 결과입니다.

양육과 훈련의 기쁨은 이런 간증들이 샘물처럼 늘 샘솟는다는 것입니다. 이런 신선한 물이 공급되지 않으면 교회는 제자리에 머물기 쉽습니다. 한 사람의 나태함이 온 교회에 영향을 미칩니다. 반대로 한 사람의 변화된 간증은 온 교인들에게 신선한 자극이 됩니다.

이러한 공동체를 볼 때, 하나님의 살아계심을 실제로 경험하고 자신들도 공동체로 들어오게 되는 것입니다. 하나님께서 왜 교회를 통해 당신의 자녀들을 양육시키려 하는지 분명해지는 것입니다.

제자훈련은 바로 이런 공동체 안에서 아름다운 간증들을 만들어 내는 통로가 됩니다. 이러한 아름다운 간증을 끊임없이 들을 수 있다는 것은 목회자인 제게는 더할 나위 없는 보람이고 기쁨입니다. 몸이 지치고 피곤함에도 불구하고 피곤을 느낄 겨를조차 없습니다. 왜냐면, 하기 싫은 일을 억지로 하는 것이 아니라 정말 기쁨으로 헌신하기 때문입니다. 자기 몸 축나는 줄도 모르고 그렇게 미쳐서 일을 하지만 바로 사역의 기쁨이 있어 지쳐서 쓰러지지 않습니다. 이것이 바로 '목회의 장인'이 되는 길이라고 생각합니다.

그리스도인에게 가장 필요한 복은 무엇보다도 영적으로 크게 성장하는 것입니다. 세상 사람들은 '뭐니 뭐니 해도 머니money가 최고'라고 하는데, 그리스도인들에게는 '뭐니 뭐니 해도 하나님이 최고'입니다.

하나님의 생명을 받은 자로서 그 생명을 예수 그리스도의 장성한 분량까지 성장시키는 것! 이것이 얼마나 위대한 모험이며 생애에서 가장 고상한 축복인지도 모릅니다.

여러분이 잘 아시는 CCC의 전도지인 '사영리'에 이런 말이 나옵니다. "자연에 법칙이 있고, 학문에도 원리가 있듯이 영적인 세계에도 영적인 원칙이 있습니다." 그렇습니다. 영적인 성장은 강력한 양육과 훈련으로만 가능합니다. 그것이 영적인 원칙입니다. 이 과정을 거쳐 영적인 성공자, 곧 믿음의 실력자가 될 수 있습니다.

그래서 믿음의 세계에도 상류가 있고 하류가 있습니다. 예수를 믿어도 일류가 있고, 이류가 있고, 삼류가 있다는 말이지요.

믿음생활의 삼류는 세상에 한 발, 교회에 한 발 이렇게 양다리를 걸친 사람을 일컫는 말입니다. 그들에게는 하나님 계신 것 같기는 한데 분명한 확신은 없습니다. 그래서 어쩔 수 없이 교회에 오긴 오는데, 설교는 귀에 들어오지 않고 잠만 쏟아지는 분들을 '삼류 그리스도인'이라 부를 수 있습니다.

그들은 세상에 나가서도 믿지 않는 사람들처럼 행동하자니 양심에 걸려 이렇게 하지도 못하고 저렇게 하지도 못합니다. 그래서 스스로 이렇게 생각합니다. '차라리 예수를 믿지 않았으면 좋았을 것을….' 이런 사람은 자신도 불쌍하지만 무엇보다도 예수님을 가장 불쌍하게 만드는 신앙인입니다. 삼류답지 않습니까?

이류는 그래도 신앙생활은 열심히 합니다. 열심히 봉사하고 십일조하고 헌신합니다. 하지만 그게 모두 자기 열심입니다. 진정으로 복음을 누리지 못하는 것입니다. 그러니 율법으로 열심히 자기 의를 쌓고 있습니다. 그러다 어느 한순간 자기 한계에 부딪치게 되면 곧장 실족하게 됩니다.

일류는 기도로 날마다 하나님의 살아 계심을 누립니다. 그리고 항상 기뻐하며 입술에는 감사가 넘쳐 당당한 그리스도인으로 세상을 변화시켜 갑니다. 믿는 자에게나 믿지 않는 자에게나 그리스도의 영향력을 끼치는 것입니다. 주님은 우리가 그리스도의 향기라고 말씀하지 않으셨습니까? 그러니 이왕 믿으려면 일류가 되어 멋지게 믿고 멋지게 살아야 하지 않겠습니까.

그러나 중요한 사실을 놓쳐선 안 됩니다. 일류 신앙인이 되기 위해서는 모든 것이 그렇듯 그에 상응하는 대가를 지불해야 합니다. 들의 풀꽃 같고 아침 안개 같은 인생들이 이 세상에서 신분 상승을 위해 얼마나 많은 노력을 합니까? 좋은 대학, 좋은 직장, 진급을 위해 밤새워 공부하고, 새벽 일찍부터 밤늦게까지 수고합니다.

믿음의 신분 상승을 위해서도 역시 자기를 쳐서 복종시키는 최선의 노력이 있어야 합니다. 이것은 대가 지불입니다. 그것이 바로 양육이고 훈련입니다.

성도는 양육과 훈련 없이는 성장하지 않습니다. 혹 양육과 훈련 외에 달리 어찌해서라도 성장은 할지 모르지만 그것은 도리어 균형 잡히지 않은 비정상적인 성장에 불과합니다. 행여나 양육과 훈련을 하는 동안에 성장의 속도가 더딜 수도 있습니다. 그러나 어느 정도 시간이 지난 후에는 더 건강하게 성장해 있는 자신을 볼 것이며, 이런 훈련된 성도 한 사람 한 사람이 결국 건강한 교회를 구성하는 것입니다.

이것을 목표로 양육반과 세계비전제자대학을 통해 지속적으로 훈련합니다. 제자훈련은 곧 성도들을 영적인 상류 사회로 진입시키는 훈련입니다. 영적인 성장에도 지름길이 있습니다. 세계비전제자대학은 믿음의 일류들을 키워 내는 신앙의 일류 대학이라 할 수 있습니다.

세계비전제자대학에서 배출된 제자들을 보면 학력, 환경, 연령층, 성장 배경이 매우 다양합니다. 대학원을 나온 사람이 있는가 하면, 초등학교를 겨우 졸업한 사람도 있습니다.

연령층을 봐도 20대에서 50대까지 다양합니다. 사실 처음에는 학력이나 환경이 어떤 영향을 미치지 않을까 내심 걱정하기도 했습니다. 그러나 하나님은 그러한 조건에 전혀 영향을 받는 분이 아니라는 것을 다시 한 번 깨닫게 되었습니다.

오히려 세상에서 보잘 것 없는 사람을 더 크게 사용하시는 분이었습니다. 이런 성도들의 변화된 모습이 더 많은 도전을 주고 있습니다. 하나님은 미련한 자를 사용하셔서 세상의 지혜 있다고 하는 자들을 부끄럽게 하며, 연약한 자들을 통해 당신의 영광을 나타내시는 분이십니다.

## 사역자로 변화된 일꾼들

세계비전제자대학을 통해 변화되어 일꾼이 된 사람들이 많습니다. 이분들 가운데 몇 분만 소개하고자 합니다.

먼저 김수엽 집사가 있습니다. 불면의 밤을 지새우던 삼류 인생이 주님의 멋진 일꾼으로 변화한 경우입니다. 그의 가정은 결혼 직후부터 첫 아이가 중학생이 될 때인 15년간 불면증으로 시달리는 남편이 밤마다 술에 취해 아내를 괴롭히는 바람에 말 그대로 지옥이었습니다. 이 때문에 이혼 직전의 위기까지 가게 되었습니다. 그런데 바로 그때 아내가 우리 교회 청년의 전도로 복음을 듣고 예수 그리스도를 만난 것입니다.

우리 교회에 와서 훈련을 받고 공동체의 메시지를 경청하면서 아내의 삶이 완전히 변화되었습니다. 이를 궁금히 여긴 남편은 아내를 따라 우리 교회에 나오기 시작했습니다. 그 후 김 집사의 불면증이 깨끗이 나았을 뿐만 아니라 인생이 완전히 바뀌게 되었습니다. 훈련과정이 아무리 고되고 아무리 늦게 끝나도, 또 그는 자신의 가방끈이 짧은 것 때문에 어려워하거나 혹은 피곤한 기색 하나 없이 열심이었습니다.

세계비전제자대학을 졸업하던 날 그는 이런 고백을 했습니다. "세상에 쓸모없는 존재가 바로 나라고 생각했는데 양육을 통해 나를 향한 하나님의 계획을 발견하고 존재 가치를 새롭게 깨닫게 되었습니다. 이제 남은 인생은 주를 위해 멋지게 살고 싶습니다."

현재 김 집사는 셀리더로 충성하고 있습니다. 남성으로서는 가장 먼저 셀을 다섯 개 번식시킨 슈퍼 셀리더가 되었습니다. 불면증으로 인해 술에 시달리던 폐인에 가까운 한 사람을 거듭나게 하셨을 뿐만 아니라, 주님의 멋진 일꾼으로 세우신 위대하신 하나님의 일들을 생각하면 감격스러울 따름입니다.

풍성한교회를 개척한 이래로 지금까지 수많은 일꾼들이 있었지만 가장 충직하고 한결같이 교회에 충성한 교인을 소개하라면 서슴없이 이분을 말할 수 있습니다. 우리교회 첫번째 장로로 피택 된 서은덕 장로입니다. 그의 소박한 미소만큼이나 삶도 소박하고 진지합니다. 아마도 그의 삶과 믿음의 태도는 어느 누구도 흉내 낼 수 없을 정도로 욕심이나 허영 같은 것은 느낄 수 없는 신실한 성도입니다.

그는 불교 집안에서 자라 기독교 학교에서 예수님을 영접했지만 믿음은 없었습니다. 우리 교회가 개척한 지 2년쯤 지나서 열린모임을 통해 전도되었고, 영감 넘치는 예배를 통해 그는 신앙의 맛을 알게 되었습니다. 세계비전 제자대학을 3기로 졸업하면서 하나님은 그를 반석과 같은 믿음의 사람이 되게 하셔서 우리교회에 든든한 기둥으로 세우셨습니다.

서장로는 자신을 전도한 자매와 결혼해서 두 딸을 낳아 아주 단란한 가정을 꾸몄습니다. 개척 교회 초창기 시절에 힘든 교회를 위해 자신의 시간과 마음과 물질을 모두 쏟아 정성껏 섬겼던 서장로 부부의 마음을 하나님은 참으로 귀하게 보셨습니다.

우리교회에서 장로가 되려면 세계비전제자대학을 졸업하고 셀리더와 은사배치사역을 5년 이상 섬긴 경우 후보가 될 수 있으며 두날개 정신으로 무장되어 같은 말, 같은 마음, 같은 뜻, 같은 열매를 맺는 믿음의 사람이어야 합니다. 그 외에도 몇 가지 조항들이 있습니다. 서장로는 그런 과정을 다 마친 나의 신실한 동역자이며 주님의 충성된 일꾼입니다. 언제나 한결같이 참으로 순수하고 묵묵하게 자신에게 맡겨진 사역을 종의 모습으로 섬기고 있습니다.

이소라 자매는 예전에 예수님을 전혀 몰랐습니다. 그런데 어느 날 차를 운전하다가 자신도 모르게 우리 교회로 들어오게 되었고, 하나님이 자신을 부르셨다는 사실을 깨닫게 되면서 예수님을 믿게 된 자매입니다. 양육과 훈련을 받으면서 가치관이 변하고 삶의 목적이 달라진 자매입니다. 자매는 가슴 벅찬 행복감에 빠져 살았습니다. 남편 오상민 형제는 굉장히 지성적이고 원리 원칙을 주장하는 의사였지만, 결국 사랑하는 아내를 따라 교회에 등록하였고 양육과 훈련을 통해 완전히 변화되어 영광스런 셀리더가 되어 잘 섬기고 있습니다. 뿐만 아니라 가족을 모두 전도하여 같은 비전과 사명으로 달려가게 했는데 그 어머니도 셀리더로 세워졌습니다. 특별히 여동생은 언니의 신앙을 본받아 셀리더가 되어 사역간사로 헌신하였습니다. 제가 이소라 자매를 잊을 수 없는 것은 세계비전제자대학 3학기 마지막 강의를 할 때였습니다. 그동안 만삭의 몸으로 제자대학 수업을 받으러 오는 것도 대단했지만 그녀가 얼마나 제자대학을 사모했는지 아이를 낳고 5일 째 되는 날 몸이 퉁퉁 부은 상태로 수업에 들어 온 것입니다. 몸도 가누기 어려울 텐데 그런 몸을 이끌고 제자대학 수업에 앉아 있는 모습을 보고 눈물이 왈칵 쏟아졌습니다. 이처럼 제 마음을 시원케 하는 제자들의 아름다운 이야기는 밤을 새도 모자랄 것입니다. 그런 제자들 때문에 오늘도 비전을 품고 달려가는 것입니다.

중국에서 유학 온 최금화 자매는 조선족인데 박사학위를 받고 돌아가 교수가 되는 것이 꿈이었습니다. 자매의 친가는 공산당원이고, 외가는 유교 집안이었습니다. 그녀는 하나님을 전혀 몰랐고 한국에서의 힘든 유학생활 때문에 방황하다가 자매가 다니는 대학에서 개최된 열린모임을 통하여 우리 교회에 왔습니다. 물고기가 물을 만난 듯 자매는 양육과 훈련을 통해서 굉장히 빠르게 변화되어서 주님이 예비하신 멋진 일꾼으로 세워졌습니다. 열린모임 인도자로, 셀리더로, 탁월한 평신도 사역자로 거듭난 것입니다. 자매는 열린모임을 통해 영혼을 구원하는 기쁨에 흠뻑 취해서 풀타임 사역간사로 지원하였고 드디어 청년부 디렉터가 되었습니다. 날마다 비전을 품고 기도하면서 중국에 있는 부모님

증가

에게도 복음을 전해서 예수님을 영접하는 역사가 일어났습니다. 세상에서의 성공을 포기하고 진정한 삶의 행복을 누리고 나누는 가장 가치 있는 일에 헌신하게 된 금화자매의 아름다운 눈빛과 고운 심성을 저는 결코 잊을 수 없습니다.

한연정 자매는 양육과 훈련을 통해 변화되고 복음을 누리게 된 일꾼입니다. 그러한 은혜를 체험하자 교제하던 청년을 우리 교회로 데리고 오게 되었는데 형제는 모태신앙인데도 하나님과의 인격적인 만남없이 그저 마지못해 교회만 왔다 갔다 하는 3류 그리스도인이었습니다.

그런 형제에게 자매는 함께 훈련받을 것을 강압적으로 권유했고 세계비전제자대학을 졸업하지 않으면 결혼할 수 없다는 자매의 협박(?)에 울며 겨자먹기 식으로 양육과 훈련을 받게 되었습니다.

처음에는 마지못해 겨우 출석하는 수준이던 형제가 어느 순간에 훈련을 통해 변화되기 시작했고 그러한 형제를 지켜보던 자매는 같은 말, 같은 마음, 같은 뜻으로 제자가 되었다는 것을 확신한 후 웨딩마치를 올리게 되었습니다.

그런데 저를 놀라게 한 것은 자매의 그러한 결단으로 형제를 세웠을 뿐 아니라(우리 교회에서는 자주 있는 일이므로) 결혼 자금을 모두 건축헌금으로 헌신한 것입니다. 그뿐 만 아니라 이 부부는 일평생 한 번의 신혼여행을 마다하고 자원하여 집중훈련 섬김이로 신혼여행을 대신하였습니다.

그리고 신혼집 역시 형제 직장에서 제공하는 좋은 아파트 대신 셀리더의 사명이 우선이라며 교회 근처로 정했습니다.

그런 모든 과정을 지켜보며 저는 양육과 훈련의 위대함을 새삼 실감했습니다. 김승우, 한연정 부부가 그토록 헌신할 수 있었던 것은 다름 아닌 양육과 훈련을 통해 하나님 나라 가치를 발견하고 비전에 사로 잡혔기 때문입니다.

위에 소개한 주님의 일꾼들을 보면서 저는 믿음의 일류가 세상에서도 일류가 되어 가는 모습을 발견합니다. 하나님이 일하시며, 당신께서 영광을 받으시는 방법입니다. 그러나 잊지 마십시오. 믿음의 일류가 되려면 기꺼이 훈련이라는 대가를 지불해야 한다는 사실을 말입니다.


## 전인적치유수양회

우리 교회는 새가족반을 수료한 뒤 신앙의 성장을 위해 양육반에 입학하게 됩니다. 교회를 다닌 연수가 중요한 것이 아니라, 실제적으로 신앙이 성장하고 그 분량에 따라 주님의 일을 감당하는 것이 중요하기 때문입니다.

교회를 오래 다녔지만 양육이 되지 않아 어려움이 닥치면 좌절하고 믿음이 아닌 자기의 힘으로 해결하려다 더 큰 난관에 부딪히는 것을 종종 보게 됩니다. 그런가 하면 교회 안에서 많은 사역을 하면서도 제대로 양육이 되지 않아 힘겨워하는 경우도 많습니다.

건강한 교회는 양육과 훈련을 통해 믿음이 성장하여 또 다른 사람을 섬길 준비가 된 자들을 사역자로 세웁니다. 무엇보다 우리가 지금 어떤 방향으로 가고 있으며, 어떤 방향으로 가야 할 지 목회자의 목회 철학과 교회의 비전을 이해하며 함께 달려갈 자들을 사역자로 세워갑니다.

주님은 우리에게 "가서 모든 족속으로 제자 삼으라"고 하셨는데, 영석인 군사로 부르심을 받은 성도들은 주님과 '같은 말, 같은 마음, 같은 뜻<sub>고전1:10</sub>'으로 달려갈 때 하나님 나라의 확장을 위한 치열한 영적 전쟁에서 승리할 수 있습니다.

풍성한교회는 양육과 훈련을 통해 사상이 같은 자들을 양육해 내고 있습니다. 그것은 담임목사의 목회비전, 목회철학을 공유하며, 예수 그리스도의 사상으로 무장되는 것을 뜻합니다. 즉, 하나님 나라의 가치로 무장된 영적인 군사를 길러 내는 것입니다.

양육반은 입학과 동시에 개강 수양회로 전인적치유수양회를 가집니다. 전인적치유수양회란 이름 그대로 전인적인 치유가 일어나는 수양회입니다. 영적, 심적, 육적인 치유가 모두 일어납니다. 그리고 그 치유는 철저한 성령의 임재 안에서 진행됩니다.

대부분의 내적 치유 세미나를 보면 많은 부분들이 감정적인 영역을 다루는 데 시간을 할애하고 있습니다. 물론 우리의 상처 난 마음들을 치유하는 것도 중요합니다. 하지만 우리를 힘들게 하고 넘어지게 하고 타인과의 관계에까지 영향을 미치는 상처들 대부분은 견고한 진이 되어 우리를 옭아매게 됩니다. 그래서 그 견고한 진이 하나님과의 관계와 가정과 사회생활 전체에 나쁜 영향을 미치고 있는 것입니다.

먼저 이것이 내 안에 견고한 진이 되어 있음을 인식하고, 그 죄를 고백하고, 십자가의 사랑과 용서를 통해 내 안의 견고한 진이 무너지고 회복됨을 경험해야 합니다. 그 다음에는 강한 성령의 능력으로 재무장되는 시간입니다.

우리는 전인적치유수양회에서 놀라운 치유와 하나님의 일하심을 경험합니다. 죄라는 인식조차 없었던 문제에 대해 깨닫게 되고 그 죄를 회개하면서 그동안 그렇게 자신을 힘들게 했던 문제로부터 해방을 맛보게 됩니다. 주의 일에 열심을 다하는데도 여전히 반복되는 자신의 한계가 무엇인지 해답을 얻고 자유하게 되는 것입니다. 해방과 자유, 하나님의 사랑과 성령의 능력을 체험하는 곳이 바로 전인적치유수양회입니다.

이에 우리는 많은 간증을 듣고 있습니다. 목회자의 자녀로 20여 년을 상처 속에 살아온 자매는 전인적치유수양회를 통해 회복을 경험하고 이제는 사람들을 불신하지 않고 그들을 용서하며 사랑할 수 있겠다는 고백을 합니다.

또 다른 청년은 하나님보다 형제를 더 사랑한 것이 견고한 진이었으며, 그로 인해 모든 하나님의 축복의 문이 닫혔음을 깨달았다고 고백합니다. 그러면서 이제는 정말 '하나님만이 나의 전부'라는 고백을 합니다. 오랫동안 신앙생활을 하며 열심히 주의 일을 한다고 했지만, 참 자유와 기쁨, 해방을 이제야 경험했노라고 고백하는 집사도 있습니다.

전인적치유수양회는 전적으로 하나님이 일하시며, 성령님이 각 사람의 육신과 마음, 영을 만지고 치유하시는 수양회입니다.

수양회는 이제 갓 신앙생활을 시작하는 초신자 뿐만 아니라 신앙생활을 나름대로 열심히 해 왔다고 자부하던 자들에게도 하나님을 새롭게 경험하는 시간이며, 자기 안에 자리 잡고 있는 견고한 진으로 인해 닫혔던 축복의 문을 여는 시간입니다. 그러기에 성도들은 전인적치유수양회를 금식으로 준비하고 설레임으로 기다립니다.


## 양육반 – 12주 과정

양육반은 세계비전제자대학에 입학하기 전에 거쳐야 하는 과정입니다. 원래는 일대일 개인으로 양육을 했는데, 순모임을 셀그룹으로 전환하면서 소그룹으로 양육하게 되었습니다. 물론 양육반에 입학하기 위해서는 반드시 새가족반을 수료해야 합니다.

양육반은 총 12주 과정으로, 첫 시간에는 MTMembershipTraining를 가집니다. 이때는 '만나서 반갑습니다'라는 자신을 소개하는 몇 가지 질문에 답하며 서로 얼굴을 익히게 됩니다. 양육반에서 훈련받는 사람들 대부분이 교회에 온지 얼마 안 되어서 서로 낯설고 서먹서먹한데 이런 시간을 가지는 것은 팀워크를 다지는데 아주 효과적입니다.

양육반에서는 구원의 확신, 사죄의 확신, 기도 응답의 확신, 인도와 승리의 확신 등 신앙의 기본적인 확신을 다집니다. 또한, 수레바퀴의 삶과 묵상의 시간을 통해 하나님과 인격적으로 교제하는 법을 배우게 됩니다. 매 시간마다 말씀을 통해 은혜를 받고, 자신의 삶들을 솔직하게 나눌 때 서로 위로받고, 도전을 받기도 합니다.

이 과정은 그동안 자신의 이기적인 욕심과 자기중심의 신앙 세계에 갇혀 있던 애벌레들이 화려한 나비로 탈바꿈하는 시간이기도 합니다. 물론 개인에 따라 변화에 있어 대기만성형도 있지만 누구나 반드시 변화를 받게 됩니다.

목회자로서 이러한 과정들을 지켜본다는 것은 자신의 목회에 확신을 가지게 되는 아주 중요한 일입니다. 이것은 실제로 그 결과들을 보면서 비로소 경험할 수 있는 목회의 멋진 세계입니다.

무엇을 하든지 간에 가장 중요한 것은 '기본'입니다. 기초가 튼튼해야 오래 갑니다. 우리를 부끄럽게 했던 성수대교나 삼풍백화점 붕괴 사고가 왜 일어났습니까? 그건 바로 기초가 부실했기 때문입니다.

신앙생활도 마찬가지입니다. 기본이 부실하면 작은 어려움이 닥치더라도 금방 무너지게 됩니다.

신앙생활을 10년, 20년씩 해도 왜 별다른 변화가 없습니까? 기본이 부실하기 때문입니다. 기초가 부실하기에 자라지 못하고 늘 젖병을 물

려줘야 하는 어린아이로 있는 것입니다. 그래서 양육으로 기본을 튼튼히 다져야 합니다.

'기본훈련'이란 말씀, 기도, 증거, 교제의 삶을 균형 있게 살도록 하는 훈련을 말합니다. 너무 기본적인 얘기라 실망스럽게 들릴 수 있습니다.

그러나 기초가 부실한 신앙으로 인해 우리가 당하는 수많은 부작용들을 생각하면 이것은 아무리 강조해도 지나치지 않습니다.

말씀 생활, 기도 생활, 전도 생활, 교제 생활, 예배 생활, 섬김, 교제 등 기본기를 균형 있게 갖춘 성도들이 얼마나 있습니까? 극히 드물 것입니다. 대부분 한편으로 치우치거나, 아예 이런 생활을 하지 않는 성도도 많을 것입니다.

그런 성도가 무작정 열심히 봉사한다고 해서, 가르친다고 해서 열매를 튼실하게 맺을 수 있을까요? 문제는 이런 기초적인 신앙생활을 어떻게 효과적으로 싫증나지 않게 지속할 수 있느냐 하는 것입니다. 매일의 삶에서 지속적인 훈련을 통하여 신앙의 기본기를 제대로 갖추는 것은 매우 중요합니다.

수레바퀴의 삶 첫 번째는 '중심되신 그리스도'입니다. 바퀴를 돌리는 힘이 축에서 나오듯이 성령 충만한 삶을 살게 하는 능력도 중심되신 그리스도로부터 나옵니다.

그리스도가 우리 삶의 중심이 되신다는 것은 어떤 의미일까요? 그것은 그분이 우리의 주인이시며 주권자이심을 인정하는 것입니다.

하나님은 전지전능하시기에 모든 지식의 근원이시며 모든 것을 아십니다. 심지어 나의 머리털까지 세신다고 말씀하십니다. 그러므로 내 인생에 어떠한 것도 두려워할 필요가 없습니다. 담대해야 합니다. 그리고 그분께 우리 인생을 맡겨야 합니다.

그림 2 수레바퀴의 삶

우리 모두는 인생의 초보 운전자들입니다. 초보 운전의 경험 있으신 분들 있으시죠? 초보 때는 창밖을 볼 여유도 없습니다. 앞만 보고 긴장하며 달려갑니다. 그렇게 운전을 해도 사고를 피하기 힘이 듭니다.

내가 핸들을 쥔 인생의 운전 길도 이와 같습니다. 인생을 즐길 여유도 없이 긴장하며 살아가다 문제를 만나는 것이 우리의 삶입니다. 그리고 그 문제의 답을 찾지 못해 방황하고 고통 받다가 결국 죽음을 맞이하게 됩니다. 내 인생의 핸들을 주님께 맡기는 것, 그것이 바로 주님의 주인 되심을 인정하는 삶이며, 행복한 인생의 출발점입니다.

두 번째는 '말씀'의 삶을 살도록 훈련합니다. 이 훈련은 먼저 말씀 듣기계2:7,막12:37를 즐거워해야 합니다. 믿음은 들음에서 생겨납니다. 예배, 셀가족 모임, 열린모임, 양육반, 제자대학 등을 통해서 말씀을 부지런히 듣도록 노력합니다.

그 다음은 말씀 읽기계1:3,딤전4:13가 중요합니다. 맥체인 성경 읽기 표를 기준으로 말씀을 읽도록 하고 있습니다.

만약 일주일 동안 이틀 이상 말씀을 보지 않았다면 벌을 받게 됩니다. 운동장을 뛰게 되는데 물론 저도 함께 뜁니다. 운동장을 대여섯 바퀴 뛴 후, 강의실로 돌아와 그날 준비된 간식을 먹습니다.

그런데 중요한 것은 이 순간입니다. 운동장을 뛰고 나면 배도 고프고, 갈증이 나게 되는데 이럴 때 간식이 얼마나 반갑겠습니까? 한 입 먹으려는 순간, 마태복음 4장 4절을 읽게 합니다. "너희가 떡으로만 살 것이 아니요 하나님의 입으로 나오는 모든 말씀으로 살 것이라 하였느니라." 이 얼마나 실제적입니까? 누구라도 쉽게 깨달을 수 있습니다. 이후부터는 말씀을 읽는 생활이 확실하게 정착됩니다.

그리고 성경공부를 해야 성장할 수 있습니다. 성경공부는 말씀에 대한 체계적이며 논리적인 지식을 쌓는 기회를 제공합니다. 말씀을 깊이 있고도 정확하게 공부할 때 많은 거짓과 미혹들로부터 자신을 지킬 수 있습니다. 우리는 양육반, 세계비전 제자대학을 통해 부지런히 말씀을 공부합니다.

또한 성경구절을 암송합니다. 암송은 두날개양육시스템 주제별 성경암송 60구절을 사용합니다. 암송도 매우 중요하기에 매주 한 절씩 암송해 와서 강의 시작 전에 외우게 합니다.

성령의 검이란 바로 내가 정확하게 암송하고 있는 말씀입니다. 원수 마귀를 대적하기 위해서는 날카로운 성령의 검 즉, 정확하게 말씀을 암송해야 합니다. 대충 외우는 말씀은 이가 빠진 칼이나 마찬가지입니다. 하나님 보시기에 가장 적절한 때에 멋지게 쓰임받기 위해서는 항시 말씀의 칼을 날카롭게 갈고 있어야 합니다.

그리고 묵상을 합니다. 묵상은 하나님과 교제하는 시간입니다. 큐티에서 가장 중요한 것은 하나님의 음성을 듣는 것입니다. 성경 말씀을 통해 들려주시는 세미한 음성을 듣는 것입니다. 하나님은 벙어리가 아니십니다. 우리가 듣고자 하면 분명하게 말씀하십니다.

문제는 듣고자 하는 우리의 태도에 달려 있습니다. 우리는 기도하면서 하소연을 많이 합니다. 그래서 정작 하나님이 말씀하셔도 듣지 못합니다. 열심히 기도한다고 하지만 별 열매가 없고 실패하고 맙니다. 그래서 큐티 하기 전의 기도는 짧습니다. "하나님, 오늘도 말씀하여 주십시오." 그리고 하나님께서 말씀하시면, "예, 알겠습니다"라고 대답하면 됩니다. 그분이 말씀하시는데 다른 변명이 있을 수 없습니다.

기본훈련 단계에서 세 번째 훈련은 '기도'입니다. 기도는 하루에 1시간 이상 하도록 합니다. 기도의 순서와 방법 등을 가르치는데 가장 중요한 것은 기도 응답에 대한 것입니다. 기도 응답이 우리의 신앙을 살아있게 하고 실제적이게 합니다.

그러기 위해서는 먼저 기도의 대상이 누구인지 정확하게 인식하도록 해야 합니다.

날마다 정한 시간에 기도를 드리는 신실한 영국의 대주교가 있었습니다. 언제나 그는 화려한 수식어를 사용하며 기도를 시작했습니다. 그날도 여느 때와 다름없이 '전지전능하시며' 등 미사여구를 잔뜩 사용해 하나님을 불렀습니다.

갑자기 대답이 들려왔습니다. 대주교는 무슨 일인가 싶어 주위를 둘러 보았습니다. 하지만 아무도 없었습니다. '내가 잘못 들었구나' 생각하고 다시 자세를 가다듬고 기도를 시작하였습니다. 그런데 그때 다시금 그 목소리가 들리는 것입니다. 깜짝 놀란 대주교가 물었습니다. "누구십니까?" 그랬더니 "내가 바로 네가 날마다 부르던 하나님이다!"

대주교는 "하나님 듣고 계셨군요!"라고 말하면서 너무 놀라 넘어져 심장마비로 죽었다고 합니다. 정말 하나님이 기도를 들으신다고 생각하면서 기도하는지 자신의 기도를 녹음해서 한 번 들어볼 일입니다.

네 번째 기본훈련은 '예배'입니다. 예배는 하나님과 만나는 축제의 장이며, 가장 가치 있는 것을 드리는 것입니다. 하나님은 이 시대에 참된 예배자를 찾고 계시며, 예배에 성공하는 자가 형통한 복을 누립니다.

요한복음 4장 24절에 기록된 것처럼 '신령과 진정으로 예배를 드려야 한다'는 것은 외식하지 말고 진심으로 깊은 심령에서 우러나오는 예배를 드려야 한다는 의미입니다.

하나님은 신앙고백과 더불어 구체적인 행위가 수반되는 예배자를 찾으십니다. 그것은 다름 아닌 긍휼을 베푸는 것이요, 형제의 아픔에 동참하는 것입니다.

주일에 드리는 예배는 세상에 나가게 되는 출발점입니다. 그리고 6일 간의 삶 역시 하나님 앞에서의 예배여야 합니다. 삶이 곧 예배가 되어야 하는 것입니다.

다섯 번째 기본훈련은 '섬김'입니다. 우리는 지체와 교회를 섬김으로 한 몸을 이루고 함께 성장해 갑니다. 하나님은 우리에게 다양한 은사를 주셨으며, 은사에 따라 섬길 때 교회는 더욱 아름다워집니다. 그리고 섬김의 기쁨을 누리게 됩니다. 섬김의 삶의 핵심은 사랑입니다.

베드로전서 2장 9절에 이르기를 우리는 왕 같은 제사장이라고 하셨습니다. 섬기는 사역자로 우리를 부르셨다는 의미입니다. 오직 사랑으로 서로 종노릇하며 섬길 때 그리스도의 몸이 세워집니다.

여섯 번째 기본훈련은 '증거'입니다. 최소한 하루에 1명 이상에게 복음을 증거 해야 합니다. 복음을 증거 하는 것은 잃어버린 영혼에 대해 깊은 애정을 나타내는 것입니다. 즉, 하나님의 마음을 갖는 것입니다.

하나님의 마음을 가장 대표적으로 표현한다면, 영혼에 대한 사랑이라 생각합니다. 그래서 복음 증거하는 삶으로써 우리는 하나님의 관심을 알게 되고, 그분과 공감할 수 있으며, 그렇게 될 때 우리의 신앙은 한 차원 더 발전할 수 있습니다. 복음을 증거하며 사는 사람들과 그렇지 않은 사람들은 분명히 그 신앙의 열매가 다름을 볼 수 있습니다. 그것은 증거의 삶이 가져다주는 유익이 분명 다르기 때문입니다.

기본훈련의 일곱 번째인 성도들 간의 '교제'야말로 빼놓을 수 없는 기본기입니다. 많은 그리스도인들이 교제에 대해 오해하고 있는 부분이 많습니다. 함께 이야기하고 차를 마시고 식사를 하는 것들이 교제라고 오해합니다. 그래서 불신자들과도 교제할 수 있다고 합니다.

그리스도인의 '진정한 교제'란 그리스도와 더불어 살면서 신앙을 나누는 삶입니다. 대화의 궁극적인 주제는 그리스도이며, 그분의 생각에 대해 고민하고 그분이 주시는 은혜를 나누는 삶입니다.

또한, 힘든 일이 있으면 서로 기도를 부탁하기도 합니다. 교제의 내용에 그리스도가 빠진다면 그것은 진정한 교제가 아닙니다. 그렇기 때문에 엄밀한 의미에서 불신자와의 교제는 진정한 교제라고 말할 수 없는 것입니다.

그렇다면 성경적인 교제 방법은 무엇입니까?

첫째, 함께 모이되 주님의 이름으로 기도하는 것입니다마18:19~20.

둘째, 서로 돌아보며 격려하고 상담하는 것입니다히10:24~25.

셋째, 교제는 영적 싸움의 성패를 좌우합니다전4:9~11.

넷째, 같이 모여 섬기는 것입니다행2:46. 교제가 잘 되지 않으면 외톨이가 되고 신앙이 바르게 자라지 않습니다.

마지막으로 '그리스도께 순종하는 삶'입니다. 수레바퀴의 여섯 가지 살을 감싸고 있는 테두리는 순종하는 삶입니다. 그리스도인은 자신의 믿음을 지킬 뿐 아니라, 주님의 일을 감당하기 위해 순종하는 자세

114

가 필요합니다. 순종의 정도가 곧 영적 성장의 척도이기 때문입니다.

지금까지 살펴본 것처럼 신앙생활의 기초가 되는 것은 중심되신 그리스도, 말씀, 기도, 예배, 섬김, 증거, 교제, 그리스도께 순종하는 삶입니다.

이 여덟 가지가 수레의 바퀴처럼 균형을 잘 이루어야 신앙이 바르게 성장합니다. 갈라디아서 2장 20절에서 사도 바울이 "내가 산 것이 아니요 오직 내 안에 그리스도께서 사신 것이다"라고 고백한 것처럼 모든 것의 중심은 예수 그리스도이어야 합니다. 혈기방자하고, 화 잘 내고, 속 좁고, 정욕적이고, 교만하던 나는 예수를 믿는 순간 죽은 것입니다.

골고다 언덕 십자가에 누가 달려 있습니까? 주님이십니까? 예수님은 죽음의 권세를 깨뜨리시고 이미 부활하셨습니다. 골고다 언덕 십자가 위에 달려 있는 것은 바로 '나'입니다. 예수 믿기 전의 온갖 육신적인 옛 모습으로 가득한 내가 달려 있는 것입니다.

그런데 우리는 매순간 십자가에서 뛰어 내려와 육신의 모습을 하고서 이리저리 휘젓고 다닙니다. 나는 이미 죽었는데 드라큘라처럼 돌아다니는 것입니다. 사도 바울도 날마다 살아나는 옛사람으로 인해 스스로 곤고한 자라고 고민하지 않았습니까?

이처럼 신앙생활은 끊임없는 겉사람과 속사람의 싸움입니다. 이것을 해결하는 방법은 간단합니다. 내 속사람이 강건하면 되는 것입니다. 그래서 날마다 그리스도를 내 삶의 주인으로 인정하고 말씀으로, 기도로, 예배로, 섬김으로, 증거로, 교제로, 순종함으로 내 속사람을 강건케 해야 합니다.

# 세계비전제자대학 커리큘럼

## 1학기 – 제자훈련/열린모임 인도자 세우기

제자훈련에서 가장 중요하게 여기는 것은 '로드십Lordship'입니다. 로드십이란 말 그대로 그리스도의 주인 되심을 인정하고 순종하며 사는 것입니다. 그리스도인의 삶 속에 로드십이 제대로 선포되어 있지 않다면 결정적인 순간엔 결국 자기 생각을 좇게 되어 있습니다.

우리 교회에서는 통성 기도 하기 전에 '주여 삼창'을 외치며 기도 합니다. 왜 '주여'라고 크게 부릅니까? 간절한 마음의 표현입니까? 새벽기도 시간에 잠을 깨우기 위해서입니까? 아니면 남보다 목소리가 크면 은혜가 더 되기 때문일까요? 대부분의 사람들은 별 생각 없이 '주여'라고 부른다고 합니다.

우리나라 성경은 主라고 한 가지 의미로만 번역되어 있습니다. 그런데 영어성경에 '주'는 구세주Saviour와 왕Lord의 두 가지 의미를 가지고 있습니다. 여기서 구세주Saviour는 10%에 불과하고, 왕Lord이란 의미가 90%를 차지합니다. '주님Lord'은 우리를 통치하시고 보호하며 인도해 주시는 왕이란 의미입니다.

그런데 우리는 과연 그분을 나의 주인, 나의 왕으로 인정하며 기도합니까? "주인님! 이거 해 주세요. 저거 해 주세요"라고 합니다. 누가 주인이고 누가 종인지 도무지 알 수가 없습니다. 마구 달라고만 하는 '막달라 성도'가 많습니다.

또, 달라고만 하지 주님의 통치를 받으려고 하지는 않습니다. 구세주만 좋아해서 복 받고 은혜 받으려고만 하지, 그분의 뜻이 무엇인지, 주님이 무엇을 원하시는지에 대해서는 별 관심이 없습니다. 도움만 받으려 할 뿐 그분께 나아가지 않는 경우가 대부분입니다.

116

입으로 부르기는 "주여!" 하면서 정작 주인은 나 자신이고, 주님은 종입니다. 직장 생활을 하면서 사장님에게 "사장님, 구두 좀 닦아 주세요. 걸레 좀 빨아 주세요"라고 사장을 부려먹는 부하 직원이 있습니까? 마치 우리가 그와 같습니다. "주인님, 이것 좀 하세요, 저것 좀 하세요!" 하며 주님을 부려 먹습니다.

바른 신앙의 모습은 어떠해야 합니까? "주여!"라는 부르짖음 그대로 그분을 주인으로, 왕으로 모시며 순종해야 합니다. 우리가 그분께 순종해야 하는 여러 가지 이유가 있습니다.

그분이 왜 나의 주인이 되어야 하는지 명확히 알고 나면 비로소 우리는 무릎 꿇을 수 있습니다.

첫 번째, 나를 만드신 분이시기 때문입니다. 주님이 나를 만드셨으니 나의 주인이십니다.

두 번째, 피 값을 치르고 사셨기 때문입니다 고전6:19~20. 우리는 원래 마귀의 자녀였는데 주님께서 사신 아주 값비싼 사람입니다. 노예의 소원이 무엇이겠습니까? 바로 좋은 주인을 만나는 것입니다. 나쁜 주인은 종을 때리고 자식까지 떼어 놓습니다. 나쁜 주인을 만나서 고생하던 우리가 자비로운 주님을 만나 노예 생활에서 풀려나고 자녀로까지 신분이 변화 되었습니다.

그런데 이런 당위성만 가지고 순종이 됩니까? 그렇지 않습니다. 군인들은 상관의 명령에 생명을 다해 복종해야 합니다. 하지만 돌아서면 욕합니다.

학교에서도 마찬가지입니다. 학생이 선생님 앞에 순종해야 한다는 사실을 잘 알고 있지만 안다고 해서 순종하는 것은 아닙니다. 요즘은 교실 붕괴 현상으로 학생이 선생님을 고발하는 일까지 벌어지고 있습니다.

왜 그렇습니까? 왜 순종해야 한다는 것을 알면서도 순종하지 못합니까? 그것은 그들 사이에 인격적인 관계가 없기 때문입니다. 물론 우리나라의 일그러진 교육 현실 때문에 존경하기 어려운 많은 교사들이 있습니다.

그러나 우리 주님과의 관계는 그렇지 않는데도 우리는 도무지 순종하지 않습니다. 하나님의 말씀에 순종해야 한다는 것을 알면서도 잘 되지 않는 것은 주님과 인격적인 관계가 되어 있지 않아서 그렇습니다. 주님과 충분히 사귄다면 우리는 그분의 얘기를 귀담아 듣지 않을 수 없게 됩니다. 그분의 인격과 사랑에 대한 신뢰 때문입니다.

그래서 세계비전제자대학에서는 로드십을 가르친 후, 실제적인 하나님과의 교제 훈련에 들어갑니다. 로드십은 예수를 믿는다고 해서 되는 것이 아니라 훈련이 있어야 합니다. 그것은 훈련을 통해 자라나기 때문입니다.

로드십이 자라가는 과정에는 예수를 믿고 구원받아 이해하고 순종하는 단계가 있습니다.

두 번째는 이해가 되고, 이익이 되어야 순종하는 단계가 있습니다. 주일 성수라든가 십일조를 하는 것이 해당합니다.

세 번째는 이해는 안 되지만 이익이 될 것 같아 순종하는 단계입니다. 베드로가 깊은 데로 가서 그물을 던지라는 주님의 말씀에 순종하였던 경우를 예로 들 수 있습니다.

네 번째는 이해도 안 되고 이익도 없지만 주님의 말씀이기 때문에 무조건 순종하는 단계입니다. 아브라함은 모리아산에서 이삭을 바치는 순종으로 말미암아 로드십의 절정에 이르렀으며, 이는 우리에게 좋은 모델이 되고 있습니다.

이 장성한 분량에 이르기 위해 제자훈련을 하는 것이며, 자신을 포기하는 순종의 훈련 없이는 제자의 비전을 이뤄갈 수 없기 때문입니다.

결국 사람은 끊임없는 자기 포기를 통해 하나님의 일을 성취해 가는 것입니다. 로드십이란 그리스도는 주인이시며, 나는 그분의 종이자 노예라는 것을 삶의 모든 영역에서 순종함으로 실천하는 것입니다. 기분이 좋거나 일이 잘 풀리는 날은 마음의 왕좌에 주님이 앉아 계시다가 뭔가 일이 틀어진다 싶으면 왕좌에 계신 주님을 밀어내는 것은 진정한 로드십이 아닙니다.

우리는 그리스도의 노예입니다. 내 삶, 내 아내, 내 자식, 내가 가진 것 중에 나의 소유는 없습니다. 주님이 쓰시겠다면 언제든지 드려야 하는 노예인 것입니다.

예수 그리스도가 우리의 주인 되심이 모든 삶의 영역에서 인정되고 구체적으로 고백되어야 합니다. 이는 성경적인 가치관의 정립이며, 우리의 모든 삶이 예수 그리스도께 순종되어야 한다는 의미입니다.

각 삶의 영역에서 성경적인 가치관을 정립하고 주님의 뜻에 어떻게 순종해야 하는지 살펴보겠습니다.

첫째, 가족관입니다. 주님은 마태복음 10장 37절에 "아비나 어미를 나보다 더 사랑하는 자는 내게 합당치 아니하고 아들이나 딸을 나보다 더 사랑하는 자도 내게 합당치 아니하다"고 말씀하셨습니다.

하나님보다 가족을 더 사랑하는 것은 또 다른 우상숭배입니다. 인간적인 정으로 사랑하는 것이 아니라 그리스도의 사랑으로 사랑하는 것입니다.

둘째, 물질관입니다. 요한 웨슬레는 "지갑이 헌신되지 않으면 진정한 헌신이 아니다"고 했습니다. 물질의 주인은 하나님이십니다. 우리는 청지기일 뿐입니다. 그렇기에 주님이 주신 돈을 어떻게 사용하는가 하는 것은 중요합니다. 하나님 나라를 위해 물질을 우선적으로 사용하는 성경적인 물질관이 잘 정립되어 있어야 합니다.

셋째, 문화관입니다. 물질관 못지않게 중요한 것이 문화관입니다. 아니 어쩌면 물질관보다 더 중요할 수 있습니다. 우리의 가치관을 형성하는 데 결정적인 역할을 하는 것이 문화관이기 때문입니다.

그 중 미디어는 가장 중요한 매개체입니다. 사람은 무엇을 보고 듣는가에 따라 생각하고 행동하기 때문입니다.

얼마 전 초등학교 아이가 컴퓨터 게임을 하다가 동생을 살해한 사건이 있었습니다. 가상의 화면 안에서 살인하는 게임을 즐기다 현실에서 실제의 게임을 즐기고 싶었다는 것이 살인의 이유였습니다. 어처구니없는 일이지만 실제 우리에게 일어났던 일이며 앞으로도 그럴 가능성이 충분히 잠재되어 있는 일입니다.

이런 극단적인 경우가 아니라도 사람들은 미디어의 메시지에 영향을 받는 것이 사실입니다. 요즘 아이들에게 가장 인기 있는 직업은 연예인입니다. 모 탤런트처럼 되기 위해 성형수술을 하는가 하면, 어느 인기 프로그램에서 주인공이 입었던 옷, 액세서리가 유행을 주도합니다. 모두 미디어의 영향권 안에 노출되어 있는 것입니다.

그런데 문제는 대부분의 미디어를 통한 메시지가 성경적이지 않다는 데 있습니다. 그렇기에 그리스도인 역시 미디어의 영향으로 인해 비성경적인 가치관을 가질 수 있다는 것입니다.

또 성경적인 가치관을 가지고 있다고 해도 음란, 폭력, 범죄 등의 미디어 메시지는 그리스도인들을 여전히 위협하고 있습니다. 바른 분별력을 가지고 보고 듣는 것이 중요하며, 인기 프로그램이다, 작품성이 있다는 평의 작품이라 할지라도 보지 않는 절제가 더더욱 필요합니다.

넷째, 결혼관입니다. 그리스도인 중에도 결혼관이 제대로 되어 있지 않아 어려움을 겪는 경우를 봅니다. 결혼이란 영과 육이 하나 되는 것입니다. 그렇기에 "믿지 않는 자와 멍에를 지지 말라"고후 6:14고 하신 말씀에 비추어 본다면 예수를 믿지 않는 자와의 결혼은 성경적이지 않습니다.

흔히들 나이가 들면 결혼을 꼭 해야 된다고 생각하는데 이 역시 성경적이지 않습니다. 사도바울은 고린도전서 7장 7절에서 자기와 같이 결혼하지 않고 주의 일을 하는 것을 원하나 은사에 따라 결혼 여부를 결정해도 좋다고 이야기하고 있습니다. 결혼하지 않고 주의 일을 감당하는 것도 성경적이며 은사에 따라 결혼하는 것도 성경적입니다.

결혼의 자격 중 첫째는 인격적인 성숙이 되어야 하며, 둘째는 정신적, 물질적으로 독립되어야 합니다. 즉, 부모의 권한에서 벗어나는 것과 형제의 경우에는 경제적인 독립이 이루어져야 합니다. 남자가 가정의 경제를 책임지는 것이 성경적이기 때문입니다.

다섯째, 시간 역시 하나님이 우리에게 주신 선물입니다. 그리스도인의 바른 시간관은 우선순위대로 사는 것입니다. 그것은 다름 아닌 하나님과의 관계에 가장 우선을 두는 삶입니다.

현대인이 빈번하게 사용하는 말 중 하나가 "바쁘다"는 것입니다. 경쟁이 치열한 사회구조로 인해 바쁘게 살지 않으면 뒤지고 있다는 느낌을 가지게 됩니다. 그래서 끊임없이 뭔가를 하고 있으며 실제로 하루에 해야 할 일을 메모해 보면 30~40가지에 이릅니다. 어린아이들 역시 학교 공부뿐 아니라 학원까지 서너 군데 다니다 보니 바쁘디 바쁜 시대를 살아가고 있습니다.

이러한 사회구조 속에서 그리스도인이 승리할 수 있는 비결은 무엇일까요? 다름 아닌 급하고 바쁜 순서가 아닌 우선순위대로 사는 삶입니다. 그날 해야 할 일 중 가장 우선으로 처리해야 하는 일이 무엇인지 순위를 정하고 그 순서에 따라 살 때 우리는 승리하는 인생을 살게 됩니다.

여섯째는 직업관입니다. 직장은 하나님이 우리에게 주신 선교지입니다. 모든 그리스도인은 자비량 선교사이며 우리가 받는 월급은 선교비입니다.

그러므로 직장 안에 있는 믿지 않는 모든 불신자는 우리의 선교 대상입니다. 해외로 파송되는 자만이 선교사가 아닙니다. 기억하십시오! 모든 그리스도인은 이 땅의 선교사로 부르심을 받았습니다.

일곱째, 노동관에 대해 성경적인 가치관을 가져야 합니다. 노동은 예배이며 하나님이 주신 축복입니다. 창세기 1장에는 하나님이 사람에게 주신 3대 축복이 기록되어 있는데, 하나는 노동의 축복이며, 둘은 안식의 축복이고, 셋은 결혼의 축복입니다.

우리 주변에는 6일 동안 세상에서 하는 일은 육신의 일이며, 교회를 섬기는 일만이 거룩하다는 이원론적인 사고방식을 가진 그리스도인들이 많습니다. 결코 그렇지 않습니다. 하나님께서는 우리에게 노동을 축복으로 주셨으며, 노동의 목적은 더 많이 섬기기 위함입니다.

창세기 2장 5절에 언급된 '경작'이라는 말을 히브리어로 '야바트'라고 합니다. 그런데 이 야바트는 노동한다는 의미뿐 아니라 예배한다는 의미로도 사용되고 있습니다. 믿음으로 열심히 일한다면 그것이 곧 예배입니다.

조선시대 복음이 막 전해졌을 때의 일입니다. 외국의 선교사님들이 오후에 테니스를 즐기고 있었습니다. 이를 본 선비들이 그런 일은 하인에게 시키지 왜 땀을 뻘뻘 흘리며 일하느냐고 했다는 웃지 못 할 에피소드가 전해집니다.

예레미야 33장 2절에는 '일하시는 여호와 그것을 지어 성취하시는 여호와'로 하나님 역시 일하시는 분으로 표현되어 있습니다. 노동은 축복이며 예배인 것을 기억해야 합니다.

여덟째, 육체관입니다. 고린도전서 6장 19~20절에는 우리 몸을 거룩한 성전이라고 말씀하고 계십니다. 성령님이 내 안에 계시므로 거룩한 성전인 것입니다.

그러므로 우리 몸을 거룩하게 하여 의의 병기로 하나님께 드려야 합니다. 세상의 문화에서 말하는 것처럼 우리 몸을 함부로 해서는 안 되며 육체적인 순결을 지켜야 합니다. 술이나 담배, 기타 음란물을 접하거나 그리스도인으로서 합당치 못한 장소에 출입하는 것이 잘못인 것은 바로 우리 몸이 거룩한 성전이기 때문입니다. 성령님이 싫어하시는 장소, 놀이, 문화는 과감히 끊고 절제해야 합니다.

마지막으로 언어관입니다. 교회 안에서 물의가 일어나는 대부분의 일은 말 때문입니다. 말로 인해 상처 받으며 말로 인해 분쟁이 일어납니다.

그래서 야고보 사도는 "말에 실수가 없는 자가 온전한 자"약 3:2라고 하였습니다. 교회 안에서 옳고 그름을 가리는 것보다 더 중요한 것은 덕을 세우는 것입니다. 아무리 옳아도 덕이 되지 않으면 말을 절제해야 합니다. 그러할 때 지체들이 세워지고 교회가 세워지는 것입니다.

사람은 누구나 하나님 앞에서 인생을 운전하는 운전자driver와 같습니다. 운전자는 운전 태도에 따라 세 부류로 구분할 수 있습니다.

첫 번째 운전자는 인생의 핸들을 자신이 잡고 그리스도는 차 밖에 둔 사람입니다. 이러한 사람을 고린도전서 2장 14절에서는 "육에 속한 사람", 자연인natural man이라고 이야기하고 있습니다.

또, 인생의 왕좌에 자신이 앉아 있으며 그리스도를 주님으로 받아들이지 않은 불신자입니다. 인생의 핸들을 자신이 잡고 있으므로 모든 일을 자신이 주관하기에 좌절과 절망에 빠집니다.

두 번째 운전자는 인생의 핸들을 자신이 잡고 그리스도는 뒷좌석에 모신 사람입니다. 이런 사람은 "육신에 속한 자"고전 3:1~3로 그리스도를 마음의 주인으로 영접했지만, 인생의 주인은 여전히 자신이며 자기중심적인 삶을 사는 영적 어린아이입니다. 영적인 어린아이는 겉으로 보기에 그리스도인인지 비그리스도인인지 구별이 되지 않아 자연인과 별로 차이가 없습니다.

이런 사람은 하나님의 축복은 원하면서 하나님의 말씀에는 순종하지 않습니다. 그렇기에 신앙의 기복이 심하며 잘 넘어지고 율법적으로 살아갑니다.

세 번째 운전자는 성숙한 그리스도인spiritual man입니다. 인생의 핸들을 그리스도께 드리고, 자신은 옆이나 뒷좌석에 앉은 사람입니다. 그는 주님의 통치하에 살아가며 성령의 능력으로 살아가는 그리스도인입니다.

이러한 사람은 자신의 삶을 성령의 인도하심에 맡기는 사람입니다. 그리고 예수 그리스도를 삶의 주인으로 인정하며 그분의 다스림을 받는 사람입니다. 이 사람은 다름 아닌 성령 충만한 그리스도인이며 삶 가운데 성령의 열매를 맺습니다.

세 종류의 운전자 중, 당신은 어느 부류의 운전자입니까? 그리스도의 주재권은 먼저 자신의 상태를 파악하는 데에서부터 출발합니다. 주님을 믿는다고 하면서도 내 인생의 핸들을 여전히 내가 쥐고 있는 것은 아닌지 정확하게 진단한 뒤 나의 영적 성장을 위해 어떻게 해야 하는지를 배워야 합니다.

영적 성장의 정답은 그리스도의 주인 되심을 인정하고, 나의 모든 삶을 그분께 전적으로 내어드리는 것입니다. 그런데 그 일이 말처럼 쉽지 않습니다. 고래심줄보다 더 질긴 것이 자기 애착, 자기 생각, 자기 이성입니다. 자기 자신을 쉽게 포기하기 어렵습니다.

그렇기에 로드십에서 가장 중요한 것은 주님과의 관계입니다. 그분과 얼마나 친밀하게 사귀느냐에 따라 우리의 로드십이 성장하며, 그것이 곧 영적인 성장입니다.

## 주님이 기뻐하시는 제자

주님은 우리를 양으로 비유하셨습니다. 양은 어떤 특성을 가지고 있습니까? 혼자서는 길을 찾지 못하며 한 번 넘어지면 스스로 일어서지 못합니다. 목자가 와서 일으켜 세워 줘야 합니다.

그래서 많은 목회자들이 양을 돌보는 젖병 목회 즉, 심방 목회에서 벗어나지 못하고 있습니다. 넘어져 울고 있는 양들을 달래기 위해 이리저리 뛰어다니느라 늘 분주합니다.

제자비전 목회는 교회 안의 양들을 홀로서기 할 수 있는 제자로 세우는 것입니다. 그리고 이렇게 세워진 제자는 또 다른 충성된 자를 양육하여 재생산하는 리더가 됩니다.

주님이 기대하시는 제자의 모습은 어떠합니까?

첫째, 집념의 제자입니다. "종말로 나의 형제들아 주 안에서 기뻐하라 너희에게 같은 말을 쓰는 것이 내게는 수고로움이 없고 너희에게는 안전하니라 개들을 삼가고 행악하는 자들을 삼가고 손할례당을 삼가라"빌 3:1~2.

둘째, 순수한 제자입니다. "이제 후로는 나를 위하여 의의 면류관이 예비되었으므로 주 곧 의로우신 재판장이 그 날에 내게 주실 것이니 내게만 아니라 주의 나타나심을 사모하는 모든 자에게니라"딤후 4:8.

즉, 주님이 기대하시는 것은 의의 면류관, 생명의 면류관을 향해 끝까지 달려가는 순수한 제자의 모습입니다.

셋째, 순종의 제자입니다. "오직 우리가 어디까지 이르렀든지 그대로 행할 것이라"빌 3:16. 순종이란 때와 장소를 가리지 않고 요구됩니다.

넷째, 헌신의 제자입니다. "또 무리에게 이르시되 아무든지 나를 따라 오려거든 자기를 부인하고 날마다 제 십자가를 지고 나를 좇을 것이니라"눅9:23. 자기를 부인하고 헌신하는 자입니다.

제자비전 목회는 이런 제자를 만들기 위해 행해지는 훈련입니다.

## 대가 지불

성 프랜시스의 유명한 일화가 있습니다.

프랜시스의 제자가 되겠다고 두 젊은이가 찾아왔습니다. 배추를 심고 있던 프랜시스는 찾아온 두 젊은이에게 "잠깐 다녀올 데가 있으니 자네들이 내 대신 배추를 심고 있게. 그런데 배추를 심되 뿌리를 하늘로, 잎을 땅으로 심게." 이렇게 말하고는 두 젊은이를 밭에 남겨 두고 떠났습니다.

얼마 후 프랜시스가 돌아왔습니다. 한 젊은이는 프랜시스가 부탁한 대로 뿌리를 하늘로 하여 이상하게 심어 놓았습니다. 그러나 한 젊은이는 '노인네가 잘못 이야기 했겠지' 생각하고 뿌리를 땅에다 잘 심어 놓았습니다.

프랜시스는 뿌리를 땅에 심은 젊은이에게 "자네는 배추 뿌리를 땅으로 하여 제대로 심었네. 합리적이고 똑똑한 사람이네. 그러나 예수님의 참 제자가 되기에는 합당하지 않네." 그리고 배추를 거꾸로 심은 젊은이에게 "자네는 무조건 순종하는 젊은이로 예수님의 제자가 되기에 합당한 사람이네. 자네만이 나의 제자가 되기를 허락하겠네."라고 하였습니다.

그렇습니다. 예수님의 제자는 스승이신 주님의 말씀에 무조건 순종하는 사람입니다. 자기 뜻을 내세우지 않고 주님의 뜻을 앞세우는 사람입니다. 주님께서 소경을 향하여 실로암에 가서 씻으라고 하셨을 때에 "전에도 그곳에서 세수한 적이 있습니다. 세수한다고 눈을 뜬다면 벌써 떴을 것입니다"라고 하였다면 역사는 일어나지 않았을 것입니다. 주님이 말씀하셨기에 무조건 순종하였더니 주님께서 역사를 이루신 것입니다.

주님은 공생애 3년 동안 주님이 오신 목적을 분명히 하셨습니다. 그것은 주님이 하셨던 일들을 그대로 할 수 있는 열두 제자를 세우는 것이었습니다.

우리 교회는 주님이 하셨던 것처럼 12명의 셀리더를 세우고, 그들이 또 다른 12명의 셀리더를 세우는 것이 비전입니다. 우리는 이 비전을 재생산 비전이라고 합니다.

우리 교회의 훈련과정인 세계비전제자대학에서는 주님의 사역을 대신 하도록 제자들을 훈련시키셨던 것처럼, 가르치고 치유하고 전파하여 재생산할 수 있는 사역자를 세우기 위해 양육하고 있습니다. 부르심을 받을 당시 제자들은 연약하고 결점이 많은 사람들이었으나 양육과 훈련을 통하여 변화되어 갔습니다.

그처럼 우리 역시 양육과 훈련으로 자신의 사생활에 매이지 않는 군사로, 또 다른 사람을 살릴 수 있는 전도자로, 배가의 번식을 이루는 사명자로 변화되어 가는 것을 경험하고 있습니다.

## 하나님의 부르심과 그 가치를 발견하는 리더 수양회

리더 수양회는 제자대학 1학기 제자훈련에서 2학기 군사훈련으로 건너가는 다리입니다. 1학기 제자훈련을 통하여 제자로의 부르심을 발견하고 제자의 삶이 무엇인지 깨달은 이들에게 리더 수양회는 제자들이 해야 할 일을 명확하게 제시하는 역할을 합니다. 그것은 다름 아닌 사람 낚는 어부가 되어 가서 모든 족속으로 제자 삼는 일입니다.

제자훈련은 반복훈련입니다. 그렇기에 하나님의 부르심과 비전은 끊임없이 반복 훈련되어져야 합니다.

리더 수양회는 이름 그대로 하나님이 나를 셀리더로, 역사의 주역 으로 부르셨다는 것을 확신하는 비전 수양회입니다. 하나님의 부르심 을 깨닫고 그 부르심에 응답하는 삶, 바로 이것이 리더 수양회의 목적 입니다.

하나님의 부르심은 부담이 아닌 축복입니다. 그것은 내 삶을 단순 히 포기하는 대가 지불의 공식이 아니라 하나님 나라 가치에 사로잡힌 고귀하고 황홀한 삶입니다. 아무나 흉내 낼 수 없는 기인奇人의 삶인 것 입니다.

그러므로 리더 수양회는 부르심의 축복을 발견하는 곳이며, 부르심 의 가치를 발견하는 곳입니다. 사람은 자신이 가치를 두는 것에 시간과 물질과 에너지를 투자하기 마련입니다. 그래서 마태복음 13장 44절의 말씀처럼 밭의 보화를 발견하면 자기의 모든 소유를 팔아 그 밭을 사는 것입니다. 그리고 그것을 성취하기 위해 전력 질주합니다.

하나님은 우리 인생에서 가장 가치 있고 영원한 것에 우리의 삶을 투자하라고 말씀하십니다. 그것은 다름 아닌 하나님의 부르심에 순종 하는 삶입니다.

그러기에 리더 수양회 첫 시간은 '하나님은 당신을 부르신다'는 주 제로 시작합니다. 많은 사람들은 하나님이 자신을 부르신다는 말씀을 들으면 당황해합니다. 그리고 그 부르심에 즉시 순종하지 못하고 멈칫 합니다. 이유는 자신의 계획을 포기하기 힘들기 때문에, 아직도 인생이 나의 것이라 생각하기 때문입니다.

리더 수양회는 내 인생의 주인이 누구인지 다시 한 번 자신을 부인해야 하는 시간입니다. 혹은 하나님의 부르심에 응답하기를 꺼려하는 이유가 그 부르심에 응답하기에는 자신이 부족하다고 여기기 때문입니다. 호렙산 가시떨기나무 앞에 선 모세처럼 말입니다.

그러나 그렇지 않습니다. 하나님은 우리가 완벽하기 때문에, 잘하고 있기 때문에 부르시는 것이 아닙니다. 부르심의 주권은 하나님께 있으며, 그 부르심에 순종하기만 하면 우리를 합당히 사용하십니다.

오병이어의 기적이 어떻게 일어났는지 기억해 보십시오. 물고기 두 마리, 보리떡 다섯 개의 어린아이의 도시락은 참으로 보잘 것 없었지만, 자신이 가지고 있는 것을 주님께 드릴 때 기적은 일어났습니다.

우리의 삶 역시 마찬가지입니다. 많은 성경적인 지식이 없어도, 자신의 연약한 모습에 자주 넘어져도, 있는 모습 그대로 주님께 드릴 때 오병이어의 기적을 베푸시는 것입니다.

리더 수양회는 이처럼 있는 모습 그대로의 자신을 드리는 시간입니다. 부족하지만 셀리더로 자신을 드리는 시간입니다.

리더 수양회는 셀가족 모임의 가치와 열린모임에 대해 다시 한 번 깨닫게 하며 하나님의 부르심을 발견하고 무엇을 해야 할지에 대해 그 방향성을 제시합니다. 부르심에 대해 결단하며 그 부르심에 대해 구체적으로 어떻게 순종해야 하는지 가르칩니다. 그것을 셀그룹과 전도 소그룹, 열린모임을 통하여 영혼을 감당하는 것입니다.

리더 수양회는 우리의 삶을 한 차원 향상시킵니다. 세상과 자신의 욕망에 고정되어 있던 내 삶의 눈을 하나님께로 향하게 하며, 하나님 나라의 가치에 투자하게 만듭니다. 비전에 사로잡힌 삶의 아름다움과 황홀함을 맛보게 하는 시간이 바로 리더 수양회이며 그렇기에 많은 제자대학생들이 인생의 반전을 경험하고 결단합니다.

## 2학기 - 군사훈련/셀그룹 리더 세우기

우리 교회는 2단계 군사훈련을 거치면 셀그룹 리더로 사역하게 됩니다. 셀그룹 리더는 작은 목자요, 셀그룹의 영적인 아비입니다. 영적인 부모가 된 그들은 좋은 부모가 되기 위해 또 훈련을 받습니다.

부모의 자질 중 가장 중요한 것은 변함이 없어야 한다는 것입니다. 부모가 자신의 감정대로 행동한다면 그 가정은 어떻게 될까요?

셀그룹의 리더도 마찬가지입니다. 영적인 가장이 된 셀리더는 더이상 자기 감정, 자기 생각대로 사는 존재가 아닙니다. 자신의 가족과 그들의 영혼을 위해 수고를 아끼지 않아야 합니다. 힘들고 어려운 일이 생기고 하늘이 무너지는 일이 일어났다고 해도 셀리더는 자신의 자리를 지켜야 합니다.

우리에게는 영적인 침체란 없기 때문입니다. 그리스도의 노예, 군사로 부르심을 받은 자에게 침체라는 것은 사치스러운 것입니다.

하지만 한결같은 모습으로 달려간다는 것이 쉬운 일은 아닙니다. 2단계 군사훈련은 성도들로 하여금 하나님의 부르심에 대한 소명을 발견하게 하고, 그 사명을 이루기 위해 초지일관 달려갈 수 있는 셀그룹 리더로 세우는 것이 목표입니다.

시대는 일꾼을, 일꾼은 시대를 열어갑니다. 사역자는 태어나는 것이 아니라 만들어지는 것입니다. 주님 역시 열두 명의 제자를 만들어 가셨습니다.

우리 교회가 사역자를 세우는 지도력에서도 높은 점수를 받은 것은 바로 양육과 훈련을 통해 평신도 사역자를 세우는 데 힘을 쏟고 있기 때문이라고 생각합니다. 훈련된 평신도들 각자 자기 은사에 따라 사역할 수 있도록 권한이 위임되어 지도력을 충분히 발휘하고 있습니다.

이런 의미에서 군사훈련은 강력한 주님의 군사로 훈련하는 과정입니다. 제가 군사훈련이라고 하니까 강한 힘이나 카리스마로 훈련하는 것이냐고 묻는 분들이 많습니다. 그것은 세계비전제자대학을 몰라서 하는 말입니다.

세계비전제자대학을 통해 저보다 더 탁월한 제자를 세우기 위한 최선의 노력을 다하고 있습니다. 우리 교회에 탁월한 평신도 사역자가 많이 세워진 것은 저의 이런 마음을 아시는 하나님께서 그들을 변화시키신 덕분이라고 생각합니다.

군사훈련이라는 용어는 디모데후서 2장 3~4절에 근거합니다. "네가 그리스도 예수의 좋은 군사로 나와 함께 고난을 받을찌니 군사로 다니는 자는 자기 생활에 얽매이는 자가 하나도 없나니 이는 군사로 모집한 자를 기쁘게 하려 함이라." 군인은 자기 생활에 얽매이지 않습니다. 군인은 철저히 상관의 명령에 복종합니다. 순종을 넘어선 복종입니다. 우리는 마지막 시대를 감당키 위해 주님의 군사로 부르심 받았습니다. 군인이 자기 생각대로 고집을 피우고 전쟁을 한다면 어떻게 되겠습니까? 아무리 훌륭한 군인이라도 혼자 전쟁을 치를 수는 없습니다. 상관의 명령에 따라 복종하여 충성을 다하는 자가 좋은 군인입니다.

위임의 법칙이란 게 있습니다. 세계비전제자대학을 통해 훈련받은 사람들이 왜 그렇게 순종합니까? 순종해야 한다고 가르치기 때문입니까? 목사라서 순종합니까? 아니면 제 인격이 훌륭해서입니까? 그렇지 않습니다. 저도 헤아릴 수 없을 만큼 부족함이 많은 사람입니다. 그래서 끊임없이 제 자신을 부인하며 달려가는 중입니다. 그럼에도 불구하고 철저히 순종하는 것은 위임을 정확하게 가르치기 때문입니다.

다른 많은 제자훈련에서는 가르치는 리더는 살짝 빠지고 예수 그리스도를 본받으라고 말합니다. 그러나 사도 바울은 디모데와 그의 제자들을 그렇게 가르치지 않았습니다. 고린도전서 11장 1절에 보면 "내가 그리스도를 본받는 자 된 것 같이 너희는 나를 본받는 자 되라"고 했고, 빌립보서 3장 17절에서도 "나를 본받으라"고 말씀하고 있습니다.

먼저 가르치는 자가 모델이 되어야 합니다. 주님은 사도들에게 '그 뒤 먼저 주님의 제자 된 자들에게' 그리고 주님의 제자인 저에게 제자훈련을 위임하신 것입니다. 하나님이 저에게 그런 권한을 위임하신 것은 오직 가서 모든 족속으로 제자 삼기 위해서입니다.

위임의 목적이 순수하고 비전이 분명히 제시되면 순종하게 되어 있습니다. 사람은 어떻게 가르치느냐에 따라 어떤 사람이 되는지 결정됩니다.

이와 같이 2학기는 주님이 명령하시는 대로 복종하는 그리스도의 강한 군사를 키워 냅니다. 성도들은 이 과정을 통해 어떤 영혼도 품을 수 있는 강력한 셀그룹 리더로 다져집니다.

## 하나님이 쓰시는 사람

여성 최초로 노벨 문학상을 받은 스웨덴의 라겔르뢰프가 쓴 『진홍가슴 새』라는 동화가 있습니다.

옛날 하나님께서 세상 만물과 동, 식물을 지으실 때였습니다. 저녁 무렵이 되어서 하나님은 깊은 생각에 잠기신 후 잿빛 털을 가진 조그마한 새 한 마리를 만드셨습니다. 그리고는 이름을 '진홍가슴 새'라고 불러 주셨습니다.

이 새가 하나님께 물었습니다. "저는 온통 잿빛 털을 가지고 있는데 어찌하여 진홍가슴 새라는 이름을 붙여주셨습니까?" 그러자 하나님께서 말씀하셨습니다.

"네가 참사랑을 베풀 수 있게 될 때, 그 이름에 합당한 깃털을 가지게 될 것이다."

그 후 오랜 세월이 흘렀습니다. 어느 날 '진홍가슴 새'의 둥지 근처 언덕에 십자가가 세워졌습니다. 그리고는 어떤 사람이 그 십자가에 매달렸습니다. 멀리서 이 광경을 보던 진홍가슴 새는 그 사람이 얼마나 불쌍하게 보이던지 그 십자가에 달린 사람에게로 날아갔습니다. 가까이 가서 보았더니 그 사람의 이마에 가시관이 씌워져 있는데, 그 가시가 박힌 상처에서 검붉은 피가 솟아나고 있었습니다. 이 새는 그 가엾은 사람의 이마로 날아가서 자신의 자그마한 부리로 그 사람의 이마에서 가시를 하나씩 뽑아내기 시작했습니다. 가시가 뽑힐 때마다 피가 솟아 나와서 이 작은 새는 온통 피투성이가 되고 말았습니다. 이 새는 지칠 때까지 그 가시들을 뽑다가 안타깝게 돌아오고 말았습니다. 왜냐하면 그 사람이 결국 숨을 거두고 말았기 때문입니다.

그런데 자기 몸에 묻은 피가 도무지 깨끗이 지워지지 않았습니다. 결국 목덜미와 가슴에는 핏자국이 남게 되었고, 더욱 이상한 것은 그 새가 낳는 새끼들마다 모두 목덜미와 가슴에 선명한 진홍빛을 가진 털이 생기게 되었습니다.

이 '진홍가슴 새' 이야기는 주의 일꾼으로 부르심을 받은 모든 사람들의 이야기입니다.

그렇다면 하나님은 어떤 사람을 쓰십니까?

먼저 복음을 전하며 그것을 누리는 자입니다. 예수 그리스도께서 우리 인생의 저주를 담당하심으로 말미암아 모든 문제가 이미 해결되었다는 사실을 날마다 전하며 누리는 자를 하나님은 찾으십니다.

두 번째는 성령님과 동행하는 자입니다. 성령님은 매일의 삶 가운데 당신을 의지하는 자와 함께 하시며 그를 사용하십니다. 또한 주님이 하셨던 것처럼 가르치고 전파하고 치유하는 사역을 감당할 수 있는 자를 찾으십니다.

우리는 제자대학을 통하여 주님의 3대 사역을 훈련합니다. 전도 소그룹인 열린모임에서는 가르치고 전파하며 아픈 사람을 위해 기도합니다.

흔히 제자훈련과 전도훈련은 별개라고 생각하는 경우가 있는데 그렇지 않습니다. 주님은 제자들을 부르실 때 '사람 낚는 어부'로 부르셨으며, 12사도들은 다름 아닌 전도하는 주님의 제자들이었습니다. 이들은 예수가 그리스도이심을 전하고 양육했으며 수많은 병자들을 주님이 하셨던 것처럼 치유했습니다.

주님은 지금도 그러한 제자를 찾고 계십니다.

구약시대에 쓰임 받았던 다니엘을 보면 성령과 지혜가 충만한 사람이었으며 아무 흠도, 허물도 없는 충성된 사람이었습니다.

또한, 그는 절대로 신앙을 타협하지 않고, 모함인 줄 알면서도 두려워하지 않고 늘 하던 대로 창문을 열고 기도했습니다. 그로 인해 다니엘은 사자 굴에 던져졌지만 하나님은 그를 살리셨고, 오히려 그 대적들이 사자 밥이 되는 극적인 사건이 다니엘서에 기록되어 있습니다. 그는 하나님만을 전적으로 의지하는 믿음의 사람이었던 것입니다.

진홍가슴 새의 이야기처럼 부르심을 받은 자들에게는 지워지지 않는 흔적이 있으며, 하나님께 쓰임받기 위해서는 양육되고 훈련되어져야 합니다. 다니엘처럼, 그리고 주님의 12제자처럼 훈련될 때 한 시대를 감당하는 귀한 역사의 주역으로 쓰임 받게 됩니다.

2단계 군사훈련은 사생활에 매이지 않는 군사로 다져지는 시간입니다.

## 군사와 같은 제자로의 부르심

군사는 태어나는 것이 아니라 만들어집니다. 양육과 훈련을 통해 세워지는 것입니다. 디모데후서 2장 3~4절은 군사의 삶에 대해 잘 설명하고 있습니다.

그 내용을 정리하자면 '예수의 좋은 군사는 그리스도와 함께 고난을 받으며 자기 생활에 매이지 아니하며, 군사로 모집한 자를 기쁘게 한다'는 것입니다.

교회 안에 많은 사람이 있지만 제자는 드물고, 훈련된 군사는 더욱 귀합니다. 그렇기에 주님은 추수할 것은 많은데, 추수할 일꾼이 부족하다고 한탄하신 것입니다.

주님은 이 시대에 군사와 같은 제자를 필요로 하십니다. 주님이 명령하시면 생명도 아끼지 않고 어디든지 갈 수 있는 군사를 원하시는 것입니다.

군사훈련은 자신의 신분이 군사임을 자각하는 과정입니다. 군사로 부르셨음을 깨닫고 순종하는 시간입니다. 군사의 제일 되는 원칙은 순종입니다. 아니 순종을 넘어선 복종입니다. 오직 명령에 복종하여 달려가는 것입니다.

군사는 자기를 철저히 부인합니다. 부르신 자의 기쁨이 곧 나의 기쁨이요, 부르신 자의 소망이 곧 나의 소망이기 때문입니다. 주님은 그러한 강력한 군사들을 통하여 세계비전을 이루어 가십니다.

2학기 과정은 군사로서 삶의 현장에 복음을 전하는 전도소그룹 열린모임 인도자의 사명을 감당하게 합니다. 열린모임에서 복음을 전하며 훈련한 뒤 셀리더로 세워지는 것이 목표입니다.

실제로 1학기 제자훈련을 거치면서 기본생활과 가치관의 변화를 경험한 제자들은 군사훈련을 통하여 그리스도의 군사로 거듭나는 자신을 발견합니다. 그리하여 전 삶의 목표가 주님을 기쁘시게 하는 것임을 고백하게 됩니다.

제자대학은 특별히 영적인 장교들을 훈련해 내는 코스입니다. 제자대학에서의 양육과 함께 현장에서의 실제적인 사역을 경험하면서 그리스도의 좋은 장교가 탄생하는 것입니다.

실제로 성경 속에도 많은 믿음의 선배들이 훈련을 통하여 주님의 뜻을 이루는 귀한 영적 거장이 되었습니다. 모세는 40년을 광야에서 훈련받았으며, 야곱은 20년, 요셉은 13년의 훈련을 받은 뒤 하나님이 쓰시는 역사의 무대에 등장하였습니다. 신약의 대부분을 기록한 사도 바울 역시 회심 후 11년이라는 세월 동안 훈련받은 뒤 본격적으로 쓰임받을 수 있었습니다.

훈련은 우리를 다듬는 시간입니다. 자신을 죽이고 온전히 말씀에 사로잡히며, 비전에 사로잡히며, 주님께 사로잡히는 시간입니다. 그렇기에 훈련은 시간을 필요로 합니다.

신앙은 장애물 경주와 같습니다. 인생의 여정 곳곳에 숨겨진 장애물을 넘어야 하는 것입니다. 인생의 혹은 믿음의 장애물을 넘어야 할 때 훈련된 자들은 흔들림 없이 극복해 갑니다. 혹 넘어지더라도 다시 오뚝이처럼 일어섭니다. 장애물은 믿음이 성장하는 또 하나의 징검다리가 되는 것입니다.

하지만 언제나 어린아이에 머무는 신앙이라면 장애물은 늘 어렵고 힘든 경주일 것입니다. 그것을 넘지 못해 좌절하고 낙심하는 경우가 많습니다.

성경은 성장하지 못하는 신앙에 대해 질책하고 있습니다. "그날에는 아이 밴 자들과 젖 먹이는 자들에게 화가 있으리라" 마13:7. 성장하지 못한 자들에 대한 경고입니다.

그러므로 양육과 훈련은 선택이 아니라 필수입니다. 성장을 위해 부지런히 힘써야 하는 것입니다. 우리 교회가 교회 건강 지수 107점의 건강한 교회가 된 것은 성도 한 사람 한 사람의 영적 성장에 모든 관심을 쏟고 시간과 에너지를 투자했기 때문입니다. 훈련을 통하여 주님이 부르시면 어디든 달려가는, 자신의 생활에 매이지 않는 군사가 많기 때문입니다.

### 3학기 - 재생산훈련/재생산 사역자 세우기

교회 미래학자이며 연동교회를 담임하고 있는 이성희 목사님은 『미래목회 대예언』이란 책에서 "제자훈련이 한국 교회 성장에 큰 몫을 했으나, 또한 한국 교회성장이 현 수준에서 멈추고 정체 현상을 보이게 된 원인 또한 제자훈련에 있다"고 말하고 있습니다.

훈련의 긍정적인 영향도 많으나 배우는 것 자체에 만족하는 교인들이 많아졌다는 것입니다. 그래서 이제는 배우는 제자가 아니라 곧 '보냄을 받은 자'인 사도와 같은 제자가 되도록 훈련해야 한다고 말하고 있는데, 저도 이에 전적으로 동감합니다.

성경이 가르치는 사도의 자격은 예수님께서 세례 요한에게 세례를 받으실 때부터 예수님과 함께한 자행1:21, 예수님께서 친히 임명한 자막3:14, 이적을 행하는 자마10:1, 주의 부활을 목격한 자행1:21 등이었습니다.

그 후에는 사도의 개념이 확대되어 바울과 바나바를 사도라 하였고행14:4, 야고보와 주의 형제고전15:7 그리고 실루아노살전2:6도 사도라는 칭호를 쓰고 있습니다. 그렇기 때문에 주님이 하셨던 사역을 하도록 보내심을 입은 자들에게 넓은 의미의 사도라는 용어를 사용하는 것을 봅니다.

그런 의미에서 세계비전제자대학 3학기 재생산훈련은 사도와 같은 제자들을 훈련합니다. 제자도와 세계비전을 가지고 주님이 하셨듯이 사역을 훈련받고 지역, 직장, 대학 캠퍼스 등 각 삶의 현장으로 파송받기 때문입니다.

제자훈련의 결론은 재생산입니다. 주님이 제자훈련을 결론을 내리시며 "너희는 가서 모든 족속으로 제자를 삼으라"고 하신 것처럼 제자훈련의 궁극적 목적 역시 '가서 모든 족속으로 제자 삼는 것'입니다.

실제로 세계비전제자대학에서 훈련 받았거나 받고 있는 많은 제자들이 지금 이 순간도 제자 삼는 사역을 하고 있습니다. 하나님이 각자에게 주신 삶의 현장에서 열심히 복음을 전하고 가르치고 제자를 삼아 지금은 6대까지 믿음의 계보가 형성되었습니다.

사도 바울이 디모데후서 2장 2절에 "또 네가 많은 증인 앞에서 내게 들은 바를 충성된 사람들에게 부탁하라 저희가 또 다른 사람들을 가르칠 수 있으리라"고 말한 것처럼, 제가 양육한 제자가 또 다른 충성된 자를 전도해서 양육하고, 그가 또 다른 사람을 양육해 제자로 세운 계보가 5~6대를 형성했습니다.

우리는 이것을 '영적 가문'이라고 합니다. 이 제자 삼는 사역을 주님이 오시는 그날까지 할 것이며, 제자 배가의 비전으로 세계비전을 이룰 것입니다.

모든 평신도들이 주님의 부르심을 받은 영적 군사이지만, 3학기 재생산훈련을 마친 자들은 특별히 특공대로 부르심을 받았다는 자부심을 갖게 됩니다. 군인이라고 다 같은 군인이 아닙니다. 방위병도 있고, 육군도 있고, 해병대도 있습니다. 그 중에서 우리는 하나님의 특공대로 부르심을 받았습니다. 그렇기 때문에 세계 60억의 사람들 중에서 나 같은 사람이 하나님의 부르심을 받았다는 감격이 더욱 진합니다.

바로 지금 마지막 시대, 마지막 주자인 우리들에 의해 신사도행전이 쓰여지고 있다고 확신합니다.

세계비전제자대학의 마지막 학기인 3학기 재생산훈련에서는 초대 교회 사도와 같은 사역을 감당할 수 있는 재생산 사역자가 배출됩니다.

## 재생산하는 삶

주님은 부활하시고 승천하시기 전 제자들에게 마지막 유언을 하셨습니다. 그것은 다름 아닌 '가서 모든 족속으로 제자 삼는' 제자비전, 곧 세계비전을 위임하신 것입니다. 11명의 제자들은 주님의 마지막 부탁을 생명을 다해 순종하였으며, 그들의 순종으로 인해 우리에게까지 복음이 전해지게 되었습니다.

그런데 복음을 받고 변화된 우리에게도 주님은 2천 년 전 제자들에게 하셨던 것과 동일한 부탁을 하고 계십니다. 우리도 가야 한다고 말씀하고 계십니다. 가서 모든 족속으로 제자 삼아야 한다고 명령하고 계십니다.

예수를 믿는 것은 첫째, 자녀의 신분과 권세를 회복하는 것이며, 둘째, 그 신분에 맞는 삶을 사는 것입니다. 그것은 곧 주님이 기뻐하시는 삶, 또 다른 자들을 복음으로 살리고 세우는 삶입니다.

제자대학 3학기 재생산훈련은 그러한 재생산 사역자로 훈련하는 과정입니다. 사과나무의 진정한 열매가 사과가 아니라 또 한 그루의 사과나무이듯, 셀그룹의 진정한 열매는 또 다른 셀그룹입니다. 셀리더가 되고 자신과 같은 또 다른 셀리더를 세우는 것이 제자대학 3학기 재생산훈련의 복표입니다. 그리고 이것은 다름 아닌 제자훈련의 결론이기도 합니다.

우리는 지역, 민족, 열방 땅끝에 이르기까지 셀리더를 파송하여 그들로 제자를 삼아 또 다른 셀리더들을 세우는 비전으로 달려가고 있습니다.

한국교회는 열심 있는 성도는 많지만 비전에 사로잡히고 훈련된 사역자는 드뭅니다. 재생산하는 사역자는 더더욱 귀합니다. 그러므로 재생산훈련은 마지막 시대 마지막 주자로 신사도행전의 삶을 살아가는 충성된 사역자를 세우는 데 목표가 있습니다.

재생산훈련은 오직 하늘에 소망을 두고 각 삶의 터전에서 제자 삼는 사역을 펼치는 재생산 사역자가 되도록 도전을 주며, 재생산에 대한 구체적인 사역 전략을 훈련합니다.

하나님은 비전에 사로잡힌 소수의 사람을 통해 세상을 변화시키셨습니다. 노아, 아브라함, 요셉, 여호수아, 다윗, 다니엘, 예수님의 11제자, 바울 등은 모두 역사에 길이 남는 하나님의 사람들이었습니다. 이들은 모두 비전에 사로잡힌 자들이었으며, 그 비전을 이루기 위해 초지일관 달려간 자들이었습니다. 그들은 세상을 변화시켰으며 시대를 변화시켰습니다.

하나님은 우리에게도 그러한 기회를 주고 계십니다. 양육과 훈련을 통하여 하나님 나라의 가치와 재생산의 비전을 발견하고 재생산의 삶을 사는 자들을 찾고 계십니다.

디모데후서 2장 2~6절에는 우리를 향한 하나님의 부르심이 무엇인지 명확하게 말씀하고 있습니다.

첫째, 하나님은 우리를 군사로 부르셨습니다. 군사로 부르심을 받은 자들은 사생활에 매이지 않고 부르신 자를 기쁘게 합니다. 생사를 초월하여 상관이 명령하면 어디든 갑니다. 이것이 군사가 사는 방법입니다.

둘째, 예수 그리스도의 선수로 부르셨습니다. 선수는 경기장의 규칙대로 경기해야 합니다. 언젠가 올림픽 단거리 달리기 부분에서 1등으로 금메달을 거머쥐었던 벤 존슨은 우승이 취소된 적이 있었습니다. 이유는 경기 전 약물을 복용한 사실이 밝혀졌기 때문입니다. 선수로 부르심 받은 우리들도 규칙대로 경기해야 합니다. 그것은 바로 말씀에 따라 사는 삶을 이야기합니다. 말씀과 성령의 인도하심을 잘 받아야 합니다.

셋째, 밭의 농부로 부르셨습니다. 농부는 가을에 수확할 것을 기대하며 인내하여 심고 수고합니다. 우리 역시 열매를 기대하며 수고하고 인내해야 합니다.

건강한 교회는 하나님의 부르심에 순종하는 군사, 선수, 농부의 삶을 사는 평신도 사역자들에 의해 만들어져 갑니다. 그럴 때 주님이 명령하신 재생산의 열매를 거두게 될 것입니다.


## 세상 끝날까지 나무를 심는 마음으로

세계비전제자대학의 학기가 시작할 때 마다 보여 주는 영화가 있습니다.

「나무를 심은 사람」이라는 프랑스 애니메이션입니다. 원래는 자연보호용으로 만들어진 영화인데, 이 영화를 보는 우리의 감동은 남다릅니다.

엘제아르 브피에라는 한 노인이 전혀 풀이 자라지 않는 황무지에 남다른 꿈을 가지고 나무를 심기 시작합니다. 매일매일 정성스럽게 고른 씨앗을 심고, 물을 주며 돌보는 것입니다. 누가 시킨 것도 아니고, 자기 땅도 물론 아닙니다.

그럼에도 이 노인은 수십 년을 꾸준히 나무를 가꾸고 마침내 그 땅은 변화하기 시작합니다. 황량한 황무지로 인해 떠났던 사람들이 숲을 이룬 그 땅으로 돌아오기 시작하고, 을씨년스러운 바람만 맴돌던 그 땅에 웃음이 피어나기 시작합니다. 한 노인의 비전과 집념이 전혀 새로운 땅과 마을에 건강과 축복을 만들어 낸 것입니다. 하지만 아무도 그 노인이 그렇게 했다는 것은 알지 못합니다. 노인은 생애 마지막까지 나무를 심는 일을 하다가 하나님의 부르심을 받습니다.

저는 이 영화를 볼 때마다 감동이 새롭습니다. 비전에 사로잡힌 한 사람이 묵묵히 자신에게 주어진 순종의 삶을 살아감으로 인해 결국은 새로운 공동체 세상을 일구어 내는 모습이 감동적입니다.

제가 감동을 받은 것은 그 결과 때문만은 아닙니다. 제가 하고 있는 이 일이 곧 나무를 심는 것과 같기 때문에 그 영화에 대한 감동이 큰 것입니다.

씨앗을 심고 물을 주고 돌보면서 제 마음만큼 자라 주지 않을 때는 차라리 울고 싶어집니다. 때로는 너무도 힘들어서 포기하고 싶기도 했습니다. "하나님, 저도 남들처럼 편하게 살고 싶습니다." 이런 기도가 나오기도 합니다.

주님의 제자를 양육한다는 것이 해산의 수고가 없이는 해낼 수 없는 일이기 때문입니다. 베드로처럼 장담했다가 바로 돌아서는 일을 얼마나 많이 당하게 되는지 모릅니다. 그때마다 주님을 생각하며 얼마나 울었는지 모릅니다.

하지만 하나님은 심은 것을 결코 헛되게 하지 않으시는 분입니다. 황무지에 심었던 씨앗들이 이제는 제법 숲을 이루기 시작했습니다. 세계비전제자대학 1기로부터 시작되어 많은 제자들이 생명을 다해 하나님 나라 확장을 위하여 교회를 섬기고 있습니다.

그리고 이제는 그들이 저의 동역자가 되어 나무를 심어 가고 있습니다. '2천2만 세계비전'을 이루기 위해 밥을 먹고, 돈을 벌고, 공부를 하고, 결혼하며 젖먹이 아기에게까지 "너의 비전은 2천 2만 세계비전이다"라고 가르치는 모세의 어머니 요게벳 같은 제자들이 생겼습니다. 그들은 이제 동역자가 되어 그들의 땅 끝인 삶의 현장에서 열심히 나무를 심고 있습니다.

5장 전인적인 소그룹

슈바르츠는 성장하는 교회들은 성도 개개인이 서로 친밀한 교제를 나눌 수 있고, 그들의 삶의 현장에서 일어나는 현실적인 부분에까지 도움을 받으며, 또한 강한 영적 교제를 나눌 수 있는 소그룹 체제를 발전시켜 왔음을 지적하였습니다. 소그룹이란 단순히 모여서 성경공부만 하는 모임이 아니라, 다양한 은사를 가진 사람들이 가깝게 교제하며 삶을 나누는 모임입니다. 은사가 다르기 때문에 서로 도움을 주고 받으며 소속감을 강화시킵니다. 교인의 숫자가 아무리 많은 교회라 할지라도 성도들 각자가 소그룹에 소속되어 자신의 은사를 발휘하고 여러 사람들과의 관계를 형성하고 있으면 교회에 강한 애착을 갖게 된다는 것입니다.

그러므로 건강하게 성장하는 교회는 의도적으로 소그룹의 번식을 시도하고 있습니다. 하나의 소그룹을 나누어서 또 다른 소그룹을 형성하도록 함으로써 끊임없이 번식되도록 합니다.

전인적인 소그룹을 이야기할 때 가장 중요하게 다루어야 할 것은 패러다임의 변화입니다. 특별히 자연적 교회 성장에서는 전인적인 소그룹으로 셀그룹을 이야기합니다. 온전한 셀그룹을 세우기 위해서는 먼저 교회에 대한 기존의 전통적인 생각을 바꾸는 것이 중요합니다.

우리는 건물 중심의 교회에 익숙합니다. 그래서 예배는 예배당이란 공간에서 엄숙하게 드려져야 한다고 생각합니다. 우리가 생각하는 예배관은 오늘날 어느 나라를 막론하고 방관적이며 수동적인 그리스도인들을 대량 생산해 냈습니다

교회가 성장하면서 나타나는 가장 큰 문제는 성도들 사이의 친밀한 관계를 어떻게 형성시킬 것인가 하는 것입니다. 즉, 공동체를 형성하는 것입니다.

어떻게 한 사람도 소외시키지 않으면서 건강한 관계를 만들어갈 것

인가? 이를 이루기 위해 대부분의 교회가 구역, 순, 목장과 같은 소그룹을 가지고 있습니다.

초대교회에서도 이러한 소그룹이 자연스럽게 만들어져 교회를 이루었습니다. 먼저 가정에서 작은 인원이 모여 교회를 형성하기 시작하였는데, 당시 소그룹의 기능은 요즘 대부분의 교회가 가지고 있는 소그룹과는 그 기능이나 역할에서 차이가 있었습니다.

초대교회 당시의 소그룹은 작은 교회의 역할을 했습니다. 소그룹 안에서 전도와 정착, 양육, 번식이 진행되었으며 또 다른 소그룹을 번식시켰습니다. 주중에는 소그룹으로 모여 전도하고, 교제하며, 양육하던 구성원들이 다시 주일이 되면 대그룹인 교회당에 모여 축제의 예배를 드렸던 것입니다.

즉, 초대교회의 소그룹은 지금처럼 교회 안에서 하나의 프로그램처럼 소속되어 있는 것이 아니라, 대그룹인 교회(건물 중심)와 같은 비중으로 또 다른 구조를 형성하는 하나의 교회였던 것입니다.

빌 벡햄은 『제2의 종교개혁』에서 이것을 '두날개'로 표현하고 있습니다. 한 쪽 날개는 지금 우리가 모여 예배드리는 대그룹 교회, 또 다른 날개는 작은 교회인 소그룹을 말합니다. 이 소그룹을 셀그룹이라 부릅니다.


## 셀그룹의 탄생

우리 교회는 처음부터 구역이나 순 같은 소그룹을 만들지는 않았습니다. 교회를 시작하면서 20여명의 성도들을 오픈 셀Open cell인 '열린모임'으로 편성한 것이 소그룹의 시초였습니다.

열린모임은 전도 소그룹으로서 주중에 가정이나 대학, 직장에서 모임을 가집니다. 그리고 말 그대로 누구에게나 열려 있어 예수를 믿지 않는 사람, 갓 예수를 믿은 어린아이와 같은 사람, 장성한 청년과 같이 신앙이 성숙한 사람에 이르기까지 다양한 수준의 사람들이 참석하여 복음을 듣습니다.

그곳에서는 전도뿐만 아니라 말씀을 통한 양육과 교제가 이루어지고, 또 다른 열린모임으로 번식되기도 합니다. 우리 교회의 성도 대부분은 열린모임을 통해 교회에 오게 되었고, 열린모임이 지속적으로 번식하면서 교회도 성장하였음을 주목해 볼 필요가 있습니다.

이와 같이 우리 교회는 96년까지 교회의 조직을 열린모임 위주로 편성하다가, 97년 들어서면서 구역을 조직하였습니다. 성도 수가 늘어나면서 소외되는 사람이 없도록 하기 위해서였습니다.

처음에는 우리 교회도 이 구역의 성격을 여느 교회처럼 돌봄과 예배에 두었습니다. 물론 예수를 믿지 않는 사람을 구역에 초청할 수도 있었으나, 전도의 역할은 열린모임에서 담당하였고 구역에서는 기존 성도들을 예배와 말씀으로 양육하고 돌보도록 했습니다.

하지만 시간이 지나면서 좀 더 건강한 소그룹이 필요하다는 것을 느꼈습니다. 그것은 제자 삼는 사역을 팀 사역으로 감당해야 하는 필요를 느끼면서부터였습니다. 한 사람의 힘은 약하나 팀은 강력합니다. 사도 바울도 역시 팀으로 사역했습니다.

빌 벡헴과 랄프 네이버의 셀이론을 만난 것도 이때입니다. 강력한 소그룹, 재생산으로 번식하는 소그룹을 구상하던 저에게 랄프 네이버와 빌 벡헴의 셀교회론은 많은 아이디어를 제공해 주었습니다.

셀교회의 이론은 소그룹 안에서 전도, 정착, 양육, 훈련, 번식이 일어나야 한다는 것입니다. 그래서 저는 그 이론에 따라 그동안 각각 열리던 열린모임과 순모임을 하나로 묶어 강력한 셀그룹을 만들게 되었습니다. 그리고 3개월 정도 지난 후, 셀그룹을 재조정하는 시간을 가졌습니다.

빌 백햄에 의하면 우리 교회는 재조정과 강화가 필요한 단계에 있었습니다. 번식의 가능성이 희박한 셀그룹은 잘 되고 있는 셀그룹과 합쳐 강화시키는 것입니다. 중요한 것은 모임의 숫자가 아니라 얼마나 번식력이 있느냐는 것이기 때문입니다.

실제로 셀그룹을 강화시킨 후에 강력해진 셀그룹은 성장하여 번식하였으며, 지금은 분가한 자녀 셀그룹들이 또 다시 성장하고 재생산하여 D12 비전을 이루어 가고 있습니다.

제가 결론 내린 셀그룹의 의미는 '예수 그리스도의 임재와 능력과 목적을 체험하며 전도, 정착, 양육, 훈련, 번식이 지속적으로 일어나 2천2만 세계비전을 이루는 예수 생명의 가족모임'입니다.

셀그룹을 한 마디로 표현하다면 '예수 생명의 가족모임'이라고 말할 수 있습니다. 육신의 가족이 혈육으로 맺어졌다면, 하나님의 가족은 예수 그리스도의 피로 맺어진 사람들입니다. 성령의 능력으로 거듭나서 새로운 가족에 속하게 된 사람들입니다.

- 가족은 서로 사랑합니다.
- 가족은 함께 모입니다.
- 가족은 시간을 함께 보냅니다.
- 가족은 서로를 책임집니다.
- 가족은 기쁨, 슬픔, 고통, 아픔 등 모든 것을 함께 나눕니다.
- 모이지 않고 간섭을 받으려 하지 않는 사람은 암세포입니다.

셀그룹은 가족처럼 돌보는 것에 머물지 않고, 가족이 되는 것입니다. 셀그룹의 가족들은 육신의 가족보다 더 친밀합니다. 예수 그리스도의 보혈로 하나가 되었기 때문입니다.

실제로 육신의 가족 간에는 세대 차이가 존재하고 풀리지 않는 갈등도 있습니다. 더군다나 요즘은 너무도 급변하는 문화 탓에 부모와 자식 간에도 공통분모를 찾기 힘든 시대입니다.

하지만 셀그룹에서는 대화 단절이나 세대 차이란 말이 존재할 수 없습니다. 그곳에서는 하나님의 말씀으로 모두가 하나 되며, 성령의 역사로 서로의 삶을 깊이 있게 나누기 때문입니다.

또한, 셀그룹에서는 서로가 서로를 책임집니다. 성장한 사람은 믿음이 연약한 자를 돕고 셀가족에게 현실적인 어려움이 생기면 모든 셀가족이 함께 돕습니다. 기존의 소그룹 모임처럼 말로만 기도하겠다고 하면서도 현실적인 도움은 나 몰라라 하는 것이 아닙니다. 닥친 문제에 대해 기도는 물론 가족 모두가 실제적으로 도울 수 있는 일을 찾아 어려움을 함께 해결해 나갑니다. 왜냐하면 우리는 가족이기 때문입니다. 가족은 서로를 책임지기 때문입니다.

그러므로 셀그룹은 영적으로 다양한 연령층이 함께 있습니다. 갓 태어난 젖먹이에서부터 어린아이, 청년, 분가를 앞둔 결혼 적령기의 청년, 또한 이들의 부모에 이르기까지 다양한 계층들이 셀그룹을 구성하고 있습니다. 셀그룹의 리더는 당연히 부모 세대가 주로 맡습니다.

우리 교회가 셀교회로 전환한 뒤 눈에 띄게 달라진 점은 교회의 '가족'이라는 관계입니다. 셀그룹으로 편성하면서 이것이 가족이라는 점을 지속적으로 강조했는데, 실제로 셀 모임이 진정한 예수 생명의 가족모임이 되어 갔습니다.

셀그룹의 리더뿐 아니라 많은 성도들이 셀그룹의 가족들이 정말 한

가족처럼 느껴진다는 이야기를 자주 합니다. 여기에는 과거 순모임에서는 경험하지 못했던 실제적인 사랑과 서로에 대한 책임이 존재하기 때문입니다. 육신의 부모 못지않은 희생이 있어야 셀그룹은 서로 가족이 되는 것입니다.

감사하게도 우리 교회 셀리더들은 그러한 수고와 희생을 감사함으로 기꺼이 감당하고 있습니다. '2천2만 세계비전으로 하나님의 뜻을 이루는' 이 분명한 비전이 셀그룹 가족들의 희생과 수고를 통해 우리가 가야 할 목적지에 잘 도달할 수 있는 역할을 다하고 있습니다.


## 왜 셀그룹이어야 하는가

그럼 과연 왜 셀그룹이어야 하는가? "그리스도가 셀그룹을 통해 그분의 임재와 능력과 목적을 나타내고 싶어 하시기 때문"이라고 랄프 네이버는『셀교회 지침서』에서 설명하고 있습니다.

사실입니다. 셀그룹을 통해 우리는 그리스도의 임재와 능력과 목적을 체험합니다. 그리스도의 임재는 찬양과 나눔, 말씀, 기도 등을 통해서 다양하게 체험됩니다. 주님의 임재를 통해 우리는 마음을 열고 삶의 깊은 부분까지 나누게 되며, 그러한 나눔을 통해 상처가 치유되고 회복되며 성장합니다.

그리스도의 능력은 기도 응답을 통해, 치유를 통해, 말씀의 능력을 통해 체험됩니다. 하나님 나라는 말에 있지 않고 능력에 있다고 하였습니다고전 4:20. 성령의 강한 기름 부으심을 통해 육신의 병과 심령을 묶고 있던 악한 것들이 떠나가는가 하면, 뜨거운 중보기도를 통해 날마다 기도 응답의 축복을 누립니다. 하나님의 임재를 늘 경험하는 생생한 체험의 현장인 것입니다.

예수 그리스도가 원하시는 것은 그리스도의 임재와 능력을 체험한 우리들이 증인으로서의 삶을 사는 것입니다. 믿지 않는 사람들을 열린 모임에 초청하고, 그들에게 그리스도를 소개하여 영접하도록 돕고 셀 그룹을 통해 지속적으로 하나님 나라를 확장해 나가는 것, 그것이 그리스도의 목적입니다.

우리는 셀그룹을 통해 2천2만 세계비전을 이루는 그리스도의 목적을 성취해 가고 있습니다.

셀그룹에서 가장 중요한 것은 바로 이러한 그리스도의 임재입니다. 셀리더가 나타나는 것이 아닙니다. 그리스도가 나타나야 하며, 그분의 나타나심으로 인해 셀그룹은 자연적으로 성장하고 번식합니다.

예수 그리스도의 임재와 성령의 강한 기름 부으심의 비밀은 오직 기도에 있습니다. 오순절 마가의 다락방에 불같은 성령의 역사가 있기 전, 120여 명의 헌신자들이 뜨겁게 기도했던 것을 기억해야 합니다. 기도로 준비하지 않고는 그리스도의 임재, 능력, 목적을 체험할 수 없습니다. 전 세계의 성공적인 셀리더들은 공통적으로 모두 기도하는 사람이었습니다.

우리 교회의 자랑도 셀리더들이 생명을 다해 기도하고 있다는 것입니다. 특별히 새벽기도와 금식기도에 승부를 걸다시피 하고 있습니다. 따라서 우리 교회 셀리더라면 누구나가 기도 서약을 해야 합니다.

풍성한교회의 셀리더는 '성경공부를 가르치는 선생'이 아니라 '목자' 혹은 '부모'에 가깝다고 볼 수 있습니다. 단지 일주일에 한 번 만나서 성경을 공부하고 교제하는 사역이 아니라, 24시간 전임으로 양들의 동정을 살피고 책임지는 모습이 양을 지키는 목자나 자식을 돌보는 부모와 같습니다.

가정에도 부모, 오빠, 누나, 형, 언니, 동생들이 있듯이 셀그룹 안에도 영적인 가족으로서의 작은 단위가 있으며, 이들이 교회 공동체의 구성원이 되는 것입니다.

셀리더는 이런 영적 가정의 가장들인 셈입니다. 따라서 셀리더는 목자 또는 부모로서 양들을 자식처럼 사랑하고 돌보고 위로하고, 때로는 도전을 주기도 하고 꾸짖고 싸매 주기도 하는 사역을 합니다. 이 과정에서 성령의 자연스런 역사가 함께 일어나는 것입니다.

이렇게 해서 자라난 모든 셀그룹의 가족들은 다 주님의 사역자요, 제사장들로 각자 받은 은사대로 사역에 임합니다. 셀리더는 모든 그리스도인들을 실제적인 사역의 현장으로 인도할 책임이 있습니다.

또한 셀리더는 '우리 밖에 있는 양들' 즉, 불신자들을 전도하여 셀그룹이 선교 현장의 역할을 잘 감당할 수 있게 하는 사명도 있습니다. 한명, 두 명…. 구원받은 가족들이 계속 늘어나 12명 전후에 이르면 셀그룹은 또 다른 셀그룹을 개척하게 됩니다. 가족의 분가인 셈입니다.

셀그룹의 가족이 되면 자동적으로 풍성한교회의 가족이 됩니다. 교회 가족의 일원이 되었다는 말입니다.

풍성한교회는 누구든지 셀그룹의 가족이 되어야만 교회의 모든 사역에 참여할 수 있습니다. 교회의 가족이 되기 위해서는 먼저 셀그룹에 참여하도록 되어 있는데, 풍성한교회의 가족이 되기 위해서는 다음의 몇 가지 조건들이 갖추어 져야 합니다.

- 예수 그리스도를 구세주와 주님으로 영접한다.
- 새가족반 4주 과정을 수료한다.

따라서 셀그룹 모임에 참석한다 할지라도 아직 예수님을 영접하지

154

않은 사람과 새가족반을 수료하지 않은 사람은 정식 가족이 될 수 없습니다. 가족이 아니란 말은 곧 손님이란 뜻입니다. 그런 사람들은 단지 우리 가정을 방문한 분입니다. 물론 그들을 예수님의 이름으로 친절하게 대해야 하지만 가족은 아닙니다. 가족이 아닌 사람에게는 의무가 따르지 않습니다. 그러나 일단 셀그룹의 가족이 되면 풍성한교회 가족의 일원이므로 아래와 같은 임무들을 당연히 실천해야 됩니다.

- 셀가족 모임에 정기적으로 출석한다.
- 풍성한교회 예배 및 주요 모임에 출석한다.
- 주님의 청지기로서 풍성한교회에 십일조 이상의 헌금을 한다.
- 셀가족으로서 모든 훈련과 사역에 적극 참여한다.
- 셀리더에게 순종하며 다른 가족들을 자기의 가족처럼 사랑한다.
- 예수 그리스도의 사역자로서 제자를 삼는 일이 나의 주 전공이요, 본업임을 늘 상기하며 양을 치는 일에 헌신한다.
- 풍성한교회의 2천2만 세계비전의 모든 사역에 적극적으로 동참한다.

가족의 일원은 주인 의식을 가지고 그 가정을 위하여 기꺼이 희생하며 책임질 의무가 저절로 따르게 됩니다. 그러므로 셀그룹과 교회를 위해 모든 것을 드려야 하며 당연히 하나님 나라와 의를 위해 살아야 합니다.

셀그룹이 참가족으로 뭉치고 서로 하나가 되려면 진지하고도 솔직하게 마음에 있는 것들을 나눌 수 있어야 합니다.

또한 그룹 안에서 나눈 모든 솔직한 이야기들은 그룹 밖의 사람들에게 비밀로 해야 합니다. 이러한 것들이 지켜지지 않는다면 모임을 가져도 수박 겉핥기식의 나눔 밖에 될 수 없습니다. 그러나 목사나 다른 지도자들이 알고 도와야 할 필요가 있을 때에는 셀리더가 그들과 나눌 수 있습니다.

이렇게 다른 사람들의 도움을 필요로 할 때에는 모든 가족들이 그 문제들을 자신의 문제로 여기고 같이 해결할 수 있도록 도와야 합니다.

셀그룹이 사역하는 것을 구체적으로 정리해 보면 다음과 같습니다.

첫째, 셀그룹에서는 다양한 전도 활동이 이뤄집니다. 그것은 열린 모임을 통한 전도입니다. 이는 현장 중심의 관계 전도로서 셀리더와 인턴이 열린모임을 인도하며, 인턴들은 의무적으로 열린모임을 열도록 하고 있습니다.

그 다음은 지역 전도입니다. 백지 전도법으로 지역에서 전도하여 열린모임을 소개하고 연결시킵니다. 이때 지역주민을 섬기는 매개체로 차 전도를 병행하기도 합니다. 또한 전도 이벤트가 있습니다. 피부 관리, 메이크업, 색종이 접기, 식사 등을 통해 이웃이나 친구 등 전도 대상자를 초청합니다.

그리고 특수한 지역이나 연령을 정해 기도하고 연구한 뒤 전도 전략 등을 세우게 됩니다.

둘째, 정착을 위한 사역이 이뤄집니다. 정착 사역은 새가족 섬김이 사역을 통해 하고 있습니다. 새가족을 정착시키기 위한 사역으로, 새가족을 돕는 도우미를 '새가족 섬김이'라고 합니다. 새가족 섬김이 사역은 3주 동안 이루어지며, 4주째는 새가족반에서 담임목사를 만나도록 합니다. 이때 담임목사는 목회철학과 비전을 소개합니다.

셋째, 다음은 양육과정입니다. 새가족반을 마치면 12주 과정의 양육 과정 소그룹에 참여합니다. 양육반 개강 수양회인 전인적치유수양회와 양육반은 4개월마다 개강하고 있습니다.

넷째, 다양한 훈련이 세계비전제자대학에서 이루어집니다. 세계비전제자대학은 1년 과정으로 총 3학기로 4개월마다 개강합니다.

다섯째, 번식 즉, 재생산이 일어납니다. 전도된 영혼이 새가족 섬김이 사역을 통해 정착하고, 양육과 훈련을 통해 성장하면 팀을 이루어 번식합니다.

여섯째, 교제와 돌봄이 일어납니다. 셀리더의 가장 중요한 사역은 교제와 돌봄입니다. 영적인 부모인 셀리더는 지체들 간에 교제가 풍성하도록 하며, 돌봄을 통해 어린 그리스도인이 잘 성장할 수 있도록 합니다.

셀그룹의 사역과 더불어 '셀생활의 6가지 요소'가 있습니다. 공동체, 양육, 상호책임, 리더십, 전도, 중심되신 그리스도입니다. 이런 다양함을 다음의 손 그림으로 나타내 보았습니다. 우리는 이것을 '셀생활의 6가지 요소'라고 합니다.

그림 3 **셀생활의 6가지 요소**

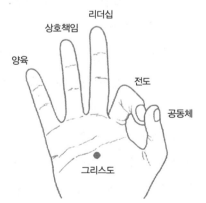

먼저 공동체입니다. 우리는 가족이라고도 표현하는데, 다름 아닌 그리스도 안에 함께 거하는 것입니다. 가족인가 아닌가는 서로 상호 의존하고 책임 여부를 통해 확인할 수 있습니다.

셀에서 가장 중요한 것은 공동체 즉, 가족입니다. 셀의 모든 사역은 공동체로 이뤄지기 때문입니다. 그래서 공동체를 엄지손가락으로 표현했는데, 엄지는 모든 손가락과 만나기 때문입니다.

두 번째는 양육입니다. 새끼손가락에 해당되는 것이 새가족 양육입니다. 셀에서 가장 어린 자는 새가족입니다. 새가족은 셀이라는 가족환경과 새가족 섬김이를 통해 양육과 돌봄을 받습니다.

세 번째는 상호책임입니다. 보통 약지는 결혼반지를 끼는 곳입니다. 이처럼 반지를 나누어 약지에 끼는 것은 서로에 대한 책임을 상기시키는 의미로 서로가 서로를 책임지는 상호책임을 뜻합니다. 셀 안에서도 성령님의 임재로 서로 돕고 격려하며 일하도록 도와주어야 하는 것입니다.

네 번째는 리더십입니다. 가장 긴 중지로 셀에서 가장 성숙된 자즉, 셀리더를 이야기합니다. 셀에서의 리더십은 가르치거나 통제하는 리더십이 아니라 섬김의 리더십입니다. 그렇기에 최고의 리더십은 바로 아비의 마음을 가진 리더십입니다.

다섯 번째, 전도입니다. 검지는 방향을 가리킬 때 사용됩니다. 전도는 셀이 나아가야 할 방향을 제시하는 것으로 잃어버린 영혼을 찾아가는 것이 셀의 목표임을 명확히 하고 있습니다.

마지막으로 그 중심의 DNA는 예수 그리스도입니다. 건강한 셀그룹은 반드시 번식합니다. 예수 그리스도가 하셨던 것처럼 셀리더의 죽음을 통해 예수 생명의 가족이 되면 번식이 일어납니다. 그러므로 셀리더는 정과 욕심을 십자가에 못 박아야 합니다.

우리의 가정도 어머니의 희생으로 가족들이 건강하고 행복하지 않습니까? 셀도 마찬가집니다. 셀리더의 헌신과 희생, 죽음으로 셀은 부활하는 것입니다. 그리고 그 중심에는 DNA 되신 예수 그리스도가 계십니다. 우리는 오직 십자가로 인해 죽음과 부활에 이를 수 있기 때문입니다.

셀그룹의 진정한 열매는 새가족이 아니라 또 하나의 셀을 만들어내는 것입니다. 사과나무의 진정한 열매가 또 하나의 사과나무란 표현을 잘 아시죠? 우리는 이것을 이루기 위해 아래와 같은 두날개양육시스템을 통해 인턴, 셀리더를 세워 가고 있습니다.

아래 〈그림 4〉를 보면 알 수 있듯이 양육반 수료 후 셀그룹의 인턴은 세계비전 제자대학 1학기 제자훈련 과정을 통해 세워집니다.

여기서 인턴이 되었다고 해서 곧바로 셀리더가 되는 것은 아닙니다. 인턴은 분가를 위해 의무적으로 열린모임을 열어야 합니다. 열린모임을 통해 전도하여 새신자들을 자신의 가족으로 만들어 가는 것입니다. 그렇게 해서 가족 5명을 확보하게 되면 분가하여 자신의 셀그룹을

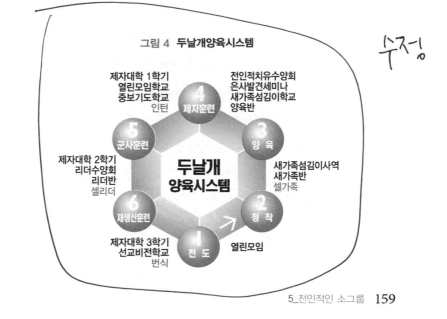

그림 4  두날개양육시스템

가지게 됩니다.

이와 같이 번식의 조건은 인턴이 5명을 전도해서 교회에 정착시키는 것입니다. 이렇게 하여 곧 하나의 셀이 탄생하게 됩니다. 셀은 유기체적인 생명체로서 지속적으로 성장합니다.

크리스티안 슈바르츠는 소그룹의 성장을 다음과 같이 5단계로 나누었습니다.

1단계는 형성기입니다. 허니문 단계라고도 합니다. 사람들은 새로운 소그룹을 형성하는 것과 그것이 지니고 있는 잠재력으로 인해 흥분하게 됩니다.

2단계는 폭풍기입니다. 이러한 갈등이나 위기 단계에서는 사과를 실은 수레를 뒤집어 놓는 듯한 사건이 발생하는데, 평범한 소그룹으로는 그것을 감당할 수 없습니다.

그것은 구성원들이 더욱 가까워지거나 또는 어떤 구성원의 외적인 위기 때문에 소그룹 내에서 갈등의 형태로 나타납니다. 파생된 갈등 내지 위기는 소그룹에게 서로 협의하고 보다 밀접한 공동체를 형성할 수 있는 기회를 제공해 줍니다.

3단계는 정체기입니다. 이 단계는 중요한 접합점입니다. 이 단계를 거치기 전에 번식하는 그룹은 다음 단계에서 어려움을 당할 것입니다. 그러나 이 단계는 신속히 안정을 되찾습니다.

4단계는 개혁기입니다. 이 단계에서 구성원들은 그들의 각기 다른 은사를 가지고 밖으로 나가 다른 사람을 데려오도록 격려 받습니다.

5단계는 해체기입니다. 폐쇄나 번식으로 인해 그룹이 해체되거나 새로운 소그룹을 형성하게 됩니다. 적절한 시기의 해체는 필수적입니다.

한편, 우리는 우리의 상황에 맞추어 소그룹의 성장을 다음과 같이 4단계로 구분하였습니다.

1단계는 유아기입니다. 즉, 갓 번식한 단계입니다. 이때는 전도에 초점이 맞추어지며, 전도된 새가족 정착에 총력을 기울여야 합니다.

2단계는 어린이 단계입니다. 새가족이 정착한 후 양육을 받게 되는 단계입니다. 3단계는 청년기로서 훈련으로 섬기는 단계입니다. 세계비전제자대학을 통해 인턴으로 훈련받으며 분가를 준비합니다. 이때 분가팀을 구성합니다.

4단계는 번식기입니다. 팀이 구성되어 분가해 나갑니다.

새가족 섬김이 사역, 양육반, 세계비전 제자대학을 통해 인턴과 셀그룹의 리더로 세워졌을지라도 이들은 지속적인 사역의 점검과 양육이 필요합니다.

이를 위해 매주 인턴과 셀리더들을 모아 양육하고 있습니다. 이를 리더반이라 하는데 이 시간에는 셀그룹의 전반적인 사역에 대한 전략이 소개되며 메시지를 통해 재도전 받습니다.

한편, 리더반과는 별도로 공동체셀리더모임에서 셀그룹 리더만을 양육하는 시간을 가집니다. 여기서는 셀그룹의 상황을 점검하고 대안을 제시하며, 말씀을 통해 셀리더들이 함께 삶을 나누고 교제하는 시간을 가집니다.


## 셀가족 모임과 셀라이프

영화 「집으로」는 사백만 이상의 관객을 동원하며 방화 사상 공전의 히트작이 되었습니다. 주된 이유는 아마도 우리가 결코 외면할 수 없는 영혼의 근원인 집을 다루고 있기 때문일 것입니다.

집은 우리의 모든 것을 품어 주는 어머니의 품처럼, 할머니의 마음으로 현대인의 잃어버린 고향을 회복시키는 꿈의 마당입니다.

신약성경은 교회를 하나님의 집으로 그리고 있습니다. 우리는 하나님의 권속 곧 가족입니다.

오늘의 교회가 잃어버린 영혼을 구원하는 책임에 여전히 성실하고 교회를 집으로 회복할 수 있는 유일한 대안은 셀 목회뿐입니다. 주일예배만을 유일한 교회의 마당으로 고집하는 한, 현대인의 영혼은 결코 집으로 돌아가지 못할 것입니다.

투명하게 열린 대화, 서로의 영혼을 진하게 책임지는 돌봄이 있기 위해서는 단순한 예배모임이나 소그룹 모임 이상이 교회 안에 있어야 할 필요가 요청되고 있습니다. 무엇보다 여기에 셀교회로의 긴박한 시대적 요청이 있습니다.

가족이 시간을 함께 보내듯이 셀가족 역시 마찬가지입니다. 일주일에 한 번 모이는 것이 아니라 일주일 내내 함께 생활하는 것입니다. 서로 안부를 묻고 여가시간을 함께하며 서로를 돌아봅니다.

셀가족 모임은 한 주간의 셀생활Cell Life의 출발점이며, 셀생활Cell Life을 통하여 셀가족 모임이 더욱 풍성해집니다.

또 셀라이프를 통해 건강한 가족이 됩니다. 우리는 완전한 가족이 아니기에 많은 흠을 가지고 있습니다. 서로를 용납하며 치유하는 것이 가족인 만큼 셀라이프를 통해 건강한 가족이 되는 것입니다. 이러한 셀생활의 성공은 풍성한 셀가족 모임으로 나타나고 그 결과는 번식입니다.

셀가족 모임에서는 다양성을 인정하고 서로를 세워 줘야 합니다. 절대로 책망하거나 의무와 책임을 물어서는 안 됩니다. 위로해주고, 격려해 주고, 치유하고, 회복되는 곳이 셀가족 모임입니다.

　요즘은 얼마나 격려가 필요한 시대입니까? 셀가족 모임에 가기만 하면 격려 받고 새 힘을 얻는다면 안 갈 사람이 누가 있겠습니까? 격려는 책망보다 사람을 훨씬 빠르게 변화시킵니다.

　이솝 우화의 해와 바람이 내기한 이야기 아시죠? 결국 나그네의 옷을 벗긴 것은 따뜻한 햇살이지 거센 바람이 아니었습니다. 서로를 세워주고 격려하며 한 주간 셀가족을 돌아볼 때, 육신의 가족보다 더 진한 예수 생명으로 하나 된 가족이 되는 것입니다.

　또 셀가족은 두려움 없이 나누는 가족이 되어야 합니다. 군중 속의 고독이라는 표현 아시죠? 현대인들은 고립되어 있으며 저마다 가면을 한 두 개씩 쓰고 있습니다. 자신의 고독과 외로움을 감추기 위한 가면입니다.

　교회 안에서도 마찬가집니다. 자존심 때문에 혹은 자신의 비밀이 새어 나가 상처 받을 것 같아 자신의 모습을 있는 그대로 드러내지 않습니다. 사실 교회만큼 말 많은 곳도 없습니다. 교회 안의 상처는 대부분 말에서 비롯되기도 합니다.

　진정한 가족이 되기 위해서는 이러한 가면을 벗어야 합니다. 가면을 벗기 위해서는 우선 사랑과 용납이 필요합니다. 속에 있는 이야기를 있는 그대로 나눌 때 이해하고 위로하고 용납할 수 있는 것입니다.

　두 번째는 안정감과 신뢰입니다. 셀그룹 전체가 안정감과 신뢰를 줄 수 있어야 합니다.

　만약 가족 중에서 불행한 일이 일어났다고 가정합시다. 청소년기의 아들이 순간적인 실수로 도둑질을 해서 경찰서에 잡혀 갔다고 합시다. 그 사실을 어디 가서 이야기 하겠습니까? 얘기 안 합니다. 아들의 욕이 곧 나의 욕입니다. 누군가에게 이야기한다는 것은 누워서 침 뱉기죠.

그런데 아들이 전교 1등이라도 하면 어떻습니까? 묻지도 않았는데 이곳저곳에서 자랑합니다. 왜입니까? 가족이기 때문입니다.

셀가족 역시 마찬가집니다. 허물이나 잘못은 이야기하지 않습니다. 그렇기에 셀모임에서 나눈 이야기는 절대 비밀로 해야 합니다. 무덤에 갈 때까지 비밀을 지킬 때, 가면은 벗겨지고 셀은 안정감과 신뢰를 주며 진정한 가족이 됩니다.

세 번째는 공감과 위로입니다. 셀가족 모임 안에서는 무슨 이야기를 하든 공감해 주고 위로해 줘야 합니다.

사람들은 누구나 자신의 마음을 알아주고 공감해 주기를 원합니다. 이기적이며 개인주의가 팽배한 이 시대에 자신의 마음을 알아주고 위로해 주는 이가 있다는 것은 지치고 고단한 삶 가운데 큰 힘이 됩니다.

네 번째는 희망과 격려입니다. 칭찬은 고래도 춤을 추게 한답니다.

다섯 번째는 영향력과 자제력입니다. 좋은 영향력과 자제력이 나타날 때 셀가족들은 열린 마음과 정직함을 가질 수 있습니다. 마음이 열리면 표현들이 다양하게 나타납니다. 학력, 배움, 직업에 따라 다양한 표현을 하게 되는데 그 이질감이 극복되고 용납되는 곳이 셀가족 모임입니다.

셀가족 모임은 또 은사에 따라 섬기는 곳입니다. 하나님은 각 사람에게 다양한 은사를 주셨는데 섬기는 은사를 가진 사람은 섬김으로, 중보기도 은사가 있는 사람은 기도로, 가르침 은사가 있는 사람은 말씀으로, 서로를 세워 그리스도의 몸을 이루어 가는 것입니다.

이렇게 서로가 서로를 용납하며 이해하고 받아들이면 자연스럽게 가면은 벗어집니다. 자신의 모습을 솔직하게 드러내고 이야기할 때 치유와 회복이 일어납니다.

또, 셀가족 모임에서는 가면을 벗습니다. 기가 막힌 이야기까지 다

나누게 되고 그로 인해 치유와 회복이 일어납니다. 이것이 바로 사도행전에 나타난 초대교회 셀가족 모임입니다.

## 하나님의 임재로 들어가기

셀가족 모임은 공동체이신 삼위일체 하나님의 임재 안으로 우리가 들어가는 것입니다. 우리가 무언가를 만드는 것이 아닙니다.

하나님의 임재 안으로 들어가는 데는 두 가지 방법이 있습니다. 누가복음 10장 38절~42절을 보면 예수님께서 마르다의 집을 방문하십니다. 이때 예수님을 맞이하는 두 가지 반응을 볼 수 있습니다.

먼저 마르다의 반응입니다. 마르다는 '어떻게 하면 예수님이 좋아하시는 일을 할까?' 고민하며 그리스도를 위해 봉사합니다. 끊임없이 일합니다.

이것은 일 중심, 성취 중심의 패러다임입니다. 교회 안에서 흔히 볼 수 있는 광경입니다. 주님을 위해 할 수 있는 한 열심히 일하고, 그리스도를 위해 일을 만듭니다. 그것이 주님이 기뻐하시는 것이라 착각하며 다른 사람에게도 뭔가를 할 것을 요구합니다.

그런데 문제는 주님을 위해 일하는 것으로 너무 바빠서 정작 주님과의 관계는 피상적이 된다는 것입니다. 그분과의 대화도 건성으로 형식적이 되어 가며, 다른 사람들과의 관계에 있어서도 어려움을 겪으며 의무감에 매달려 해야 할 일을 성취해 나갑니다.

마르다처럼 일 중심의 패러다임을 가지지 않으려면 어떻게 해야겠습니까?

마리아의 반응은 다음과 같습니다. 마리아는 관계 중심의 패러다임을 가지고 있었습니다. 그리스도를 위하여 어떤 일을 성취하려고 애쓰는 것이 아니라 단지 주님 안에 머물면서 주님의 말씀을 듣고 주님의 뜻을 헤아리는 데 우선순위를 두었습니다.

마리아는 주님의 발아래 앉습니다. 주님의 얼굴을 바라봅니다. 주님의 음성에 귀를 기울입니다. 그리고 그분의 능력을 받습니다. 모든 염려를 주님께 맡깁니다. 주님께 맡기고, 그분의 임재를 느낍니다. 주님 안에서 자유를 경험합니다. 이것이 마리아의 삶입니다.

일 중심의 패러다임에서 벗어나야 합니다. 주님 안에 머무는 것, 그분의 임재를 누리는 것, 이것이 관계 중심의 패러다임입니다.

주님은 "이 좋은 편을 택하였으니 빼앗기지 아니하리라"눅10:42고 마리아를 칭찬하셨습니다. 마리아는 더 근본적인 것에, 마르다는 부차적인 것에 초점을 맞추었던 것입니다. 기억하십시오. 행함보다 거함이 중요합니다.


## 셀그룹의 폭발은 셀리더 번식에 있다

셀에 대한 관심이 높아지면서 많은 셀교회 이론과 모델 교회들이 한국에 소개되고 있습니다. 셀교회를 대표한다고 할 수 있는 교회의 지도자들이 방문하여 세미나를 열기도 합니다.

그러한 움직임들이 한국 교계에 신선한 충격과 도전을 주기도 하지만, 소개되는 외국 교회의 시스템을 우리에게 그대로 적용하기에는 여러 가지 애로점이 많습니다. 문화와 정서, 처한 상황이 다르기 때문입니다. 한국인에게는 한국인들에게 맞는 옷이 필요합니다.

그러한 문제의식을 가지고 연구하며 오랜 임상을 거쳐 시스템화한 것이 두날개양육시스템입니다. 두날개양육시스템을 거치면 건강한 평신도 사역자가 세워지며 결국 그들을 통해 두날개로 날아오르는 건강한 셀교회는 세워집니다.

건강한 교회는 건강한 사역자들에 의해 만들어집니다. 성경적인 교회 역시 성경적인 성도들에 의해 세워집니다.

두날개양육시스템은 건강하면서도 성경적인 사역자를 배출해 내는 시스템입니다. 즉, 잃어버린 영혼을 감당하는 영혼의 아비, 셀리더가 세워지는 것입니다.

셀의 번식은 바로 이러한 셀리더를 얼마나 배출해 내는가에 달려 있습니다. 셀의 번식이 아니라 셀리더 번식입니다. 셀의 폭발은 셀리더 폭발에 있는 것입니다. 아무리 전도를 많이 해오더라도 리더가 세워지지 않으면 셀은 번식할 수 없습니다. 그러므로 셀리더가 얼마나 세워지는가 하는 것은 셀번식의 결정적인 필요충분조건입니다.

셀 폭발을 원하십니까? 얼마나 많은 셀리더를 세우느냐가 관건입니다. 그러므로 끊임없이 주지시켜야 합니다. 모든 성도는 셀리더입니다. 한 사람의 거듭난 그리스도인을 영적 아비인 셀리더로, 재생산 사역자로 세워 가는 것, 이것이 우리의 사명이며 상급입니다.

리더반/공동체셀리더모임/디렉터 그룹

셀리더를 세우는 것 못지않게 중요한 것은 셀리더들을 지속적으로 양육하는 일입니다. 누구나 계속해서 도전을 받아야 비전을 붙들고 흔들림 없이 달려갈 수 있습니다.

우리 교회는 셀리더만 따로 모아서 일주일에 한 번 담임목사와 만나는 시간을 가지고 있습니다. 그 시간을 리더반이라 하는데 이곳에는 셀리더는 물론 예비 셀리더인 인턴들도 참석해 양육 받고 있습니다. 잦은 모임을 피하기 위해 금요기도회 전에 한 시간 반 정도 모임을 가집니다.

이때는 셀그룹 안에서 그 주에 해야 할 아이스 브레이크와 찬송을 배우며, 전도 소그룹에 대한 메시지를 공부합니다. 그리고 정착 사역에 대해 나누며 셀그룹을 진단하는 시간을 가집니다.

우리 교회에서 가장 중요한 모임은 바로 리더반입니다. 그렇기에 교회의 중요한 결정사항에 대해 가장 먼저 알게 되는 곳이 리더반이며, 저 역시 리더반을 가장 귀하게 생각합니다.

세계비전제자대학을 졸업하기 전 졸업사정이 있는데, 그때 꼭 확인받는 것이 '평생 리더반에 참석하겠느냐?'는 질문입니다. 만약 이 질문에 대한 대답이 확실하지 않으면 졸업이 보류될 정도입니다.

살다 보면 사역을 할 때도 있고, 잠시 쉴 때도 있습니다. 상황에 따라 달라질 수 있습니다. 하지만 마음은 항상 같은 말, 같은 마음, 같은 뜻, 같은 열매로 달려가야 합니다. 그렇기 때문에 평생 리더반에 오도록 합니다.

디렉터 그룹은 제 바로 직계 12제자 모임입니다. 그들을 디렉터라 하는데 일주일에 한 번 모여 말씀을 나누고 사역을 점검합니다. 그리고 저와 수시로 자신의 삶이나 사역에 대해 의논하도록 열려 있는 그룹입니다.

공동체셀리더모임은 디렉터들 밑의 12명의 셀리더 그룹입니다. 동일하게 일주일에 한 번 모여 셀그룹에서 나눌 말씀을 공부하며 사역을 점검합니다. 디렉터들은 전임 사역자이므로 12명의 셀리더를 세워야 하지만, 평신도 셀리더는 5명의 셀리더를 세우면 됩니다. 그것을 우리

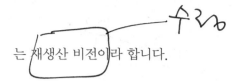

는 재생산 비전이라 합니다.

재생산 비전

주님께서는 공생애 3년을 사역하시면서 많은 무리들에게 말씀을 전하고 치유하며 그들을 돌보셨습니다. 하지만 주님의 최고 관심은 12명의 제자들에게 있었습니다. 제자들과 함께 동고동락하며 그들을 양육하셨고, 대중 사역만이 아니라 소그룹으로 그들을 돌보시는 데도 많은 시간을 할애하셨습니다.

그리고 부활하시고 승천하시면서 "가서 모든 족속으로 제자 삼으라"는 세계비전을 주십니다. 주님은 12명의 제자들에게 세계 복음화를 맡기신 것입니다.

이것이 바로 재생산 비전입니다. 우리 역시 혼자서 모든 영혼을 감당할 수 없습니다. 주님이 하셨던 것처럼 12명의 제자를 세우고 그들이 또 다른 12명을 세워 땅끝까지 복음을 전해야 합니다.

우리는 자신의 12명 셀리더를 세우는 것이 각 개인의 비전입니다 우리 공동체에 주신 2천2만 세계비전을 재생산 비전으로 이뤄가는 것입니다.

그런데 평신도의 경우에는 12명의 셀리더를 세운다는 것이 쉽지 않습니다. 직장에서 주어진 일도 잘 감당해야 하고 시간적인 한계도 있기 때문입니다. 그래서 평신도는 5명의 셀리더를 세우고 풀타임인 디렉터들은 12명의 셀리더를 세우도록 하고 있습니다.

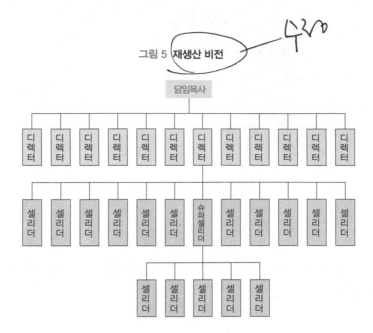

그림 5 재생산 비전

## 슈퍼 셀리더

5개의 셀을 번식시킨 셀리더를 슈퍼 셀리더Super Cell Leader라고 합니다. 즉, 5명의 셀리더를 세운 평신도를 일컫는 호칭인데 슈퍼 셀리더가 되는 것이 우리 교회 셀리더들의 목표입니다.

슈퍼 셀리더는 셀모임과 열린모임 뿐만 아니라 자신의 분가셀리더모임을 인도해야 합니다. 그러기에 슈퍼 셀리더는 담임목사와 정기적인 만남을 가지는 특권을 누립니다.

## 분가셀리더모임

분가셀리더모임이란 슈퍼 셀리더와 자신의 5명의 셀리더가 가지는 모임입니다. 그리고 슈퍼 셀리더가 직접 인도하는 것을 원칙으로 합니다. 단 분가셀리더모임이 완성되기 전에는 디렉터의 공동체셀리더모임과 병행할 수 있습니다.

분가셀리더모임에 대한 지침서는 디렉터로부터 개인적으로 전달받습니다.

슈퍼 셀리더는 자신의 모임뿐 아니라 분가셀리더모임 전체 가족들의 심방과 돌봄에 힘써야 하며 디렉터들은 월 1회 전체 셀리더들과 정기적인 모임을 가집니다. 이때는 따로 분가셀리더모임을 가지지 않습니다.

앞서 언급했듯이 5명의 셀리더를 세운 평신도 셀리더를 슈퍼 셀리더라고 합니다. 슈퍼 셀리더 임명을 할 때 교회 로고가 디자인 된 반지를 수여하는데 이는 일반 셀리더와 차별화하는 부분입니다. 평신도의 최고 명예는 슈퍼 셀리더가 되는 것입니다.

제자대학에서 훈련받는 많은 제자들에게 비전을 물으면 모두가 슈퍼 셀리더가 되는 것이라는 대답을 합니다. 이들을 통해 하나님 나라가 확장되어 주님의 꿈인 2천2만 세계비전, 세계 복음화가 반드시 이뤄질 것을 믿습니다.

## 공동체 재생산

셀그룹과 마찬가지로 공동체도 재생산이 일어나야 합니다. 셀그룹의 그룹을 우리 교회에서는 공동체라고 하고 있습니다.

기혼 남성을 중심으로 한 남성 공동체, 기혼 여성을 중심으로 한 여성 공동체, 청년·대학생을 중심으로 한 청년 공동체, 중·고등학생들을 중심으로 한 청소년 공동체, 초등학생을 중심으로 한 어린이 공동체, 유치부를 중심으로 한 유치부 공동체, 유아를 중심으로 한 유아 공동체, 노인들을 중심으로 한 늘푸름 공동체 등 연령대로 분류를 한 공동체들이 있습니다. 또한, 은사나 사역에 따라 분류를 한 특수 공동체인 국제 공동체가 있습니다.

국제 공동체는 이름 그대로 국제 사역을 감당하기 위한 전문인 사역 공동체라고 할 수 있습니다. 영어권과 중국어권의 외국인들과 그들을 위한 비전을 가진 지체들로 구성되어 사역하고 있습니다.

국제 공동체 외에도 필요에 따라 우리는 전문화된 공동체를 만들어 갈 예정입니다. 주님이 주신 비전을 이루기 위해서라면 우리는 언제든지 조직을 더 효과적이며 효율적으로 조정해 갈 것입니다. 이것이 8가지 핵심가치 중 '기능적 조직'입니다.

셀교회는 셀그룹의 재생산으로 주님의 지상명령을 이루어야 합니다. 그렇기에 셀그룹의 번식은 민족, 열방의 복음화와 직결된다고 할 수 있습니다. 게다가 공동체 분가는 우리 풍성한 공동체 가족들에게 새로운 도전을 줍니다. 셀그룹 번식에서 공동체 번식이라는 시야를 넓히는 계기가 되기 때문입니다.

주님은 늘 "네 입을 넓게 열며, 네 지경을 넓히라"고 말씀하시는데 공동체 분가를 보며 한 차원 지경이 넓혀진 재생산을 꿈꾸게 됩니다.

그동안 우리 풍성한 가족들은 셀을 5개 번식시켜 슈퍼 셀리더가 되어야겠다고 선포했습니다. 그런데 이제는 공동체 분가로 디렉터의 꿈을 꾸게 되었습니다.

또 디렉터들은 공동체 5개를 번식시키는 슈퍼 디렉터의 꿈을 이야기하고 있습니다. 슈퍼 디렉터는 자신의 디렉터 그룹을 관리, 재생산하여 메가 디렉터가 되어야 합니다. 이를테면 메가 디렉터는 다섯 명의 슈퍼 디렉터를 관리하는 것입니다. 메가 디렉터가 되면 웬만한 중형교회를 담임하는 것과 같이 됩니다.

이처럼 하나님은 우리의 지경을 넓히시기를 원하십니다.

한 명의 재생산에서 셀그룹의 재생산으로, 셀그룹의 재생산에서 공동체의 재생산으로 우리 공동체가 훈련되고 준비됨에 따라 더 넓은 지경으로 인도하시는 것입니다.

# 로드십이 리더십이다

재생산 비전은 주님께서 먼저 본을 보이신 위임의 법칙에서 비롯됩니다. 주님께서는 공생애 3년 동안 12제자들을 세우시기 위해 힘을 다하시고 승천하시기 전에 주님의 꿈인 세계 복음화의 비전을 위임하셨습니다.

12제자들은 그 비전을 이루기 위해 대부분 순교하였으며, 12제자들에게 위임된 비전은 또 다른 제자들에게 위임되었습니다. 그 비전이 결국 우리에게까지 위임되어 우리는 또 다른 제자들을 세우기 위해 달려가고 있습니다.

저는 제자들에게 위임된 비전에 대해 정확히 가르칩니다. 주님이 12제자들에게 위임하신 비전이 저에게 위임되었고, 저 또한 제자들에게 2천2만 세계비전을 위임하고 있습니다. 그런데 비전이 위임되면서 권위 역시 함께 위임되는 것입니다. 그렇기에 우리는 주님이 세우신 권위에 먼저 순종해야 하는 것입니다.

권위에 대한 순종은 로드십입니다. 셀리더는 리더십을 인정받기 위해서는 이 로드십이 우선되지 않으면 안 됩니다. 주님의 제자는 로드십이 훈련되어 있는 사람입니다.

만약 로드십이 되어 있지 않은 자에게 재생산 비전이 위임되어 사람을 세워 갈 경우에는 반드시 문제가 생기게 됩니다. 이것을 압살롬의 영, 반역의 영이라고 하는데 얼핏 보기에는 제자들이 세워지는 것 같지만 결과는 오히려 정반대로 분열과 파멸을 가져올 수 있습니다.

그러므로 셀리더에게 비전이 위임됨과 동시에 반드시 로드십이 점검되어야 합니다. 리더십이 아니라 로드십인 것입니다. 그러기에 우리 교회에서는 셀을 분가하는 조건에 제일 먼저 로드십을 규정하고 있습니다.

## 셀분가의 조건

셀리더는 모체 셀리더의 추천으로 디렉터, 담임목사의 결재 후 임명 받습니다. 또한 셀리더는 담임목사의 리더십에 철저히 순종해야 하며 같은 말, 같은 마음, 같은 뜻, 같은 열매가 보이는 자여야 합니다. 그리고 교회에 대한 소속감과 2천2만 세계비전이 확실한 자여야 합니다. 그래서 셀모임의 한 달 평균 출석이 12명이 되어야 분가할 수 있으며, 최다 전도자에게 우선권이 주어집니다.


# 셀그룹 인도법

기독교는 종교가 아닙니다. 의무와 책임에 신앙생활의 초점을 맞춘다면 기독교는 종교가 됩니다. 어떻게 하면 하나님을 기쁘시게 할까 하고 억지로 노력하면 기독교는 종교가 되고 율법주의에 빠지게 됩니다. 그러나 기독교는 종교가 아니라 관계입니다.

하나님은 죄로 인해 멸망할 수밖에 없는 우리를 사랑하시어 예수 그리스도를 화목 제물로 주셨습니다.

그러면 어떻게 하나님과 사랑의 관계를 계속 유지될 수 있습니까? 그것은 예수 그리스도를 통해서만 하나님 아버지와의 관계를 가질 수 있습니다.

셀모임은 관계의 흐름으로 이루어집니다. 주님은 두세 사람이 주님의 이름으로 모인 곳에 반드시 함께하신다고 약속하셨습니다. 주님은 셀모임에 함께하시는 분입니다. 그분의 임재를 경험하고 그 임재로 인하여 능력이 나타나며 주님의 목적을 이루십니다.

셀그룹은 하나님의 임재 속으로 들어가는 것입니다. 즉, 공동체 안으로 들어가는 것이며 그분의 뜻을 이루는 것입니다.

그렇다면 셀모임의 목표는 무엇입니까? 예수 그리스도를 사랑하는 것이며 예수 그리스도가 나를 사랑하시도록 하는 것이며 예수 그리스도로 하여금 나 자신이 다른 사람에게 사랑의 통로가 되는 것입니다.

셀그룹은 5W로 인도합니다. 먼저 Welcome환영으로 서로 친숙해집니다. 이때는 간단한 게임이나 질문 등으로 분위기를 부드럽게 합니다. 또 모든 가족들이 자유롭게 이야기함으로 긴장감을 풀어 주는 역할을 합니다. 이때 셀리더는 친숙해지기 위한 시간을 가지면서 문제가 있는 사람을 파악하여야 합니다.

두 번째는 Worship찬양과 경배입니다. 찬양과 경배는 서로에 대한 관심에서 하나님께로 초점을 옮기는 시간입니다. 우리가 하나님께 나아가는 단계이며 이때 성령님의 임재를 경험합니다.

찬양이 무엇입니까? 우리의 사모하는 마음의 표현이며 그 마음을 사람들에게 알리는 것입니다. 하나님이 어떤 분이시며 그분이 어떤 일을 하셨는가에 중점을 두는 것입니다.

그러므로 찬양은 감정을 수반하며 영적 전투의 중요한 무기가 됩니다. 에베소서 5장 19절에 "시와 찬미와 신령한 노래들로 서로 화답하며 너희의 마음으로 주께 노래하며 찬송하며"라고 했듯이 찬양은 시와 찬미로 화답하는 것입니다.

경배란 무엇입니까? 하나님이 소중한 존재라는 것을 인정하며 하나님과 대화하는 것입니다. 하나님께 우리의 전 존재를 드리는 것입니다. 경배는 하나님과의 친밀함 속에서 이뤄지며 하나님과의 연합과 교제가 포함됩니다.

찬양과 경배의 차이는 찬양은 축제이며 소리를 높여 하나님이 하신 일들을 감사하고 하나님의 영광을 드러냅니다. 반면, 경배는 조용하고 차분하게 하나님을 묵상하며 하나님의 성품과 사랑을 표현합니다. 찬양과 경배를 준비하고 선곡할 때는 성경공부처럼 철저히 준비해야 합니다. 기도하면서 하나님께 물어야 하며 그날의 말씀 주제와 맞게 선곡을 해야 합니다. 또 서로 연결하기 쉬운 곡을 택해야 합니다.

세 번째는 Word말씀입니다. 말씀은 서로를 세워 주는 과정으로 하나님이 우리에게 말씀하시는 시간입니다. 말씀을 통하여 하나님의 능력을 경험하고 말씀을 붙들고 기도하여 응답을 체험합니다. 말씀의 초점은 그리스도께 맞춰야 합니다. 셀리더는 가르치는 자가 아니라 진행자입니다. 셀리더는 셀가족들이 마음을 열고 그리스도의 음성을 듣도록 해야 합니다. 그리고 말씀의 결과는 그리스도의 임재를 통하여 서로를 세우는 것입니다.

네 번째는 Witness증거로 넘어갑니다. 그리스도의 목적이 이뤄지는 시간입니다. 주님의 관심은 잃어버린 영혼에게 있습니다. 우리가 하나님의 임재와 능력을 경험한 후에는 그분의 목적을 이루시기를 원하십니다. 그것은 다름 아닌 잃어버린 영혼에게 나아가는 것인데 이때는 열린 모임의 진행 현황과 베스트태신자와의 관계 맺기에 대해 나눕니다.

마지막으로 Work & Prayer돌봄과 기도입니다. 셀모임은 가족모임입니다. 셀가족 중 기도가 필요한 사람이 누구인지 파악하여 함께 중보하고 어려운 셀가족을 찾아가 돌볼 것에 대해 나누는 시간입니다.

또, 서로의 문제를 놓고 함께 기도합니다. 먼저 문제를 맡기며, 베스트와 열린모임을 위해, 치유를 위해 기도한 뒤 성령 충만을 위한 기도를 합니다. 이때는 불같이 기도 합니다. 그리고 셀리더는 셀가족을 위해 축복기도를 합니다.

기도를 마치면 찬양하며 헌금을 한 뒤 주기도문으로 셀가족 모임을 마칩니다. 그 이후에 식사나 다과를 나누며 교제하는 시간을 갖습니다.

셀모임은 대개 2시간 정도의 모임을 가집니다.

## 셀그룹, 또 하나의 소중한 날개

셀그룹은 교회가 회복해야 할 또 하나의 날개입니다. 이것은 교회를 구성하는 하나의 조직이 아니라, 대그룹 교회와 동등한 한쪽 날개입니다.

초대교회 성도들은 날마다 소그룹으로 모여 교제하며 기도하고 말씀을 나누었으며, 소그룹을 통해 삼천 명, 오천 명, 수만 명이 회심하고 돌아오는 놀라운 열매를 얻었습니다. 믿지 않는 사람들이 반한 것은 소그룹에서 경험하는 가족보다 더 진한 사랑과 돌봄이었습니다. 이러한 요소들이 사도행전에 나오는 셀교회를 이루는 모습이었습니다.

> 믿는 사람이 다 함께 있어 모든 물건을 서로 통용하고 또 재산과 소유를 팔아 각 사람의 필요를 따라 나눠 주고 날마다 마음을 같이 하여 성전에 모이기를 힘쓰고 집에서 떡을 떼며 기쁨과 순전한 마음으로 음식을 먹고 하나님을 찬미하며 또 온 백성에게 칭송을 받으니 주께서 구원 받는 사람을 날마다 더하게 하시니라행2:44~47.

소그룹으로 모인 이들은 또 대그룹으로 모여 축제의 예배를 드립니다. 축제의 예배를 통해 전능하신 하나님을 체험하며, 그분께 경배하고 찬양하며 예배하는 것입니다. 초대교회는 이처럼 대그룹 교회와 소그룹 모임이 균형을 이룬 양쪽 날개를 가진 교회였습니다.

대그룹 교회에서 우리는 하나님의 초월성을 경험합니다. 전능하신 하나님, 위대하신 하나님을 만나며, 그러한 하나님께 경배하며 친양합니다. 그러므로 대그룹에서 가치를 드러내는 것은 예배와 말씀, 기도, 권위, 은사들입니다.

그런가 하면 소그룹 모임에서 우리는 하나님의 내재성을 경험합니다. 친구 같은 하나님, 친근한 하나님을 만나는 것입니다.

빌 벡햄은 소그룹에서 공동체, 새신자 양육, 상호 책임성, 지도력, 복음 전파가 그 가치를 드러낸다고 말합니다. 우리 교회는 이 가치를 구체적으로 체계화했습니다.

공동체와 상호 책임성은 예수 생명의 가족모임을 뜻하며, 새신자 양육은 새가족 섬김이 사역으로, 지도력은 양육과 훈련을 통해, 복음 전파는 오픈 셀인 열린모임을 통해 일어납니다.

대그룹과 소그룹이 균형을 이룬 성경적인 교회의 모습은 AD 313년 로마의 콘스탄틴 대제가 정책적으로 기독교를 국교화하면서 사라져 갔습니다. 그 이후 건물 중심으로 모이기 시작하면서 교회는 소그룹이라는 한쪽 날개를 잃어버리고 예배 중심의 대그룹 교회만이 진정한 교회인 것처럼 인식되어 왔습니다.

그러나 교회는 건물이 아닙니다. 우리 각 지체가 곧 교회입니다. 주님의 몸된 교회를 세워 가는 것은 사도행전의 교회처럼 대그룹과 소그룹이 동일하게 균형을 이루는 것입니다.

그러므로 이제 잃어버린 한쪽 날개를 회복해야 합니다. 그것은 바로 교회의 본질을 회복하는 것입니다. 우리 교회는 지금 셀그룹을 통해 잃어버린 한쪽 날개를 회복하고 있습니다. 눈부신 비상을 꿈꾸면서 말입니다.

6장 필요 중심적 전도

초대교회는 로마를 어떻게 복음으로 정복할 수 있었으며, 중국에는 어떻게 1억에 가까운 성도들이 있습니까? 우리는 지금 성경에 나타난 초대교회의 복음 운동에 관심을 가져야 합니다.

크리스티안 슈바르츠는 우리가 관심을 가져야 할 문제는, 전도가 얼마나 필요한가에 대한 논의가 아니라 실제로 전도를 하고 그것이 교회 성장에 얼마나 기여하느냐에 있다고 지적했습니다.

우리 가운데는 사람들로 하여금 자기의 삶을 예수 그리스도께 드리도록 압력을 가하는 것이 가장 효과적인 전도라고 생각하는 사람들도 있습니다. 이들은 심지어 그 목적을 위해서라면 인위적인 교묘한 방법도 마다하지 않습니다. 신자든 불신자든 많은 사람들이 '전도'라는 말만 들어도 이상하게 거부 반응을 일으킵니다. 이유는 전도의 본질이 왜곡된 까닭입니다.

슈바르츠는 성장하는 교회에서 찾아 볼 수 있는 전도 방법은 '밀어붙이기'식의 인위적인 방법이 아니라, 그와는 전혀 반대되는 것이라고 말합니다. 성장하는 교회들은 불신자들의 의문에 답해 주고 그들의 필요를 채워 줌으로써 자연스럽게 복음을 전하게 되는 것입니다.

한국 교회는 흙바닥의 가마니 교회에서 시작되어 100년에 이르기까지 초대형 예배당과 안락한 소파에 앉아 예배드리는 세계 최대의 교회를 갖게 되는 복을 받게 되었습니다.

그런데 지난 7~80년대에는 하루에 여섯 개의 새로운 교회가 탄생한다고 세계에 자랑했었는데, 이제는 하루에 여섯 교회씩 문을 닫는다고 합니다. 물론 교회도 다른 유기체와 같이 출생, 성장, 발전, 쇠퇴가 있기 마련입니다.

한때 크게 부흥했던 서구 기독교 국가의 교회가 문을 닫고 회교 사원이나 술집으로 전락하고 있다는 소식을 들으면서 설마 우리는 아니겠지 하였지만, 한국 교회 역시 예외가 될 수 없음에 안타까움을 금치 못합니다. 오늘날 교회는 날마다 새로운 도전에 직면하고 있습니다.

그러나 분명한 것은 복음 전파에 있어서 우리가 새로운 천 년의 마지막 주자라는 것이며, 이 마지막 사명을 한국 교회가 감당해야 한다는 것입니다.


## 오픈 셀 – 열린모임

우리 교회는 전인적인 셀그룹Closed Cell과 열린모임Open Cell의 두 종류의 셀그룹이 있습니다.

전인적인 셀그룹은 성도들이 함께 모여 예수 그리스도의 임재와 능력, 목적을 체험하는 예수 생명의 가족 모임이며, 열린모임은 전도 소그룹 모임입니다.

열린모임은 이름 그대로 기존 신자뿐 아니라 예수를 믿지 않는 자들도 거부감 없이 와서 복음을 들을 수 있도록 누구에게나 개방된 모임입니다.

열린모임은 한 지역을 거점으로 하여 누룩처럼, 겨자씨처럼 그 지역을 장악해 가는 전도 방법입니다.

열린모임은 침투 전도Saturation Evangelism입니다. 이것은 주님의 전도 방법이었으며마28:18, 사도 바울의 전도 방법행16:14,18:1~3이기도 했습니다.

하나의 지역을 선정하고 거점을 확보하여 전도 대상자를 초청해서 복음의 핵심 메시지를 지속적으로 증거하여 영혼을 구원하는 성경적인 전도 방법입니다. 직장, 학교, 아파트 단지, 주택가, 산업체 등에 훈련된 제자를 보내어 전도를 위한 소그룹 성경공부와 풍성한 교제를 통해 믿지 않는 사람들이 복음을 접할 수 있도록 기회를 제공합니다. 여기에는 누구나 자유로이 참석할 수 있으며 그곳에서 하나님의 살아 계심을 체험하고 그분의 은혜를 누립니다.

중국이 어떻게 복음화 되었습니까? 공산화되던 당시 약 40만 명에 불과하던 기독교인이 현재 1억으로 성장하였다는 놀라운 보고를 들었습니다. 주님께서 말씀하셨듯이 겨자씨처럼, 누룩처럼 열린모임, 가정 교회를 통해 복음이 부풀어져 간 것입니다.

전도를 하다 보면 가장 어려운 것이 접촉점입니다. 우리 교회는 전도를 많이 하는데, 노방 전도의 경우 별로 열매를 거두지 못하는 편입니다. 그 이유는 노방 전도를 통해 예수 그리스도를 영접하는 사람은 많으나 지속적인 관계를 통해 교회에 등록하는 예가 그리 많지 않기 때문입니다. 이 경우 전도 당시에는 영접을 하였지만 마음이 바뀌어 교인들과 지속적인 만남을 꺼리기 때문에 관계를 형성하기가 어렵습니다.

그로 인해 이런 노방 전도보다 열린모임을 통한 전도 방법을 중점적으로 사용합니다. 이것은 나와 이미 관계된 사람을 전도하는 전도법입니다.

즉, 회사의 동료, 이웃, 학교 친구, 믿지 않는 가족 등이 전도 대상자입니다. 그들을 교회로 직접 데리고 오기란 쉽지 않습니다. 그래서 우리는 각 사람의 삶의 현장에 직접 가서 모임을 열고 있습니다. 이곳에는 불신자도 오고, 타 종교인이 오기도 하고, 갓 예수를 믿은 어린아이 같은 신앙을 가진 초신자가 오기도 하며, 심지어 다른 교회를 다니는 사람이 오기도 합니다.

열린모임의 목적은 생명을 살리는 것입니다. 열린모임이 기존의 성경공부와 다른 점은 생명을 살리는 데 목적이 있습니다. 예수를 믿지 않는 사람에게는 예수 그리스도에 대한 생명의 충격을 주고, 하나님을 만나지 못한 형식적인 종교인들에게는 복음의 충격을 주고, 예수를 믿고도 어떻게 살아야 할지 몰라 방황하는 자들에게는 사명의 충격을 줍니다.

열린모임을 통해 많은 사람이 예수 그리스도를 만나고 복음을 깨닫고 사명을 발견합니다. 실제로 우리 교회는 등록 교인의 70%정도가 열린모임을 통해 인도되었습니다.

예수 그리스도를 영접하고, 지속적으로 말씀을 듣다가 교회로 오는 경우가 많습니다. 열린모임을 통해 교회에 등록한 사람들은 대부분 정착합니다. 지속적으로 말씀을 들은 데다 인도자, 팀원들과 이미 관계가 형성되어 교회에 오더라도 전혀 낯설지 않기 때문입니다.

열린모임에서 하나님을 만나고 교회로 인도되었다가 지금은 교회 내에서 훌륭한 사역자로 자란 경우가 얼마나 많은지 모릅니다.

## 열린모임은 소그룹 전도운동이다

열린모임은 3명 이상이 팀을 이뤄 전도하는 소그룹 전도 방법입니다. 인도자 외에 셀가족과 새가족을 포함한 3명 이상이 12주 동안 한 팀이 되어 기도하고 관계를 맺으며 사역합니다.

이렇게 팀을 이뤄 전도하면 혼자서 전도할 때의 두려움이 극복되며 전도가 지속됩니다. 또 은사대로 사역하다 보니 자신의 취약한 부분에 대해 다른 사람들의 도움을 받을 수 있습니다. 전도는 은사가 있는 사람만이 하는 전유물이 아닙니다. 주님은 믿는 모든 자들에게 복음을 전하라고 명령하셨습니다. 열린모임은 전도에 무관심하거나 소극적이던

자들까지도 쉽게 참여하여 전도할 수 있는 전도의 현장입니다.

　이것은 소그룹의 가장 큰 장점이라 할 수 있습니다.

## 열린모임은 소그룹 기도운동이다

제1차 세계대전 때의 일입니다. 당시 영국 공군 전투기들이 독일 공군 전투기에 의해 거의 전멸하다시피 했습니다. 그 이유는 독일 전투기들이 항상 두 대씩 짝을 지어 공격을 했기 때문입니다.

　이 전략은 신명기 32장 30절의 "어찌 한 사람이 천을 쫓으며 두 사람이 만을 도망케 하였을까"라는 말씀을 읽고 독일의 한 장교가 적용을 한 것입니다.

　전투기 한 대가 기관총을 쏠 경우에는 반경 2.4m 둘레 안에 들어오는 비행기가 총탄에 맞아 추락되었습니다. 그런데 두 대가 편대를 지어 공격할 경우에는 그 두 배인 4.8m가 아니라 240m 안에 들어오는 비행기가 모두 추락되었다는 것입니다. 제2차 대전에서는 미 공군이 이 전략을 사용하였는데, 당시 일본 전투기가 성능이나 수적인 면에서 훨씬 우수했음에도 불구하고, 전투 때마다 거의 전멸하다시피 했습니다.

　우리가 이 전략을 신앙생활에 적용한다면 놀라운 하나님의 기적을 체험하게 될 것입니다. 하나님의 말씀에 의지하여 두 사람 이상이 마음을 합하여 같은 장소에서 같은 목표를 가지고 주님께 부르짖어 기도하면 놀라우리만큼 엄청난 역사가 일어날 것입니다.

　열린모임은 팀원들이 합심하여 기도하여 놀라운 하나님의 역사를 체험하는 현장입니다. 사도행전 1장을 보면 제자들이 전혀 기도에 힘쓴 결과 2장 오순절에 놀라운 성령의 임재와 능력을 경험합니다. 사도행전

4장에서는 담대히 하나님 말씀을 전하게 해 달라고 합심하여 기도하자, 모인 곳이 진동하고 모인 무리가 성령으로 충만하게 됩니다.

예수님도 소그룹으로 기도하셨으며, 모세 역시 그러했습니다. 전도서 4장 12절에 삼겹줄은 쉽게 끊어지지 않으며, 두세 사람이 모인 곳에 나도 반드시 그들과 함께 있겠다고 주님은 약속하셨습니다마18:20.

그렇다면 함께 모여 기도할 때 어떤 일들이 일어납니까?

기도하면 성령님이 역사하십니다. 성령님이 역사하시면 능력의 천사들이 동원되어 주의 일을 하게 되며 그때부터 주위의 환경이 변하기 시작합니다.

또 응답의 사람을 보내 주십니다. 그러므로 우리는 기도하면서 만나는 사람에게 주의를 기울여야 합니다. 하나님은 응답의 사람을 통해 일하시기 때문입니다.

전도 소그룹 열린모임은 하나님의 살아 계심, 기도응답을 극적으로 체험하는 곳입니다. 지금 살아 계셔 나와 함께하시는 하나님, 지금 나의 기도를 들으시는 하나님을 만나는 곳입니다. 함께 모여서 소그룹으로 기도하는 것은 열린모임에서 추구하는 가장 중요한 전략이기도 합니다.

## 열린모임은 소그룹 오이코스 전도운동이다

오이코스는 우리 삶의 현장인 가정, 교회, 직장, 학교, 사회에서 한평생 관계를 맺고 살아가는 모든 사람입니다. 오이코스는 곧 우리의 전도 대상자입니다.

오이코스는 우리가 일상에서 접하고 있는 모든 사람을 가리키는 총체적인 말로서 우리가 직접적으로 영향을 미치고 있고, 또한 영향을 받고 있는 사람을 가리킵니다. 우리가 전도하고자 할 때 주변에서 가장 먼저 떠오르는 전도 대상자는 우리의 오이코스들입니다.

이처럼 오이코스 전도는 우리와 관계된 사람들에게 관심을 가지고 기도하며 섬기는 관계중심의 생활전도를 말합니다.

기독교는 종교가 아니라 관계입니다. 하나님은 우리의 마음, 뜻, 목숨을 다해 당신을 사랑하라고 하셨습니다. 그리고 내 몸과 같이 이웃을 사랑하라고 하셨습니다. 우리가 행위에 초점을 맞춘다면 기독교는 종교가 되어 버립니다.

그런데 하나님은 우리에게 관계에 대해 말씀하셨습니다. 하나님을 가장 사랑하고 이웃을 섬기는 것이 기독교입니다. 열린모임은 이러한 기독교의 기본진리에서 출발합니다.

미국의 교회성장 연구소에서는 14,000명을 대상으로 어떤 방법에 의해 교회로 인도되었는지에 대해 설문조사를 여러 차례 실시했습니다. 그 결과 75~90%의 사람들이 친구나 친척, 이웃과 같이 관계전도를 통해 그리스도를 믿게 되었다고 대답했습니다. 이처럼 관계는 복음 전하는 매개체가 되는 것입니다.

우리는 복음을 전할 때 우리가 원하는 방식으로 접근해서는 안 됩니다. 낚시를 갈 때 어떤 고기를 잡으러 가느냐에 따라 미끼가 달라지듯이 우리의 입장에서가 아니라 불신자의 입장에서 접근해야 합니다. 내가 전도하고자 하는 사람들의 필요가 무엇인지 파악한 후 그 필요를 채워 주는 것입니다.

이것을 NCD 8가지 질적 특성 중 필요 중심적 전도라고 합니다. 예를 들면, 생일, 기념일, 결혼, 승진 등 축하할 일에 관심을 보이는 것입니다.

또 초상을 당했거나 아프거나 위로가 필요할 때 시간을 함께 보냅니다. 출산을 한 산모의 장을 봐 준다거나 아기 봐 주기, 이사 돕기 등 여러 가지로 불신자들을 섬길 수 있습니다.

그런가 하면 베풂으로 섬길 수도 있습니다. 음식 나눠 먹기, 꽃씨 나눠주기, 식사 대접하기, 책 빌려 주기, 장난감 빌려 주기, 독거노인들께 어버이날 카네이션 달아 주기 등 다양한 아이디어로 섬길 수 있습니다.

간증 역시 불신자와 하나님과의 관계를 이어 주는 좋은 도구입니다. 예수님을 만나기 전의 삶과 주님을 만나게 된 동기, 하나님을 만난 이후의 삶의 변화에 대해 자신의 이야기를 나누다 보면 불신자들의 마음이 쉽게 열리는 것을 느낄 수 있습니다. 이때 간증은 설교하듯이 하지 말고 솔직하게 삶을 나눠야 합니다. 간증의 매력은 진솔함에 있기 때문입니다.

## 열린모임은 소그룹 배가번식 운동이다

하나님은 "생육하고 번성하라"고 말씀하십니다. 하나님께서는 한 명씩 더하기 전도에서 배가번식 전도로 전환하기를 원하십니다. 폭발적 성장은 하나님의 뜻입니다.

1개 열린모임이 앞으로 18년 동안 한 해에 한 번씩 번식하면 262,144개의 셀이 되어 세계비전을 이루게 될 것입니다. 물이 바다 덮음같이 여호와의 영광이 가득할 날이 올 것입니다. 그리스도의 푸른 계절이 올 것입니다. 그리고 그렇게 소원했던 주님의 재림을 볼 것입니다.

21세기 들어 인구는 폭발하고 있습니다. 영혼추수를 위한 우리의 전략은 무엇입니까? 그것은 다름 아닌 열린모임의 배가번식입니다.

주님도 창세기 1장 22절에 배가번식을 명령하셨으며 사도 바울, 브리스길라와 아굴라, 안드레, 디모데 등은 배가번식의 대표적인 인물입니다. 누룩처럼 겨자씨처럼 확장되는 복음의 위력으로 열린모임은 배가번식되는 것입니다.

그렇다면 열린모임의 번식을 위한 지침은 무엇일까요? 우리가 살고 있는 삶의 장場에서 말씀 운동을 펼치고 하나님의 살아계심을 드러내며 일꾼을 찾아 열린모임을 번식시키는 것입니다.

이 일은 다름 아닌 오직 복음을 전하는 것 외에는 다른 소망을 갖지 않고, 그리스도의 남은 고난에 참여코자 전도하며, 하늘의 상급과 면류관을 바라보며 달려가는 자들, 바로 훈련된 제자들에 의해 성취될 것입니다.


## 열린모임의 목적은 생명을 살리는 것이다

전도는 하나님의 일입니다. 하나님이 예비하신 영혼에게 복음을 전하는 것이 전도입니다. 하지만 우리는 하나님이 예비하신 자가 누구인지 알 수 없습니다.

그래서 이 사람 저 사람 찔러 보는 것입니다. 고구마 전도법이 화제가 되었는데, 우리가 이미 사용하고 있는 전도법이라고 볼 수 있습니다. 고구마가 익었는지 젓가락으로 찔러 봐야 알 수 있는 것처럼, 예비된 영혼이 누구인지 알 수가 없습니다. 그리고 초청에 단번에 응하는 경우도 있으나 대부분의 사람들은 첫 초청에 응하지 않습니다. 이때부터 열린모임에 데리고 가기 위한 집중공략에 들어갑니다. 자기에게 호의를 베푸는 사람을 싫어하는 사람은 없습니다. 일부러 커피도 뽑아 주고 만날 때마다 칭찬을 하며 생일이나 경조사에 꾸준히 관심을 보입니다. 물론 그를 위한 중보기도를 해야 합니다. 이렇게 정성을 다하기 때문에 열이면 열, 모두 한 번쯤은 열린모임에 오게 됩니다.

특히 교회에 오라는 것도 아니고, 바로 그들의 직장에서, 캠퍼스에서, 가정에서 모임을 가지기 때문에 초청에 응하기 쉽습니다. 초청을 할 때는 물론 잠시 차 한잔하는 모임이 있다고 가볍게 얘기합니다.

인도자는 그날 처음 방문한 사람에게 초점을 맞추어 말씀을 선포합니다. 처음부터 강하게 메시지를 선포하는 것이 아니라, 친숙해지기Ice Break와 대화로 분위기를 부드럽게 한 뒤 자연스럽게 말씀 선포에 들어갑니다. 이를 위해서는 약간의 기술이 필요하기 때문에 인도자들은 특별한 훈련을 받습니다.

이 모임의 성경공부는 성경책을 찾아 답을 달고 말씀을 푸는 것이 목적이 아닙니다. 생명을 살리는 게 목적입니다. 말씀을 분석하여 이해하는 것은 그 다음 일입니다. 그렇기에 메시지는 성령의 감동으로 선포됩니다. 같은 내용이라도 성령께서 장소와 상황, 사람에 따라 주시는 감동이 다릅니다.

그러기에 인도자는 그 감동에 따라 말씀을 선포해야 합니다. 하나님께서는 반드시 그 날, 그 말씀을 들어야 할 자를 예비하고 계십니다.

열린모임을 진행하기 위해서는 말씀을 선포하는 인도자와 장소 제공자가 필요합니다.

하지만 이러한 조건이 갖춰져 있지 않은 경우도 있습니다. 인도자가 조장, 장소 제공자의 역할을 다하는 경우도 있고, 캠퍼스의 경우엔 굳이 장소 제공자가 필요치 않습니다. 장소 제공자가 꼭 우리 교인일 필요는 없습니다. 복음을 듣고 감동된 사람이 자신의 집이나 직장을 장소로 제공하겠다고 헌신해 오는 경우가 적지 않기 때문입니다.

하나님은 복음이 전해지는 것을 가장 기뻐하시며, 이를 위해 어느 곳에서나 헌신할 자를 예비해 두고 계십니다.

주님은 말씀을 선포하실 때마다 사람들의 마음에 도전을 주셨습니다. 받아들이는 자나 거부하는 자가 모두 엄청난 충격을 느꼈습니다. 도대체 어떻게 그런 일이 일어날 수 있었습니까?

먼저 말씀을 듣고 나아갈 때 전도의 현장을 올바로 보는 눈이 열려야 합니다. 사람들의 영은 죽어 있으며 살 길이 전혀 없습니다. 세상의 노예로 고생할 뿐 아니라 끊임없이 마귀로부터 괴롭힘을 당하고 있습니다. 그 영혼들은 우리가 아니면 살릴 사람이 없습니다. 하나님은 지금 그 영혼을 살리기 원하시며, 우리가 가기만 하면 성령님께서 우리를 통해 반드시 역사하십니다.

복음을 듣고 나아가면 반드시 생명은 살아납니다. 주님은 사람들의 숨은 갈등과 고통을 결코 놓치지 않으셨습니다. 사마리아 수가성 여인의 경우, 주님은 그 여인에게 필요한 것이 무엇인지 정확히 아셨습니다. 그리고 대화를 통해 그 문제를 직접 건드리셨습니다.

열린모임도 동일한 역사가 일어납니다. 성령의 감동으로 선포되는 말씀을 통해 각 사람의 문제가 드러나고 해결됩니다. 이것이 바로 복음의 능력입니다. 그러므로 인도자는 영적인 분위기에 민감해야 합니다.

주님께서 하셨던 모든 사역의 형태들을 경험할 수 있습니다. 수많은 기도 응답을 비롯한 다양한 성령의 역사가 생생하게 일어납니다. 이런 사역을 감당하기 위해 인도자는 지속적으로 훈련을 받습니다.


## 복음은 성도의 능력이다

오늘날 세상에는 복음을 이해하지 못하는 사람들이 너무나 많습니다.

더구나 교회에서 신앙생활을 한다는 직분자 중에도 이런 사람을 가끔 만나 볼 수 있습니다. 복음, 이것은 분명 인간의 삶에 엄청난 혁명을 가져다줍니다.

복음이란 무엇입니까? 그것은 우리 인생의 모든 문제를 해결하신 예수 그리스도의 승리에 관한 메시지입니다. 그분이 선택하신 진리, 그분이 걸어가신 십자가의 길, 그 길의 능력을 신뢰하는 것이 곧 복음에 순종하는 삶입니다.

복음은 믿는 자에게 구원을 가져다주는 하나님의 능력이 됩니다. 캄캄한 듯하지만 거기 주님의 길이 있으며, 느린 듯하지만 복음의 길은 가장 안전하고 가장 빠른 길입니다. 이 복음을 부끄러워하지 않는 것이야말로 그리스도인다운 모습입니다.

"내가 복음을 부끄러워하지 아니하노니 이 복음은 모든 믿는 자에게 구원을 주시는 하나님의 능력이 됨이라"롬1:16는 사도 바울의 고백을 우리는 삶의 곳곳에서 경험해야 합니다.

이 복음의 길을 깨달으면 강력한 믿음의 사람으로 뒤바뀌는 영적인 대혁명을 경험하게 됩니다롬1:17. 길이 없는 곳에 새로운 길이 생기는 것입니다. 아무도 보지 못한 길을 보는 힘이야말로 복음을 가진 그리스도인의 능력이며, 그것이 세상의 사람과 다른 것입니다.

복음은 사탄의 권세와 능력을 깨뜨린 승리입니다골2:13~15. 복음의 실체는 예수 그리스도입니다.

그리스도께서 우리를 위하여 저주를 받은바 되사 율법의 저주에서 우리를 속량하셨으니 기록된바 나무에 달린 자마다 저주 아래 있는 자라 하였음이라 이는 그리스도 예수 안에서 아브라함의 복이 이방인에게 미치게 하고 또 우리로 하여금 믿음으로 말미암아 성령의 약속을 받게 하려 함이라갈3:13~14.

한마디로 복음은 사람을 살맛나게 해 주는 능력입니다. 그래서 사탄은 복음의 실체를 못 보게 만듭니다. 복음을 단지 윤리와 도덕, 규범 정도로 생각하게 합니다. 학문의 대상으로 생각하게 합니다. 사회개혁의 원리나 철학으로 생각하게 합니다. 기복적인 샤머니즘의 도구로 생각하게 합니다. 참 복음을 모르면 인생에서 실패자가 되고 맙니다.

그래서 복음은 성도의 능력입니다. 복음이 강력하게 선포되는 곳에 생명이 살아나고, 일꾼이 세워지며, 사명자들이 몰려듭니다.

그래서 인도자가 매우 중요합니다. 그들은 그리스도의 복음을 선포하는 최일선에 서 있기 때문입니다.

그래서 우리는 세계비전제자대학을 통해 강력한 리더들을 훈련해 내고 있습니다. 어디에 있든, 어느 곳에 가든 열린모임을 열어 하나님 나라를 확장시킬 수 있는 군사로 훈련시킵니다.

땅끝까지 어떻게 복음을 전할 것인가? 우리는 '열린모임'이라는 성경적인 최고의 전략을 가지고 있습니다. 지금 우리의 기도 제목은 부산 전 지역에 열린모임을 확장해 영적으로 열악한 이 부산 땅을 그리스도의 복음으로 뒤덮는 것입니다. 현재 각 지역에 수많은 열린모임이 열리고 있으며 지속적으로 확장되고 있습니다.

필요 중심적 전도란 무엇입니까? 바로 불신자들의 문제를 파악해 그들의 필요를 채워 주는 것에서부터 출발하는 것입니다.

불신자들의 가장 큰 필요는 무엇입니까? 물론 복음입니다. 예수 그리스도께서 거둔 십자가의 승리, 십자가의 피 묻은 복음, 우리의 인생의 모든 문제를 해결하신 십자가의 승리입니다.

물고기는 물을 떠나서 살 수 없고, 나무가 땅을 떠나서 살 수 없듯이 인간은 하나님을 떠나서 살 수 없습니다. 우리 인생의 모든 문제는 바로 하나님을 떠났기 때문에 비롯된 것입니다.

이제, 하나님을 만나야 합니다. 하나님을 만나도록 도와야 합니다. 교회는 다니지만 하나님을 만나지 못해 방황하는 영혼이 얼마나 많습니까? 이러한 영혼들에게 복음을 전하기 위해 우리는 훈련을 합니다. 전도의 은사가 있는 사람은 불신자를 데리고 오는 것으로, 가르치는 은사가 있는 사람은 인도자로, 섬기는 은사가 있는 사람은 장소 제공자로서 섬겨야 합니다.

우리는 사역을 통해 성장합니다. 사역이 잘 되지 않으면 기도할 수밖에 없고, 기도의 삶이 결국 영적 능력을 키워 줍니다.

열린모임은 전도의 현장이기도 하지만, 영성 훈련을 위한 실습의 장이기도 합니다. 인도자는 주님의 군사로, 주님의 선수로, 주님의 농부로 부르심을 받은 자들입니다 딤후2:4~6.

여러분도 잘 아시죠? 군사는 상관이 명령하면 어디든지 가야 합니다. 온갖 훈련으로 다져져서 이미 생사를 초월한 훈련을 받은 리더들은 영혼이 있는 곳이면 어디든지 갑니다. 아프리카 오지든, 생명이 위협 당하는 모슬렘이든, 땅 끝 어디라도 갈 준비가 되어 있습니다. 그들은 지역, 민족, 세계 열방으로 주님이 명하시면 어디든지 열린모임을 열어 복음을 전할 것입니다.

선수가 규칙에 따라 경기를 해야 하는 것처럼, 우리는 하나님의 말씀과 성령의 인도하심에 따라 사역을 해야 합니다.

우리의 규칙은 바로 하나님의 말씀입니다. 그렇기 때문에 인도자들은 말씀 중심의 생활을 철저히 해야 하며, 큐티를 통해 하나님의 음성을 듣는 훈련을 지속적으로 해야 합니다.

성경에서 우리의 문제를 헤쳐 나갈 수 있는 길을 열지 못한다면, 이미 우리는 성경을 떠나 세상의 방법에 순종하고 있는 사람입니다.

선수가 지켜야 할 규칙인 하나님의 말씀의 길, 그것은 오늘을 사는 우리에게 매우 중요한 지침이 아닐 수 없습니다.

밭의 농부는 수확의 기쁨을 기대하며 눈물로 씨를 뿌리는 자입니다. 당장 열매가 없다고 해서 낙심하지 말고 끝까지 기대하며 달려가야 합니다. 열매가 금방 맺혀지지 않을 수도 있습니다. 그럼에도 낙심하지 말고 삶의 현장에서 지속적으로 복음을 전하며 열린모임을 열어야 합니다. 열린모임의 리더는 하나님의 군사로, 선수로, 농부로서의 삶을 오늘도 충실히 살아가는 자 입니다.

우리는 지금 영성과 감성과 체험을 중요하게 여기는 포스트모더니즘 시대를 살고 있습니다. 기氣, 단丹, 뉴에이지 등이 유행하고, 사람들이 논리적이거나 이성적인 사고보다는 느낌을 더 강조하는 시대입니다.

요즘 세대의 젊은이들은 느낌으로 행동하며, 느낌으로 승부를 거는 체험을 중시하고 있습니다. 지금 대학가에 많은 선교단체들이 고전하고 있는 것도 이런 시대의 정서 변화 때문입니다. 대학생들조차 생각하기보다는 체험하기를 원하기 때문에 지적인 형태의 전도 방법이 매력을 주지 못합니다.

열린모임은 영성과 감성과 체험이 일어나는 곳입니다. 말씀과 기도를 통한 성령의 역사가 있습니다. 성령의 역사로 말미암아 하나님을 만나고 느끼고 있습니다. 더욱 귀한 것은 기도 응답을 통해 하나님을 체험하고 있다는 것입니다. 그렇기 때문에 많은 젊은이들과 메마른 심령들, 그리고 영적인 것에 목말라하며 방황하는 영혼들이 모여 드는 것입니다.

우리 교회 기도제목 중의 하나는 열린모임을 한국의 온 땅에, 세계 열방에, 그리고 땅끝까지 확장하는 것입니다. 열린모임이야말로 불신자들의 영적, 정신적, 물질적인 모든 필요들을 채우며 그들에게 거부감 없이 접근할 수 있는 전도 방법입니다.

이렇게 세상에 강력한 영향력을 줄 수 있는 모임을 위해 우리 교회는 할 수 있는 한 최선의 노력을 다하고 있습니다. 가장 중요한 것은 이 모임을 인도할 인도자들인데, 우리는 이 리더 역시 제자훈련을 통해 배출합니다.

그런데 그동안 제자훈련에 대한 몇 가지 오해가 있었습니다. 성경공부 자체가 제자훈련이라는 생각과 온유하고 친절한 사람을 만드는 것이 제자훈련이라고 오해하는 사람이 의외로 많았습니다.

또한 영성 계발과 훈련을 통한 개인 신앙 성숙이 제자훈련인 것으로 받아들이기도 했습니다. 이러한 오해들로 제자훈련을 통해 자칫 율법적인 신자나 머리만 커지는 교만한 신자로 만들어 내는 잘못된 결과를 얻기도 했습니다.

그러나 예수님의 제자훈련은 달랐습니다. 예수님은 단지 "나를 따르라" 하시면서 예수님을 닮은, 하나님의 나라 건설에 도구로 쓰여질 사람 낚는 어부를 만드는 일에 전념하셨습니다. 이것이 예수님의 제자훈련의 궁극적인 목표였습니다.

그러면 우리는 제자훈련을 어떻게 해야 합니까? 예수님을 닮아가는 것과 사람 낚는 어부로 만드는 것, 이 두 가지를 병행하는 것이 주님이 원하시는 방법입니다.

이를 위해서는 훈련 체계가 제자훈련에서 전도훈련으로 이어져야 합니다. 이 전도훈련 다음에 제자훈련으로 이어지는, 두 가지 훈련이 함께 병행되어야 합니다. 말씀과 성령의 능력으로 충만한 제자를 만들어 파송해야 합니다. 우리 교회에서는 제자대학 1년 과정에서 훈련된 리더와 12명의 전임 사역자가 현재 이러한 사역들을 진행하고 있습니다.

한국 교회가 다가올 세대의 세계선교의 주역이 될 것이라는 소망은 제 개인의 생각만이 아닐 것입니다. 그러므로 우리 교회들이 더욱 더 부흥되어야 할 것은 자명한 일입니다. 교회가 좀 더 성경적인 부흥의 원리를 되찾기 위해서는 예수 그리스도의 모범을 살펴보고 그분의 방법을 따르는 것 외에는 다른 길이 없습니다.

그런 면에서 열린모임과 전도, 그리고 제자훈련은 교회 성장과 지역 복음화, 세계복음화를 이루는 데 대단히 효과적인 성경적 전도 방법이라 할 수 있습니다.


## 12주 열린모임

우리 교회는 열린모임을 12주로 진행하고 있습니다. 1주부터 4주까지는 전도대상자를 위해 기도하며 5주부터는 열린모임에 초청합니다. 이때 전도 대상자는 2가지 유형으로 분류합니다.

먼저 A형 전도 대상자로 복음에 대해 어느 정도 마음이 열린 사람입니다. 어릴 때 교회 다녀 본 적이 있거나 기독교에 대해 호의적인 경우입니다. 이런 사람은 5주부터 열린모임에 초청합니다.

반면 전도 대상자 중에는 기독교에 대해 배타적인 사람도 있습니다. 교회 얘기만 꺼내도 알러지Allergy 반응을 보이며 거부하는 경우입니다. 이를 B형 전도대상자라 하는데 이때는 하나님이라든가 교회 이야기는 절대 꺼내지 않고 6단계로 관계를 맺어갑니다. 선물, 식사대접, 전도 대상자의 필요를 채워 그들의 마음을 연 후 마지막 여섯 번째 만남에서 열린모임으로 초청하는 것입니다.

9주부터는 A, B형이 모두 열린모임에 초청되어 복음을 듣고 영접

## 표 1  12주 소그룹 열린모임

| 주 | 전략 | 실행지침 | 메시지 |
|---|---|---|---|
| 1 | · 기도하기<br>· 태신자 7명 정하기 | 1. 태신자 만들기를 참고로 태신자 정하기(태신자 카드에 7명 이름 적기)<br>2. 기도의 중요성 나누기<br>3. 태신자를 위해 함께 기도하기 | 열린모임 비전<br>3. 열린모임은 소그룹 전도운동이다. |
| 2 | · 기도하기<br>· BEST 3명 정하기 | 1. BEST정하기(태신자 중 이번에 꼭 전도하기를 원하는 3명을 BEST로 정하기)<br>2. BEST를 위해 집중적으로 기도하기 | 열린모임 비전<br>4. 열린모임은 소그룹 기도 전도운동이다 |
| 3 | · 기도하기<br>· 관계맺기 | 1. BEST를 위해 함께 기도하기<br>2. 관계맺기 1단계:BEST와 차마시기 | 열린모임 비전<br>5. 열린모임은 소그룹 관계(오이코스) 전도운동이다. |
| 4 | · 기도하기<br>· 관계맺기 | 1. BEST를 위해 함께 기도하기<br>2. 간증문을 작성하고 나누기<br>3. 관계맺기 2단계:간단핸부담스럽지 않은 선물하기 | 열린모임 비전<br>6. 열린모임은 소그룹 배가번식 운동이다. |
| 5 | · 열린모임초청(A형)<br>· 관계맺기 | 1. 갈급한 자, 사명자, 충성된 자, 예비된 자, 헌신된 자, 낙심자는 5주부터 열린모임에 초청하기<br>2. 간증 나누기<br>3. 관계맺기 3단계:BEST와 식사하기<br>4. 열린모임 방문자에게 목사님 설교 Tape 또는 설교 CD 선물하기(A type) | 열린모임 실행 I<br>1. 당신은 지금 행복하십니까? |
| 6 | · 열린모임초청(A형)<br>· 관계맺기 | 1. 갈급한 자, 사명자, 충성된 자, 예비된 자, 헌신된 자, 낙심자 열린모임에 초청하기<br>2. 간증 나누기<br>3. 관계맺기 4단계:BEST섬기기(BEST필요채우기)<br>4. 열린모임 방문자에게 목사님 설교 Tape 또는 설교 CD 선물하기(A type) | 열린모임 실행 I<br>2. 당신은 지금 속고 있습니다. |
| 7 | · 열린모임초청(A형)<br>· 관계맺기 | 1. 갈급한 자, 시명자, 충성된 자, 예비된 자, 헌신된 자, 낙심자 열린모임에 초청하기<br>2. 간증 나누기<br>3. 관계맺기 5단계:BEST섬기기(BEST필요채우기)<br>4. 열린모임 방문자에게 목사님 설교 Tape 또는 설교 CD 선물하기(A type) | 열린모임 실행 I<br>3. 당신은 구원자 예수를 아십니까 |
| 8 | · 열린모임초청(A형)<br>· 관계맺기 | 1. 갈급한 자, 사명자, 충성된 자, 예비된 자, 헌신된 자, 낙심자 열린모임에 초청하기<br>2. 간증 나누기<br>3. 관계맺기 6단계:식사하기,감동적인 선물하기<br>4. 9주부터 열린모임 총동원임을 강조하기<br>4. 열린모임 방문자에게 목사님 설교 Tape 또는 설교 CD 선물하기(A type) | 열린모임 실행 I<br>4. 기도는 만사를 가능하게 합니다. |
| 9 | · 열린모임초청 | 1. BEST 열린모임 초청하기<br>2. 열린모임 방문자에게 목사님 설교 Tape 또는 설교 CD 선물하기(A,B type) | 열린모임 실행 I<br>5. 당신의 하나님은 누구십니까? |
| 10 | · 열린모임초청 | 1. BEST 열린모임 초청하기<br>2. 열린모임 방문자에게 목사님 설교 Tape 또는 설교 CD 선물하기(A,B type) | 열린모임 실행 I<br>6. 성공하는 인생의 법칙 |
| 11 | · 열린모임초청 | 1. BEST 열린모임 초청하기<br>2. 열린모임 방문자에게 목사님 설교 Tape 또는 설교 CD 선물하기(A,B type)<br>3. 교회 소개하기<br>4. 교회 초청을 위해 집중적으로 만나기<br>5. 전가족 아침 금식 새벽기도 총진군 | 열린모임 실행 I<br>7. 교회는 당신을 행복하게 합니다. |
| 12 | · 영혼추수주일 | 1. BEST 등록 시키기<br>2. 교회 초청 후 감사의 전화, 메일, 편지 발송하기<br>3. 등록 후 디렉터, 셀리더, 새가족 섬김이 심방하기 | |

하게 됩니다. 또한, 담임목사의 설교테이프를 준비해 선물하고 자연스럽게 교회에 대해 마음이 열리도록 하여 교회로 등록시킵니다. 12주 열린모임의 구체적인 진행은 〈표 1〉과 같습니다.

## 영혼 추수행사로 결실을

열린모임 11주 진행 후 12주째에 열리는 추수행사는 미쳐 열린모임을 통해 교회에 등록하지 못한 분들을 초청하는 시간입니다. 이때는 추수행사를 위해 전 가족이 새벽기도와 아침 금식기도로 추수주일을 준비합니다.

추수행사는 기존의 예배방식을 탈피해 베스트들이 쉽게 접근할 수 있는 이벤트 등을 준비합니다. 드라마, 영상, 댄싱 등 다양한 장르를 이용해 복음을 이야기하고 마지막에는 복음 메시지를 전하여 결신하게 합니다.

우리는 이러한 추수행사를 한해에 3차례 가지는데, 봄에는 '해피데이Happy Day축제', 여름에는 '귀빈초청축제', 가을에는 '행복나눔축제'라고 이름하여 초청장을 예쁘게 만들어 베스트들을 초청합니다. 또 연령대를 구분, 시간을 달리해서 초청행사를 하기도 하는데 연령대에 맞는 프로그램을 각각 준비하여 좋은 반응을 얻고 있습니다.

영혼 추수행사는 하나님의 일하심을 그 어느 때보다 극적으로 누리는 축제의 장입니다.

표 2  **행복나눔축제 Cue sheet**

| 시간 | 분 | 프로그램 | 출연 | 담당 | 음향 | 조명 | 영상 | 비 고 |
|---|---|---|---|---|---|---|---|---|
| 11:00 | 1' | 환영인사 | 사회자 | 예배연출자 | B.G | 무대조명 | 자막 | |
| 11:01 | 4' | 남성 중창<br>-행복의 나라로 | 서민수<br>외7명 | 예배연출자 | 반주 | 무대조명 | 자막 | |
| 11:05 | 1' | 행복나눔축제 Spot | 영상 | 멀티팀장 | B.G | out | 영상 | |
| 11:06 | 4' | 중창<br>- victory of my God | Yadah<br>Levites | 예배연출자 | 반주 | 무대조명 | 자막 | |
| 11:10 | 1' | 행복나눔축제 Spot | 영상 | 멀티팀장 | B.G | out | 영상 | |
| 11:11 | 15' | 드라마 | 이승희<br>외4명 | 뮤지컬팀장 | B.G | 무대조명 | 자막 | |
| 11:26 | 1' | 행복나눔축제 Spot | 영상 | 멀티팀장 | B.G | out | 영상 | |
| 11:27 | 4' | 기타듀엣<br>- 때로는 너의 앞에 | 이한배,<br>설재홍 | 예배연출자 | B.G | 무대조명 | 자막 | |
| 11:31 | 1' | 말씀영상 | 영상 | 멀티팀장 | B.G | 무대조명 | 스크린 | 강대상 셋팅/<br>영상시 담임목사 in |
| 11:32 | 1' | 담임목사 소개 | 사회자 | 예배연출자 | B.G | 전체 | 자막 | |
| 11:33 | 30' | 말씀<br>- 행복 Image | 담임목사 | 담임목사 | B.G | 전체 | 스크린 | |
| 12:03 | 1' | 영접기도 | 담임목사 | 담임목사 | B.G | 전체 | 스크린 | |
| 12:04 | 5' | 결신의시간 / 헌금<br>- 바이올린 연주<br>(Moon river) | 임예빈 | 예배연출자 | 반주 | 전체 | 스크린 | 볼펜, 결신카드<br>안내팀 배치<br>결신카드 담당자에게 |
| 12:09 | 2' | 새가족소개 | 새가족 | 담임목사 | B.G | 전체 | 스크린 | 자막처리 |
| 12:11 | 4' | 교회소개 영상 | 영상 | 멀티팀장 | B.G | 조명 out | 영상 | |
| 12:15 | 1' | 교회소식 설명 | 사회자 | 사회자 | B.G | 조명 in | 스크린 | 광고1.예배 설교<br>2.설교시리즈 |
| 12:16 | 4' | 축복송 | 다같이 | 찬양팀장 | 반주 | 전체 | 스크린 | '당신은 사랑받기 위해<br>태어난 사람' |
| 12:20 | 1' | 축 도 | 담임목사 | 담임목사 | 반주 | 전체 | 스크린 | 담임목사 축도함을<br>사회자가 멘트/<br>'사랑하는 자여' |

# 캠퍼스 12주 열린모임

대학은 학사일정 때문에 12주 열린모임 진행이 달라집니다. 처음에는
청장년 12주 열린모임과 함께 진행했는데 시험기간과 방학 등 학사일
정과 맞지 않는 어려움이 있어 대학은 캠퍼스 상황에 맞게 진행하고 있
습니다.

## 표 3  캠퍼스 12주 열린모임

| 주 | 12주 전략 | 실행지침 | 메시지 |
|---|---|---|---|
| | 열린모임 선포 | | |
| 1 | 기도하기(「땅밟기 기도」), 태신자 7명 정하기 | 1. 태신자 만들기를 참고로 태신자 정하기 [태신자 카드에 7명 이름 적기] <br> 2. 태신자를 위해 함께 기도하기 | 열린모임 비전 <br> 3. 열린모임은 소그룹 전도운동이다. |
| 2 | 기도하기(「땅밟기 기도」), 베스트 3명 정하기 | 1. BEST 정하기(태신자 중 이번에 꼭 전도하기를 원하는 3명을 BEST로 정하기) <br> 2. BEST를 위해 집중적으로 기도하기 | 열린모임 비전 <br> 4. 열린모임은 소그룹 기도전도운동이다. |
| 3 | 관계맺기 1단계: 베스트와 차 마시기 | 1. BEST를 위해 함께 기도하기 <br> 2. 관계맺기 1단계: BEST와 차 마시기 | 열린모임 비전 <br> 5. 열린모임은 소그룹 관계 [오이코시]전도운동이다. |
| 4 | 관계맺기 2단계: 베스트에게 간단한 선물하기 | 1. BEST를 위해 함께 기도하기 <br> 2. 간증문을 작성하고 나누기 <br> 3. 관계맺기 2단계: 간단해[부담스럽지 않은] 선물하기 | 열린모임 비전 <br> 6. 열린모임은 소그룹 배가번식 운동이다 |
| 5 | 관계맺기 3단계: 베스트와 식사하기 / A type 열린모임 초청 | 1. 갈급한 자, 사명자, 충성된 자, 예비된 자, 헌신된 자, 낙심자 열린모임에 초청하기 <br> 2. 간증나누기 <br> 3. 관계맺기 3단계: BEST와 식사하기 <br> 4. 열린모임 방문자에게 목사님 설교 CD 선물하기 | 열린모임 실행 l <br> 1. 당신은 지금 행복하십까? |
| 6 | 관계맺기 4단계: 베스트 가을소풍 초대하기 / A type 열린모임 초청 | 1. 갈급한 자, 사명자, 충성된 자, 예비된 자, 헌신된 자, 낙심자 열린모임에 초청하기 <br> 2. 간증나누기 <br> 3. 관계맺기 4단계: 베스트 가을소풍 초대하기 <br> 4. 열린모임 방문자에게 목사님 설교 CD 선물하기 | 열린모임 실행 l <br> 2. 당신은 지금 속고 있습니다. |
| 7 | 관계맺기 5단계: 베스트 필요 채우기 / A type 열린모임 초청 | 1. 갈급한 자, 사명자, 충성된 자, 예비된 자, 헌신된 자, 낙심자 열린모임에 초청하기 <br> 2. 간증나누기 <br> 3. 관계맺기 5단계: 베스트 필요 채우기 <br> 4. 열린모임 방문자에게 목사님 설교 CD 선물하기 | 열린모임 실행 l <br> 3. 당신은 구원자 예수를 아십까? |
| 8 | 관계맺기 6단계: 캠퍼스 이벤트 초청하기 감동적인 선물하기 / A type 열린모임 초청 | 1. 갈급한 자, 사명자, 충성된 자, 예비된 자, 헌신된 자, 낙심자 열린모임에 초청하기 <br> 2. 간증나누기 <br> 3. 관계맺기 6단계: 캠퍼스 이벤트 초청하기 감동적인 선물하기 <br> 4. 열린모임 방문자에게 목사님 설교 CD 선물하기 | 열린모임 실행 l <br> 4. 기도는 만사를 가능하게 합니다. |
| | 시험기간 | Best 격려하기 | |
| 9 | 열린모임 초청(A, B type) | 1. BEST 열린모임 초청하기 <br> 2. 열린모임 방문자에게 목사님 설교 CD 선물하기 | 열린모임 실행 l <br> 5. 당신의 하나님은 누구십까? |
| 10 | 열린모임 초청(A, B type) | 1. BEST 열린모임 초청하기 <br> 2. 열린모임 방문자에게 목사님 설교 CD 선물하기 | 열린모임 실행 l <br> 6. 성공하는 인생의 법칙 |
| 11 | 열린모임 초청(A, B type) | 1. BEST 열린모임 초청하기 <br> 2. 열린모임 방문자에게 목사님 설교CD 선물하기 <br> 3. 교회소개하기 <br> 4. 교회초청을 위해 집중적으로 만나기 <br> 5. 캠퍼스 전가족 아침 금식 새벽기도총진군 | 열린모임 실행 l <br> 7. 교회는 당신을 행복하게 합니다. |
| 12 | 추수주일 | 1. BEST 등록시키기 <br> 2. 교회 초청후 감사의 전화, 메일, 편지 발송하기 <br> 3. 등록 후 디렉터, 셀리더, 새가족 섬김이 심방하기 | |

관계맺기 전략 역시 대학생이라는 특수성에 따라 진행됩니다. 캠퍼스 12주 열린모임 전략은 〈표 3〉과 같습니다.

청소년 9주 열린모임

청소년 역시 중·고등학교 학사일정에 따라 열린모임을 9주로 조정하여 진행하고 있습니다. 방학과 시험을 모두 고려하여 일년에 네번 9주씩 실제적으로 열린모임이 될 수 있도록 한 것입니다.

청소년 9주 열린모임 실행은 〈표 4〉와 같습니다.

두날개 선교센터에서는 매해 여름이면 청소년 열린모임을 주제로 '청소년 비전캠프'와 '청소년 사역 집중훈련'을 가지고 있습니다.

2007년도에는 한동대학교에서 두 번의 '청소년 비전캠프'를 가졌는데, 광고 5분 만에 등록이 마감되어 이 땅의 청소년을 향한 하나님의 요청이 얼마나 긴급한지를 절감할 수 있었습니다.

사실 이 땅의 청소년은 세상의 문화에 거의 무방비 상태로 노출되어 있다고 할 수 있습니다. 인터넷 사이트를 통한 음란문화, 폭력문화, 가중되는 입시에 대한 스트레스… 어디에도 탈출구가 없어 보입니다.

왕따 문화가 성행하고, 학교 폭력이 난무하며, 성적이 떨어졌다고 자살하는 기가 막힌 일들이 일상처럼 일어나고 있습니다. 누구의 책임입니까? 당연히 우리의 책임입니다.

하나님이 창조하신 청소년들의 존귀함을 회복하고 자존감을 바르게 세워가도록 도와야 합니다. 무엇으로 가능합니까? 오직 말씀, 복음으로만 그들을 회복시키고 세워갈 수 있습니다.

청소년 열린모임은 이 땅의 청소년들을 회복시키는 운동입니다. 경

표 4  청소년 9주 열린모임 실행지침

| 주 | 전략 | 실행지침 | 기도 | 점검 |
|---|---|---|---|---|
| 1 | · 베스트 3명 정하기<br>· 매일 기도하며 땅밟기 | 1. 베스트 3명 정하기(전도대상자 중 이번에 꼭 전도하기를 원하는 3명을 정함)<br>2. 전도 소그룹 열린모임의 중요성 나누기<br>3. 학교 구석구석을 돌면서 매일 기도하며 땅밟기 | · 땅밟기 기도<br>· 개인기도 | 베스트 카드에 베스트 이름적기 |
| 2 | · 베스트를 위해 기도<br>· 매일 기도하며 땅밟기 | 1. 베스트를 위해서 집중적으로 기도하기<br>2. 학교 구석구석을 돌면서 매일 기도하며 땅밟기 | · 땅밟기 기도<br>· 개인기도 | 기도생활 확인<br>(열린모임을 위해 땅을 밟으며 매일 기도했나요?) |
| 3 | · 매일 기도하며 땅밟기<br>· 관계맺기 1단계(A,B형) | 1. 베스트를 위해서 집중적으로 기도하기<br>2. 학교 구석구석을 돌면서 매일 기도하며 땅밟기<br>3. 관계맺기 1단계: 베스트에게 사탕 선물하기(A,B형) | · 개인기도 | 기도생활 확인 |
| 4 | · 열린모임 초청(A형)<br>· 관계맺기 2단계(A,B형) | 1. 복음에 마음이 열려있는 친구 열린모임에 초청하기(A형)<br>2. 관계맺기 2단계: 베스트에게 초콜릿 선물하기(A,B형) | · 팀 기도<br>· 개인 기도 | 1. 열린모임 후 베스트 반응 확인하기<br>2. 기도생활 확인<br>(열린모임과 베스트를 위해 매일 기도했나요?)<br>3. 관계맺기 진행 현황 확인 |
| 5 | · 열린모임 초청(A형)<br>· 관계맺기 3단계(A,B형) | 1. 복음에 마음이 열려있는 친구 열린모임에 초청하기(A형)<br>2. 관계맺기 3단계: 베스트와 음료수 마시기(A,B형) | · 팀 기도<br>· 개인 기도 | 1. 열린모임 후 베스트 반응 확인하기<br>2. 기도생활 확인<br>(열린모임과 베스트를 위해 매일 기도했나요?)<br>3. 관계맺기 진행 현황 확인 |
| 6 | · 열린모임 초청(A형)<br>· 관계맺기 3단계(A,B형) | 1. 복음에 마음이 열려있는 친구 열린모임에 초청하기(A형)<br>2. 관계맺기 4단계: 베스트에게 과자 선물하기(A,B형) | · 팀 기도<br>· 개인 기도 | 1. 열린모임 후 베스트 반응 확인하기<br>2. 기도생활 확인<br>(열린모임과 베스트를 위해 매일 기도했나요?)<br>3. 관계맺기 진행 현황 확인 |
| 7 | · 열린모임 초청(A형)<br>· 관계맺기 3단계(A,B형)<br>· 초청장 나눠주기 | 1. 복음에 마음이 열려있는 친구 열린모임에 초청하기(A형)<br>2. 관계맺기 5단계: 베스트에게 감동적인 선물하기(A,B형)<br>3. 초청장 나눠주기 | · 팀 기도<br>· 개인 기도 | 1. 열린모임 후 베스트 반응 확인하기<br>2. 기도생활 확인<br>(열린모임과 베스트를 위해 매일 기도했나요?)<br>3. 관계맺기 진행 현황 확인<br>4. 베스트 열린모임 총동원임을 강조 |
| 8 | · 열린모임 초청(A형)<br>· 관계맺기 6단계(A,B형)<br>· 초청장 나눠주기<br>· 전 가족 아침 금식기도 | 1. 복음에 마음이 열려있는 친구 열린모임에 초청하기(A형)<br>2. 관계맺기 6단계: 베스트와 매점 가기(A,B형)<br>3. 초청장 나눠주기<br>4. 교회 초청을 위해 집중적으로 만나기 | · 팀 기도<br>· 개인 기도 | 1. 열린모임 후 베스트 반응 확인하기<br>2. 기도생활 확인<br>(열린모임과 베스트를 위해 매일 기도했나요?)<br>3. 관계맺기 진행 현황 확인<br>4. 전 가족 아침금식기도 |
| 9 | · 영혼추수주일<br>· 후속조치 | 1. 베스트 등록시키기<br>2. 후속 조치: 담당교역자, 셀교사, 새친구섬김이 심방 | · 개인기도 | 후속 조치가 잘 실행되고 있는지 담당교역자가 점검 |

쟁과 소외, 이기주의가 가득한 그들의 삶의 현장, 학교에서 복음을 선포하여 청소년을 회복하고 학교를 회복하는 운동입니다.

이 땅의 모든 중·고등학교에 열린모임이 열려야 합니다. 그래서 감수성이 예민한 청소년 때에 복음으로 바른 자아상을 회복하여 삶의 비전을 발견하게 해야 합니다.

그러므로 열린모임은 단순히 복음을 전하는 전도의 현장이 아니라 이 땅의 든든한 미래의 일꾼을 세워가는 희망의 산실입니다.


## 정착사역의 주인공, 새가족 섬김이

전도와 양육을 연결하는 고리는 새가족 정착사역입니다. 많은 교회들이 새가족이 등록하면 양육을 하려고 합니다. 그러나 먼저 교회에 안정적으로 정착한 후 양육에 들어가야 합니다.

한 통계에 의하면 전도해 온 새가족이 약 5~10%밖에 남지 않는다는 내용을 읽은 적이 있습니다. 100명을 전도해서 교회에 앉혀 놓으면 연말에는 5~10명 정도밖에 남지 않는다는 것입니다.

전도가 얼마나 어렵습니까? 전도해 온 사람만 잘 정착시켜도 교회는 폭발적으로 성장할 것입니다. 작년에 전도해서 들어온 숫자가 얼마인지 생각해 보십시오. 앞문으로 들어와 뒷문으로 나갑니다. 그래서 우리 교회는 새가족이 등록하면 양육부터 하는 것이 아니라 그들을 정착시키기 위해 온 힘을 쏟습니다. 그러한 새가족 정착사역을 새가족 섬김이 사역이라고 하며, 섬기는 이들을 새가족 섬김이라 합니다.

새가족 섬김이는 이름 그대로 새가족을 섬기는데, 교회 곳곳을 안내해주고 기존 성도들을 소개시켜 사람들과 쉽게 사귈 수 있도록 합니다. 또 주중에는 함께 식사하며 교제하여 낯선 환경에서 잘 정착하도록 돕고, 주일 아침에는 심방하여 교회로 데리고 오는 역할도 합니다.

4주째가 되면 담임목사와 만나는 시간을 가집니다. 이를 '새가족반'이라고 하는데 매달 첫째 주일 1부 예배 후에 모입니다. 이 시간에는 간단한 다과를 준비해 편안한 분위기에서 담임목사와 만납니다. 이때 담임목사로부터 직접 목회철학과 비전을 듣고 궁금한 점에 대해 질의하고 응답하는 시간도 가집니다.

비전은 공유해야 합니다. 기업에는 기업 이념이 있고, 가정에는 가훈이 있듯이 교회에도 교회의 비전이 있는데 자신이 다니는 교회가 어떤 비전을 갖고 있는지 아는 것이 중요합니다. 이 비전을 이해하고 공유할 때 소속감도 자연히 깊어지게 됩니다.

교회에 대한 소개와 질의 시간이 끝나면 교인 서약서를 작성합니다. 교인 서약서를 통해 가족이 되었음을 확인합니다. 또한 계속적인 신앙 성장을 위해 양육 받을 것을 다짐하고 양육반 신청서를 작성하도록 권고합니다. 이 모든 순서를 마치면 수료증이 수여되며 정식 교인이 되는 것입니다. 셀그룹 가족의 자격도 이때 주어집니다.

새가족반은 가족이 된 것을 축하하는 자리이기 때문에 축제의 분위기로 준비됩니다. 교회 성장을 원한다면 무엇보다도 새가족을 환영하는 교회가 되어야 합니다.

새가족 정착에 대한 오해가 있습니다. 시간이 지나면 저절로 정착할 것이라는 생각입니다. 절대로 그렇지 않습니다. 새가족과 기존 신자가 서로 교제할 수 있는 연결고리가 있어야 관계가 형성되어 정착할 수 있습니다. 그러므로 의도적인 프로그램이 필요합니다.

새가족에게 매력을 주는 교회가 있습니다. 불신자들이 매력을 느끼고 다시 방문하고 싶은 교회는 아주 긍정적인 건강한 자화상을 가진 교회입니다. 자신의 교회에 대한 자부심을 가지고 있는 교인들, 그런 교인들이 있는 교회는 한 번 가보고 싶은 마음이 들게 마련입니다.

'저 사람 무슨 이유 때문에 자기 목사를 그토록 자랑할까, 도대체 뭐가 색다르길래 자기 교회를 그렇게도 자랑할까?'라는 호기심이 교회에 첫 발을 디디게 하고 정착하게 하는 것입니다. 특별히 담임목사에 대한 존경과 신뢰가 높은 교회는 새가족들이 정착하기 쉬운 교회입니다.

또 다른 오해는 새가족 정착은 담임목사의 역량에 달려 있다고 생각하는 것입니다. 새가족이 교회를 떠나는 이유의 대부분은 기존 신자에게 있습니다. 성도들 사이에 문제가 생기거나 상처를 받으면 교회를 떠나게 되는 것입니다. 기존 성도들의 위선, 교만, 무관심 때문에 교회를 떠나는 경우가 많습니다.

마지막으로 새가족은 주일 예배만 참석해야 한다는 것도 잘못된 생각입니다. 처음부터 주일 낮, 저녁, 새벽기도 등을 잘 참석하게 해야 합니다.

그리고 새가족을 돕기 위해서는 현대인들의 특징을 잘 알아야 합니다. 현대인들은 내세보다는 현세에 훨씬 더 많은 관심을 가지고 있습니다.

그리고 잘못된 영적인 지식을 가지고 있는데, 대표적인 것이 뉴에이지입니다. 군중 속에서 많은 고독을 느끼는 것 역시 현대인의 특징입니다. 과거와는 비교할 수 없는 물질적 풍요로움을 누리고 있지만 실제로는 얼마나 고독 속에 몸부림치고 있는지 모릅니다. 깊은 공허함과 고독감, 소외감에 시달리며 내적인 상처와 아픔들이 많습니다.

새가족 섬김이는 청지기의 마음을 가지고 있어야 하며 헌신의 마음이 있어야 합니다. 영혼을 섬기는 데는 물질도 필요합니다. 그렇기에 물질과 시간, 몸과 마음을 주님께 드리는 사람이 되어야 합니다.

요셉이라는 바나바가 초대교회 때 어떻게 했습니까? 자기 전 재산을 팔아서 가져왔습니다. 섬기는 데 물질과 시간을 아까워해서는 안 됩니다. 이것이 섬김이 사역입니다.

또 순종하는 마음이 있어야 합니다. 성령님의 인도하심에 순종하는 자가 되어야 합니다. 늘 기대하는 마음으로 섬겨야 합니다. 지금 섬기는 새가족이 나중에 사도 바울과 같은 위대한 사역자로 세워질 것을 기대하며 중보해야 합니다. 언제나 기대하는 주님의 마음이 필요합니다. 무엇보다도 주님의 마음이 있어야 섬김이 사역을 할 수 있습니다.

새가족 섬김이는 어떤 자세를 가져야 할까요? 우선 가르치는 자가 아닌 섬기는 자로 예절을 잘 갖추어야 하며 첫 인상이 좋아야 합니다. 그러기 위해서는 옷차림, 인사가 정중해야 합니다. 표정은 항상 상냥해야 하며 사랑이 넘치도록 해야 합니다. 언어도 부드럽고 친절해야 합니다.

또 상대방의 믿음의 분량에 따라 대해야 합니다. 그리고 결코 자기를 자랑해서는 안 됩니다. 자신을 알기 위한 질문에 대한 대답은 "차차 알게 됩니다"라고 이야기하며 교회와 담임목사 그리고 주님께 집중시켜야 합니다. 그와 나눈 이야기는 천국 갈 때까지 비밀이라는 걸 기억해야 합니다.

그리고 새가족 본인의 이야기를 하게 될 때 섬김이는 듣고 또 듣는 자가 되어야 합니다. 섬김이는 자기 이야기를 많이 하는 사람이 아니라 듣는 사람임을 명심해야 합니다. 관심을 가지고 들어야 하며 관심을 가지고 잘 듣고 있다는 것을 표현해야 합니다.

만약 새가족이 경우에 맞지 않는 말을 한다 할지라도 무시해서는 안 됩니다. 듣는 데는 몸의 언어가 중요합니다.

새가족 섬김이 사역을 할 때 원칙이 있습니다. 그것은 이권에 개입하는 것을 절대 삼가야 하며 순수해야 합니다. 그리고 언제나 교회와 목사님을 자랑하고 오직 하나님께 영광 돌리는 것, 이것이 새가족 섬김이 사역입니다.

## 새가족 환영팀

새가족을 정착시키는 사역에는 새가족 섬김이와 함께 새가족 환영팀이
활동하고 있습니다. 새가족 환영팀은 새가족 섬김이 사역을 돕는 팀입
니다.

새가족이 교회에 오면 자리로 안내합니다. 예배 후에는 간단한 다
과가 준비된 VIP실에서 새가족과 섬김이의 만남을 준비합니다. 새가족
이 등록 카드를 내면 사진을 찍어 게시하는 일까지 새가족 환영팀이 담
당합니다. 매 달 첫 주에 새가족반을 준비하는데, 〈표 5〉와 같이 사역
하고 있습니다.

우리 교회는 새가족 섬김이 학교를 수료하면 새가족 섬김이로 섬기
도록 합니다. 바울을 세웠던 바나바와 같은 심정 없이는 하기 힘든 일

**표 5 새가족 환영팀 사역**

| 사역자 | | 역 할 |
|---|---|---|
| 새가족 담당 교역자 | | 새가족 섬김이 사역 점검과 진행, 대안제시 |
| | | 새가족반 전반적인 진행, 새가족 섬김이 관리 |
| 교구장/디렉터 | | 교구/공동체 새가족 심방 |
| | | 교구/공동체 새가족 섬김이 사역 점검 및 보고 |
| 새가족 섬김이 | | 3주간의 새가족 섬김이 사역, 기도와 돌봄 |
| 새가족 환영팀장 | | 매주 새가족 환영 준비 및 매월 새가족반 준비 및 진행 |
| | | 새가족 섬김이 사역에 대한 행정적인 지원 |
| 새가족 환영팀 | 사무 | 담임목사 편지 발송, 새가족반 안내 편지 발송 |
| | 촬영 | 새가족 사진 촬영과 게시, 새가족반 촬영 |
| | 접대 | 매주 새가족 다과와 식사 준비, 매월 새가족반 다과 준비 |
| | 엔지니어 | 마이크, 비디오, 그 외 음향 시설 세팅, 음향 및 영상 조정 |

입니다. 나에게 맡겨진 새가족을 어떤 어려움이 있어도 꼭 정착시키겠다는 의지와, 새가족이 있는 곳이면 어디든지 기꺼이 찾아가는 헌신과 눈물의 기도가 있어야 하기 때문입니다. 감사하게도 우리에게는 이런 새가족 섬김이들이 많이 있습니다. 그들의 포기하지 않는 기도와 헌신으로 새신자들이 잘 정착해서 교회의 훌륭한 일꾼으로 세워진 아름다운 이야기는 무수히 많습니다.

## 필요를 채우는 특수 전도팀

필요 중심적 전도의 핵심은 불신자의 필요를 채우는 데 있습니다. 특수전도는 바로 그런 취지에서 비롯되었습니다. 미용이나 의료, 컴퓨터 등 전문적인 재능이나 직업을 가진 사람들이 모여 전도 대상과 지역을 정해 사역하고 있습니다.

또한 토요일이면 지역 청소로 지역 주민에게 좋은 이미지를 심고 있습니다. 앞으로 지역 주민을 위한 더 많은 행사를 기획해 지속적으로 지역을 전도해 나갈 계획입니다.

많은 교회들이 선교에는 민감하면서 교회와 인접한 지역 전도에 소홀한 경우가 많습니다. 주님께서는 사도행전 1장 8절에 "온 유대와 사마리아와 땅 끝까지"라고 말씀하셨습니다. 이 말씀은 지역 교회의 사명도 잘 감당해야 한다는 뜻입니다.

이를 위해 우리는 전도에 은사가 있는 사람들과 지원자들을 모집해 전도 특공대를 만들었습니다. 이들은 매일 모여 기도하고 지역에서 전도하고 있습니다. 이들은 특공대답게 비가 오든 날씨가 춥든 개의치 않고 한결같은 마음으로 전도에 힘쓰고 있습니다.

전도 특공대와 더불어 지역 주민들의 필요를 채우기 위한 차tea전도도 병행하고 있습니다. 매주 시간을 정해 봄·여름에는 시원한 음료수를, 가을·겨울에는 따뜻한 차로 교회 인근의 상가와 주민들을 섬기는데 호응이 아주 좋습니다.

이때는 교회 오라는 직접적인 이야기는 피하고 음료와 차를 건네주며 축복의 이야기를 함께 건넵니다. 몇 년째 차 전도를 하고 있는데 교회에 대한 좋은 이미지를 심어주는 것은 물론, 이를 계기로 지역 주민들이 자연스럽게 교회를 찾는 경우가 많습니다. 그들의 필요를 찾아 섬기기 때문에 전도가 되는 것입니다.

또 인근의 종합병원을 매주 방문해 직원과 환자를 대상으로 전도하고 있습니다. 죽음의 절박함 가운데 있는 암 환자들이 극적으로 예수님을 영접하는가 하면, 육신의 병을 만나고서야 비로소 인간의 무력함과 한계를 깨달은 많은 환자들이 매주 주님께로 돌아오고 있습니다.

그런가 하면 의료 전도는 우리 교회에서 몇 년째 지역 주민을 대상으로 시행하고 있는 일입니다. 매달 첫째 주일이면 지역 주민을 대상으로 의료 진료를 하는데, 지역의 가난하고 소외된 분들이 찾아오십니다.

우리 교회에는 초기부터 하나님께서 의료에 종사하는 분들을 많이 보내주셨습니다. 특히 현역 간호사들이 300여 명 이상 되는데, 이들이 의료 전도의 중추 역할을 해왔습니다.

의료 전도가 있는 날이면 교회는 환자들로 북새통을 이룹니다. 여기저기서 기도 소리가 들리고, 환자들을 위로하고 격려합니다.

병을 약으로만 치료해서는 안 됩니다. 아픈 곳이 나아서 지옥 가는 것보다 병든 몸일지라도 천국 가는 것이 낫습니다. 하지만 이왕이면 몸도 낫고 영혼도 구원받아야 합니다. 그래서 우리는 의약적인 처방과 더불어 그 영혼을 위해 함께 기도해 주는 것입니다.

의료 전도팀은 지역에서뿐만 아니라 해외 비전 트립에서도 큰 몫을 감당합니다. 필리핀으로 단기 선교를 갔을 때 필리핀 원주민들을 대상으로 한 의료 선교는 현지 선교사님의 사역에 큰 힘이 되었습니다.

우리가 방문한 필리핀 원주민들의 의료 현실은 말 그대로 열악했습니다. 대부분이 덥고 습한 기후로 인한 피부병으로 고생하고 있었습니다. 소독약, 치료제만 있었으면 큰 병으로 발전하는 것을 방지할 수 있었는데, 약을 구할 수 없어 생명까지 위협 받고 있는 상태였습니다. 물론 현지 선교사님이 가끔 방문하여 간단한 처방은 해주고 있었지만 약품은 물론 전문적인 지식이 부족해 애를 먹고 있었습니다.

우리 의료팀의 사역은 그들에게 도움을 주었고, 무엇보다도 생명을 살리는 귀한 계기가 되었습니다. 그때의 기억이 아직도 선명합니다. 까무잡잡한 피부에 커다란 눈, 두려움에 가득 찬 눈빛으로 우리에게 아픈 상처를 내 보이던 그들…. 일주일이라는 짧은 시간에 그들에게 줄 수 있는 것은 아주 작았지만, 우리 의료팀은 이 비전 트립을 계기로 다시 한 번 의료 전도에 대한 각오를 새롭게 했습니다.

주님이 공생애 사역에서 많은 시간을 병든 자를 고치는데 사용하셨듯이 우리 의료 전도팀 또한 하나님이 주신 귀한 직업으로 병든 자들을 찾아 그들을 치유하며, 영혼 또한 치유하는 사명을 감당하는 것입니다.

중요한 사실은 우리가 인생의 해답을 가지고 있다는 것입니다. 복음을 깨달은 우리가 인생의 해답을 쥐고 있다는 것은 주어진 전도의 책임을 의미합니다.

인생의 모든 문제에 대한 대답, 풀리지 않는 모든 문제에 대한 해법, 복음에는 그 모든 것들이 있지 않습니까? 그러니 불신자들이 복음에 대해 갖는 그 본질적인 필요를 보십시오. 그리고 그 필요를 복음으로 도울 방법을 찾으십시오. 이것이 필요 중심적 전도입니다.

7장  영감있는 예배

최근 새들백교회나 윌로우크릭교회 등의 영향을 받아 구도자 예배를 시행하는 교회가 많아졌습니다. 이러한 교회들은 불신자들을 향한 복음 전파를 목표로 예배를 드립니다.

새들백교회나 윌로우크릭교회 등은 그런 방법으로 성장했지만, 그 방법을 모방해서 구도자 예배를 시행한 한국의 교회들이 모두 그와 같은 성장을 이룬 것은 아닙니다.

슈바르츠는 "영감있는 예배는 예배의 목표와 대상이 신자 중심이냐 불신자 중심이냐, 영적인 언어로 예배하느냐 세상적인 언어로 예배하느냐, 의식에 따르는 예배를 드리느냐 좀 더 자유로운 예배를 드리느냐 하는 것에 좌우되는 것이 아니라 '참석한 사람들에게 영감을 주는 예배인가'하는 것이 관건이다"고 말합니다. 이것이 바로 성장하는 건강한 교회와 성장하지 않는 병든 교회를 뚜렷하게 구분 짓는 특징입니다.

영감있는 예배에 참석한 사람들은 예배를 통해 하나님의 임재를 경험할 뿐 아니라 한결같이 예배가 '재미있다'고 말하는데, 이것은 결국 예배의 본질을 추구했을 때 나타나는 열매들인 것입니다.

구도자 예배든 전통적인 예배든 건강하게 성장하는 교회의 예배는 즐겁고 영감이 넘칩니다. 영적인 감동이 없는 예배는 아무리 좋은 프로그램에 뛰어난 연출 효과를 지니더라도 예배에서 찾을 수 있는 독특한 기쁨을 얻지 못합니다.

이런 이유로 예배가 지루하다는 이야기가 나오고 결국에는 성도들의 영혼을 약화시키고 교회를 병들게 합니다. 예배에 있어서 설교 시간이 길고 짧음이 중요한 것 또한 아닙니다.

중요한 것은 하나님의 마음을 성경에서 펼쳐 보임으로 생명의 기운이 넘치느냐, 그렇지 않고 적당히 읊어대는 흥밋거리들만 채워서 시간을 때우느냐의 차이입니다.

마찬가지로 교회 음악이 전통적이냐 현대적이냐 하는 점도 본질과 거리가 있습니다. 성령님께서 부으시는 찬양의 영을 통해 하나님을 노래하며, 그 노래로 인해 성도들도 즐거움이 우러나고 기쁨이 샘처럼 솟는 음악이면, 그것이 전통적이든 현대적이든, 국악이든 양악이든 아무 상관이 없습니다.

예배의 순서나 절차 역시 그렇습니다. 형식이 중요한 것이 아니라, 그 순서나 절차에 물 흐르듯 자연스레 역사하시는 성령님의 임재가 진정으로 보이는가, 그렇지 않는가가 중요합니다.

성도들이 예배 시간을 기다리고 예배 참석을 즐거워하며 교회 가는 것이 즐겁다고 말하는 교회가 건강한 교회입니다.


## 감칠맛 나는 예배

대부분의 개척 교회가 그러하듯 우리도 처음에는 시장 앞 상가 건물 4층을 임대했습니다. 1층 팬시점, 2층 호프, 3층 당구장, 그 유혹을 통과해야 비로소 4층 교회에 도착합니다.

교통편도 불편했습니다. 버스에서 내려 10분 이상 걸어야 하고, 가장 가까운 지하철역은 버스를 타고 30분 이상 가야 했습니다.

'어떻게 이런 환경을 생각지 않고 사람들이 교회로 오게 할 수 있을까?'하는 것이 저의 가장 큰 고민이었습니다.

그러던 어느 날 부산의 〈가야 밀면집〉이란 곳에 갔습니다. 얼마나 유명한지 차를 타고 가서 1시간을 기다렸다 먹고 갈 정도였습니다. 그렇다고 시설이 좋거나 주차장이 넓은 것도 아니었습니다. 허름한 집에다 주차장은 좁고 교통도 불편해 한번 찾아가려면 애를 먹었습니다. 하지만 가야 밀면집은 사시사철 사람들로 붐빕니다. 그 이유는 맛이 있기 때문입니다. 언제나 손님들로 가득 찬 가야 밀면집을 보며 '맛만 있으면 환경이 좋지 않더라도 사람들이 찾아오는구나!'라는 생각이 들었습니다.

4층 꼭대기에 교통도 불편한 우리 교회에 어떻게 하면 사람들이 기쁨으로 찾아오게 할 수 있을까에 대한 해답이 바로 가야 밀면집에 있었습니다. 우리에게도 우리만의 맛이 있으면 되겠다고 생각했습니다. 그래서 그때부터 풍성한교회만의 맛이 있는 예배를 드리기 위해 기도하고 연구하며 고민하기 시작했습니다.

맛이 있는 예배, 풍성한교회에서만 맛볼 수 있는 예배, 가슴이 시원해지는 예배, 그래서 손꼽아 기다리는 예배, 성령께서 역동적으로 운행하는 예배, 말씀이 살아 있어 바로 그 자리에서 역사가 일어나는 예배, 기쁨과 감동을 체험하는 예배, 그런 영감있는 예배여야 했습니다.

이제 그 해답은 알았는데 문제는 어떻게 하면 그런 예배가 될 수 있을까 하는 것이었습니다. 그래서 우리만의 맛을 내기 위해 열심히 준비했습니다.

성도들과 함께 열심히 예배의 질을 높이기 위해 노력하던 어느 날, 우리의 노력이 결실을 맺어가는 징후를 발견했습니다.

한 자매가 이런 말을 했습니다. 자기는 "예배가 너무 재미있고, 목사님 설교말씀이 무척 기다려지는데, 왜 예배가 매일 없는지 안타깝다"는 것이었습니다. 그 자매의 말을 들으며, '우리 예배도 드디어 독특한 맛이 생겨나게 되었구나'하는 생각을 하게 되었습니다.

교회가 건강하게 성장하기 위해서는 제자훈련, 소그룹, 은사별 사역 등 어느 것 하나 빼놓을 수 없이 다 중요하지만 가장 중요한 것은 예배입니다.

우리 교회의 예배는 아주 특별한 맛을 지니고 있습니다. 세상에 그런 예배가 어디 있느냐고 말할지 모르지만, 저는 그런 예배가 있다고 자신 있게 말할 수 있습니다. 우리는 끊임없는 갱신의 과정을 거쳐서 오늘날 그런 예배를 드리고 있다고 자부합니다.

예배는 생명입니다. 예배에 성공하는 자가 일상의 삶에서도 형통한 복을 누립니다. 예배만 잘 드려도 기적을 체험합니다.

우리교회의 황인재 청년이 기억납니다. 그는 젊은 나날을 병고를 치루며 방황하며 살았습니다. 형제는 27살에 폐결핵을 앓게 되었고, 2년간의 약물 치료를 받았습니다. 치료 받을 때는 완치 된 듯 했지만 자주 재발해서 결핵전문병원에 입원하기로 하고, 그 전날 우리교회를 찾아온 것입니다.

중고등부 이후, 교회를 떠난 지 11년 만에 예배의 자리에 섰고 그는 주일 저녁 찬양예배를 드리면서 하염없이 울고 또 울었습니다. 가족 같은 교회 품에 안긴 안락함과 평온함 때문에 자신의 아픔이나 초라함은 잠시나마 잊었습니다. 형제는 그날 예배에서 갈급한 마음으로 하나님께 매달렸으며 감사와 감격의 예배를 드렸습니다. 다음 날 입원을 위해 재검사한 결과, 담당 의사도 놀랄 정도로 증상이 사라져 입원할 필요도 없이 퇴원하게 되었습니다. 하나님 품으로 돌아온 황인재 형제는 지금 든든한 일꾼으로 세워져 함께 달려가고 있습니다. 하나님은 스스로 하나님 되심을 증거하시고 사랑하시는 자들을 부르시고 인도하시고 의롭다하시고 영화롭게 하시는 분이십니다.

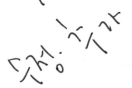

## 축제와 문화로서의 예배

새들백교회의 릭 워렌 목사는 예배를 "하나님 자신과 그분이 하신 말씀과 그분이 하시는 일들에 대한 우리의 사랑을 표현하는 것"이라고 했습니다.

다시 말하면 예배란 우리를 구원하신 놀라운 하나님의 사역과 은혜에 대하여 우리의 사랑을 표현하는 것입니다. 이 사랑의 행위는 감격 그 자체이며 축제의 분위기가 될 수밖에 없습니다. 오늘날 웃음을 잃어버린 우리의 예배, 감격을 상실한 우리의 예배는 문제투성입니다. 우리는 하나님께 대한 사랑을 표현하는 합당한 방법이 얼마든지 있다는 사실을 깨달아야 합니다. 그것은 기도, 찬양, 감사, 말씀에 귀 기울임, 간증, 말씀에 대한 순종 등입니다.

오늘날 우리가 드리는 예배의 가장 큰 문제는 지금까지 우리가 드려온 사랑의 표현만을 절대적인 것으로 생각한다는 점입니다. 사랑의 본질에는 변화가 없지만, 사랑의 표현은 문화와 시대에 따라 다르게 변한다는 사실을 알아야 합니다. 이제 우리는 예배를 어떤 추상적인 것으로 생각하지 않고 우리 생활 속에서 드리는 구체적인 행위 즉, 사랑의 고백으로 생각해 볼 필요가 있습니다. 하나님께 대한 우리의 사랑 표현도 마찬가지입니다.

그러므로 올바른 예배 형식이란 따로 없습니다. 사실 우리의 예배 형식도 어떤 신학적인 근거보다는 우리의 문화적 배경에 훨씬 더 영향을 받습니다. 문제는 모든 교파와 교회들이 자신들이 드리는 예배 형식을 가장 성경적이라고 말하고 싶어하는데 있습니다.

그러나 성경적인 예배 형식이란 없습니다. 사실 이 시간에도 세계 각처에서 진정한 그리스도인들이 자신들의 고유한 언어와 형식으로 하나님에 대한 사랑을 표현하며 예배하고 있습니다.

중요한 것은 우리의 예배가 성령과 진리 안에서 드리는 예배인가 하는 점입니다. 이 예배는 영감 곧, 영적인 감격으로 가득한 예배를 의미합니다. 가슴에서 나오는 모든 고백은 우리의 감정을 통해 표현되어야 합니다.

예배의 갱신도 단순히 예배의 형식을 바꾸거나 음악을 현대인들이 좋아하는 것으로 바꾸는 차원이 아니라 성령과 진리 안에서 드리는 예배여야 하는 것입니다. 예배를 드리는 사람들에게 가장 감격적인 예배가 되어야 하는 것입니다. 영감있는 예배는 1시간 혹은 2시간을 드려도 예배시간이 부족해 아쉬운 마음을 가지는 예배입니다.

예배 갱신의 목표는 성령과 진리 안에서 예배를 드리는 것이며, 이러한 예배를 드리기 위한 우리의 표현은 얼마든지 바뀔 수 있습니다.

한국 교회의 성장을 분석해 보면, 교회가 시대에 따라 어떤 흐름에 의해 움직여 왔음을 볼 수 있습니다. 1970년대의 성장이 여의도에서 시작된 대형 집회를 기점으로 한 부흥회 중심이었다면, 80년대는 성경공부와 제자 양육을 통한 내실 있는 성장의 양상들이 나타났고, 90년대부터는 찬양이 살아있는 교회들이 성장했습니다. 그러면 21세기 한국 교회의 성장을 주도할 흐름은 무엇일까요?

여러 가지 대답이 있겠지만, 예배의 변화가 중요한 흐름을 주도할 것이라고 예측할 수 있습니다. 21세기 한국 교회의 성장은 예배의 변화가 주도할 것입니다. 21세기 예배 변화의 특징은 조용한 명상의 예배가 아니라 보다 축제적인 분위기에서 기쁨으로 송축하는 예배라는 점입니다.

「시스터 액트」라는 영화를 보면 감동적인 장면이 나옵니다.

우연히 살인 현장을 목격한 삼류 여가수가 살인범들의 추격을 피해 수녀원에 들어가 가짜 수녀가 됩니다. 수녀원에 있다 보니 성당의 미사에 참석하지 않을 수 없게 되고, 어찌하다 성가대의 지휘까지 맡게 됩니다. 그녀는 그동안 성당에서 해왔던 고전적인 방식을 그대로 따르지 않고, 성가를 현대적인 재즈풍으로 바꾸고 발랄한 율동까지 섞습니다.

재미있는 것은 사람들의 반응입니다. 그동안 성당은 몇 명의 노인들만 남아 자리를 채우는 경로당과 같았고, 이들마저도 미사 시간 내내 졸기만 했습니다. 그런데 성가가 바뀌자 졸기만 했던 그들이 잠에서 깨어나고, 성당 밖에 있던 젊은이들은 자신들이 좋아하는 리듬의 음악이 들려오자 성당 안으로 몰려들기 시작했습니다. 몇 명의 노인들만 자리를 지키던 넓은 성당은 금세 젊은이들로 가득 차면서 놀라운 감동이 전개됩니다.

이러한 시대에 맞춘 변화의 반응은 단순히 영화에서만 나오는 이야기가 아닙니다. 우리는 교회의 전통을 고집함으로 오히려 사람들을 교회 밖으로 내몰고 있는 것은 아닌지 진지하게 생각해 봐야 합니다. 본질은 변하지 않아야 하지만, 시대에 따라 형식은 변화될 수 있습니다. 아니 변화되어야만 합니다.

머리를 치렁치렁 땋은 채 역사책에서나 본 듯한 한복을 입거나 갓을 쓴 채 동료가 출근했다면, 사람들은 그에 대해 어떤 반응을 보이겠습니까? 아마도 연극을 하거나 무슨 사연이 있을 거라고 추측할 것입니다. 왜냐하면 이 시대에 어울리지 않는 복장이기 때문입니다. 결코 복음은 변질되지 않아야 하지만, 그것을 전하는 형식은 시대에 맞는 옷으로 바뀌어야 합니다.

# 예배를 철저히 기획하라

영감있는 예배는 드라마처럼 생생하게 살아 움직입니다. 이 예배의 특징은 형식의 파괴에서 오는 것이 아니라 진정으로 철저히 준비된 예배를 통해 만들어진다는 사실에 주목할 필요가 있습니다.

윌로우크릭교회의 예배 담당자는 "예배 중 5초 동안 아무 소리도 들리지 않는 틈이 생기는 한 예배가 아니다"라고 말합니다. 그만큼 철저히 준비하지 않고는 예배를 드리지 않는다는 것입니다.

우리는 어떻게 하면 최고의 예배, 축제의 예배를 하나님께 올려 드릴 수 있는지 연구하여 예배를 기획하고 있습니다. 예배를 기획한다는 말이 생소합니까? 미국 윌로우크릭교회나 새들백교회는 온갖 정성과 시간을 다해 예배를 철저히 기획하고 있으며, 예배 시간 내내 지루하지 않게 단 5초의 틈도 주지 않는 최고의 예배를 드립니다.

우리 교회도 실제로 이와 같은 예배를 기획하고 끊임없이 예배를 갱신하여 하나님께는 영광을 돌리며, 성도들은 축제로서의 예배를 드리고 있습니다.

유럽과 미국의 가장 웅장한 건물들 대부분은 교회입니다. 그럼에도 불구하고 그곳은 텅 비어 있습니다. 예배당이 비어 가는 풍경은 바로 영적 전쟁에서의 패배를 의미합니다.

그런데 이와는 정반대로 놀랍게 부흥하는 교회가 있습니다. 이것은 단순히 수적인 증가의 부흥이라는 일반적인 개념을 떠난 것입니다. 그러한 역동적인 예배가 있는 교회로 윌로우크릭교회, 새들백교회, 갈보리채플, 그레이스연합교회, 크리스천톰교회 등을 들 수 있습니다.

이런 교회들의 특징은 매우 비슷합니다. 한국의 성장하는 몇몇 교회 또한 이런 모습을 가지고 있습니다. 그 교회들은 특별한 비밀이나 은사를 가지고 있는 것도 아닙니다. 그 특징들이란 너무나 단순하고 상식적인 것들입니다.

첫째, 복음 중심의 교회입니다. 모든 교회가 복음을 알기 쉽게 잘 전달하고 있습니다. 이와는 반대로 복음을 너무 어렵게 만들어 전하며, 또한 복음이 철학으로, 율법적으로, 혹은 지식적으로 변질된 교회가 많습니다.

그러나 부흥하는 교회를 살펴보면 설교에서 오직 복음만을 전하고 있으며, 게다가 복음을 아주 단순하게 설명한다는 공통점을 가지고 있습니다. 예배에 참석한 회중은 멋진 설교자의 숙달된 강연이 아니라 바로 단순한 복음을 듣고 회개하며 기뻐합니다.

설교에서는 질책과 정죄보다 용기와 위로를 주고 복음을 현실에 쉽게 적용할 수 있게 안내해 주어야 합니다. 목회자의 설교는 이와 같이 시대와 문화적인 변화에 맞추어 달라져야 합니다.

설교는 성도들이 교회를 선택하는 데 결정적인 작용을 하기 때문에 매우 중요합니다. 90%의 성도들이 교회 선택의 기준을 설교로 결정합니다.

설교는 예수를 중심으로 십자가의 복음을 전하는 것이어야 하며 그로 인해 기쁨이 충만해야 합니다. 설교에는 예언자적인 메시지가 있어야 계속적으로 듣고 싶어집니다. 예언자적인 메시지가 되기 위해서는 성도들의 필요를 충족시키는 설교가 되어야 합니다.

설교는 듣는 사람에게 즐거움과 기쁨과 참 평안을 주어야 하며, 위로와 용기와 가능성을 주어야 합니다. 또한 소망과 비전과 광명을 주어야 하며, 미래에 일어날 좋은 일에 대한 축복과 확신과 믿음을 주어야 합니다. 설교를 통해 용서와 일치와 이해가 일어나야 합니다.

훌륭한 설교의 특징은 예배가 끝나는 순간부터 시작됩니다. 설교는 성도들에게 변화를 촉구하며, 즐거움과 기쁨과 참 평안을 주어야 합니다. 성도들은 설교로 인해 위로를 받고 용기와 가능성으로 얼굴이 빛나며, 소망과 비전과 광명으로 발걸음이 가벼워져야 합니다.

또 축복과 확신과 믿음으로 적극적인 행동을 하게 하며, 용서와 일치와 이해로 사랑의 언어를 사용하게 됩니다. 예배를 드린 후에 이러한 변화가 나타나면 교회에 나오지 말라고 아무리 말려도 교회에 나오지 않고는 못 견딥니다. 이것이 예배의 '맛' 입니다.

둘째, 회중이 동참하는 예배입니다. 대부분 교회의 예배들은 어떤 면에서 지극히 프로그램화되어 있습니다. 의자에 앉아 있는 성도들은 자리에서 두서너 번 일어났다 앉습니다. 대개 지정된 찬송가를 부르며 보통 한 시간에서 한 시간 반 만에 예배가 끝납니다.

또한 예배가 설교에 집중되어 있습니다. 그러나 회중 중심의 예배는 예배 시간에 서로 기도하고 함께 찬양합니다. 그리고 평신도가 드라마, 연극, 찬양 등을 통해 적극적으로 예배에 동참합니다. 그들은 구경꾼이 아니라 참 예배자의 자리로 나아오는 것입니다.

우리 교회의 예배 가운데 두드러지는 한 가지는 성가대석이 따로 없다는 점입니다. 그것은 '보는 예배'에서 '참여하는 예배'로의 전환을 의미합니다. 찬양팀의 인도로 모든 성도가 함께 찬양을 드리도록 되어 있습니다. 찬양팀만 찬양으로 예배에 참여하는 것이 아니라 모두가 함께 찬양하는 것입니다.

이것이 '보는 예배'와 '참여하는 예배'의 차이점입니다. 21세기는 포스트모더니즘 시대입니다. 포스트모더니즘 시대에서 중요한 것은 영성과 감성, 체험입니다. 예배를 통해 하나님을 만나고 느끼는 체험이 있어야 하는데, 찬양은 그 지름길입니다.

찬양은 곡조가 있는 기도로서 예배 인도자가 혼자만 부르거나 성도들이 억지로 또는 적당히 찬양하도록 해서는 절대로 안 됩니다.

예배의 사회자가 깨뜨려야 할 고정관념은 예배에 참석한 모든 성도는 관객이고 예배에 순서를 맡은 사람만이 배우라고 생각하는 것입니다. 찬양을 부를 때에 모든 성도가 관객으로서가 아니라 배우이자 주인공으로서 적극적으로 참여할 수 있도록 해야 참된 예배자가 될 수 있습니다.

우리 교회는 예배 시간에 종을 치지 않습니다. 묵도와 축도 모두 마찬가지입니다. 성령님의 기름 부으심을 방해하지 않기 위해서입니다. 성령님은 인격적인 분이십니다. 그분을 환영하는 곳에 더 크게 역사하십니다. 그래서 우리는 기도합니다. "성령님, 환영합니다. 성령님, 인정합니다. 나의 전부이신 성령님, 이 시간 역사하여 주옵소서."

어떻게 하면 성령님께서 기름 부으시는 영감 있는 예배를 드릴 수 있을까요? 그 대답은 간단합니다. 성령님이 기뻐하시는 영적인 분위기를 만들면 됩니다. 하나님은 찬양을 보좌 삼아 임재하십니다. 전심으로 기뻐하며 하나님을 바라며 그분을 사모하며 하나님을 찬양해야 합니다. 찬양은 성령께서 역사하시는 통로입니다.

셋째, 시대에 맞는 커뮤니케이션을 하는 교회입니다. 21세기에 살고 있는 교인들은 21세기의 생활 문화를 누리며 삽니다. 그러나 교회 안에 들어오면 18세기에 작곡된 찬양을 부릅니다. 이런 찬양은 고전적이며 매우 거룩합니다.

그러나 문제는 지금이 21세기라는 사실입니다. 현재는 21세기의 음악 리듬이 있고, 21세기의 문화 공감대가 있습니다. 그런데 대다수의 교회들은 18세기와 19세기의 음악으로만 음악적 공감대를 만들려 합니다. 문제는 찬양만이 아닙니다. 늘 같은 설교 전달법, 매년 같은 교회 행사, 매년 같은 수련회 등이 반복됩니다. 물론 똑같다고 해서 다 나쁘다는 것은 아닙니다. 다만 문제가 되는 것은 지금 교회에 있는 회중의 문화와 교회 문화의 현실의 갭이 매우 크다는 것입니다. 문화의 현실을 바꾸려 하기보다 오히려 일방적으로 그들이 따라 오기만을 바라고 있습니다.

시대에 맞는 커뮤니케이션을 하는 교회는 21세기 문화를 배경으로 21세기 교회 문화를 만듭니다. 첨단 문화를 복음의 훌륭한 전달 매체로 적극 활용해야 합니다. 지금의 교회 문화로는 21세기 성도들과의 커뮤니케이션이 불가능함을 알고, 복음의 본질을 제외한 모든 불필요한 포장과 장식품들은 과감히 버려야 합니다.

지금은 읽는 시대가 아니라 보는 시대입니다. TV, 영화, 컴퓨터, 영상으로 말하는 시대입니다. 그래서 우리는 예배 때마다 영상을 적극적으로 활용하고 있습니다.

우선 교회 광고를 영상으로 띄우고 있습니다. 예배국 안의 멀티미디어 팀이 매주 광고를 영상으로 자체 제작하고 있는데, 영상 광고에 대한 반응은 아주 좋습니다. 구두 광고보다 훨씬 집중도도 높고 기억에 오래 남습니다. 또 중요한 광고가 있으면 행사에 대한 홍보 영상을 제작합니다. 홍보 영상은 드라마, 개그, CF, 애니메이션 등 다양한 장르를 사용합니다.

현재 멀티미디어 팀에는 두 사람이 주 멤버로 활동하고 있습니다. 팀장인 이상형 간사는 우리 교회에서 예수를 믿고 성장한 사람입니다. 직업이 웹마스터였던 그는 결혼하기 전 아내를 따라 교회에 나왔지만 사실 처음에는 얼마나 교회를 다닐지 반신반의했습니다. 결혼을 위해 억지로 다니다가 결혼 후 차츰 신앙생활과 멀어지는 경우가 허다하기 때문입니다.

그런데 예상과는 달리 착실하게 신앙생활을 하며 변화를 보이더니

양육반과 제자대학에서 훈련받으며 괄목할 만한 성장을 거듭했습니다. 마침내 졸업을 앞두고 인터넷 담당간사를 지원해 1년의 임기를 마치고 전임 사역자로 교회를 섬기고 있습니다.

한편, 영상을 담당하고 있는 권오왕 간사는 대학에서 경영 정보학을 전공한 인재입니다. 하지만 평소 영상에 관심이 많았던 형제는 하나님의 부르심에 순종하여 멀티팀의 영상간사로 지원해 영상 제작과 음향 등으로 교회를 잘 섬기고 있습니다.

이들의 제작 여건은 그리 좋은 편이 아니지만 그래도 최선을 다해 좋은 작품을 만들고 있습니다. 또한 앞으로 멀티미디어에 비전을 가진 젊은이들도 더 많이 길러낼 계획입니다. 인터넷 방송에서부터 단편 영화 제작, 애니메이션까지 21세기 영상 문화를 담당하겠다는 꿈이 우리에게 있습니다.

21세기에 가장 중요한 커뮤니케이션 매체는 바로 미디어입니다. 미디어를 통해 사단은 지금 불신자뿐 아니라 믿는 자들까지 미혹하고 있습니다. 21세기를 문화 전쟁의 시대라 부르는 까닭은 이 때문입니다.

세상에서는 최첨단의 미디어로 말하고 있는데 교회는 아직도 19세기 방식으로 대화하려고 하는 것은 아닌지, 그래서 대화의 창이 닫혀져 있는 것은 아닌지 생각해봐야 합니다.

지금 우리 교회는 스크린을 설치해 영상 광고뿐만 아니라 찬송가, 설교 말씀도 영상으로 띄우고 있습니다. 그렇게 하니 새가족들이 예배에 쉽게 적응할 수 있어 좋다는 반응을 보이고 있습니다.

우리 교회가 처음부터 스크린을 설치해서 영상 광고를 시도한 것은 아닙니다. 처음에는 프로젝트도 없고 방송 장비가 구비되기 전에는 스크린을 설치할 공간도 없었습니다. 그래서 영상 광고를 띄울 때는 TV 모니터와 비디오를 설치해서 보기도 했습니다. 불편하기도 했고 작은 화면으로 보자니 답답하기도 해서 전 성도들이 프로젝트를 달라고 기도하기 시작했습니다. 하나님께서 우리의 기도에 응답해 주셔서 성전을 건축하여 프로젝트와 방송 장비를 구비하게 되었고, 영감 있는 예배 분위기를 만드는 데 멀티미디어 팀이 효자 노릇을 톡톡히 하고 있습니다.

## 최선을 다해 최고의 작품을

우리는 예배를 철저히 준비합니다. 하나님은 준비된 만큼 사용하십니다. 세상에서도 공연을 한 번 올리기 위해 얼마나 많은 연습을 합니까? 연습하고 고치고 또 연습해서 수정하는 과정을 여러 번 반복합니다.

그런데 하물며 하나님께 드리는 예배에 최선을 다해야 함은 두말할 필요도 없습니다. 우리 교회에서는 토요일이면 예배 리허설 시간을 가집니다.

리허설은 사전에 기획된 큐시트Cue Sheet:예배 시나리오를 통해 진행됩니다. 큐시트에 따라 모든 예배의 순서를 철저히 연습합니다. 최선을 다해 최고의 작품을 드리기 위해서입니다. 이렇게 예배국의 모든 팀원들이 모여 리허설을 하고 주일 예배 1시간 전에 모여 예배를 위한 중보기도회를 가집니다.

이때는 담임목사의 영감 있는 설교와 예배의 모든 진행 가운데 성령의 기름 부으심이 넘치도록 집중적으로 기도합니다. 절기 행사나 이벤트가 있을 때도 리허설을 가져 행사 진행에 차질이 생기지 않도록 하고 있습니다. 다음 〈표 6〉에 주일 축제예배 큐시트를 소개합니다.

큐시트를 보면 예배 흐름을 한눈에 파악할 수 있습니다. 중요한 것

## 표 6  축제예배 Cue sheet

| 시간 | 분 | 프로그램 | 출연 | 담당 | 음향 | 조명 | 영상 | 비 고 |
|---|---|---|---|---|---|---|---|---|
| 11:00 | 1' | 예배선포 | 사회자 | 사회자 | B.G | 전체 | 자막 | 자리에서 일어나서 |
| 11:01 | 10' | 찬양과경배 | 찬양팀/찬양대 | 찬양팀장 | 반주 | 전체 | 프로젝터 10분전 on | 주님 큰 영광 받으소서 지존하신 주님 이름 앞에 |
| 11:11 | 2' | 합심기도 | 사회자 | 사회자 | B.G | 전체 | 자막 | 선포되는 말씀을 위해 기도 |
| 11:13 | 5' | 찬양 -온 맘 다해 | 할렐루야 찬양대 | 찬양대장 | 반주 | 퇴장시 조명 all-off | 자막 | |
| 11:18 | 1' | 성경봉독 -전도서7:13~14(구953) | 사회자 | 사회자 | B.G | 전체 | 자막 | |
| 11:19 | 1' | 담임목사 소개 | 사회자 | 사회자 | B.G | 전체 | 자막 | |
| 11:20 | 40' | 생명의말씀 -형통과 고난 | 담임목사 | 담임목사 | MIC 조정 | 전체 | 자막 | |
| 12:00 | 3' | 결단기도 및 헌금기도 | 담임목사 | 담임목사 | B.G | 전체 | 자막 | |
| 12:03 | 5' | 헌금/헌금찬양 -주님 손잡고 일어서세요 | 찬양팀 | 찬양팀장 | 반주 | 전체 | 자막 | |
| 12:08 | 3' | 컨퍼런스 영상 광고 | 영상 | 영상팀장 | B.G | out | 영상 | |
| 12:11 | 5' | 컨퍼런스 간증 | 박성애 셀리더 (여A13) | 예배국장 | B.G | 무대 조명 | 영상 | |
| 12:16 | 2' | 새가족 소개 | 사회자 | 사회자 | B.G | 전체 | 자막 | 새가족과 섬김이 전체 명단을 한꺼번에 띄움. |
| 12:18 | 3' | 주요광고 설명 | 담임목사 | 담임목사 | B.G | 전체 | 자막 | |
| 12:21 | 5' | 찬양 -나의 안에 거하라 | 담임목사/찬양팀 | 담임목사/찬양팀장 | 반주 | 전체 | 자막 | |
| 12:26 | 1' | 축도/폐회 -서로 인사 나눈다. | 담임목사/다같이 | 담임목사 | CD play | 전체 | 자막 | 찬양인도자 서로 인사 나누도록 멘트한다. 교제할 수 있는 잔잔한 음악을 연주한다. |

은 예배의 흐름입니다. 성가대의 찬양이나 특송 등 출연진들이 조금만 시간을 끌어도 예배의 흐름은 끊깁니다. 어색한 침묵의 시간 없이 물 흐르듯 자연스럽게 예배가 흘러가야 하는 것입니다.

이를 위해 모든 예배의 출연진들이 리허설을 하는 것입니다. 입장에서부터 퇴장, 광고, 또한 특별 간증 순서가 있다면 간증의 내용, 목소리 톤까지 철저히 리허설을 합니다.

너무 인위적이지 않냐구요? 전혀 그렇지 않습니다. 세상의 가수들도 라이브 공연을 위해 사전에 목에 피가 나도록 연습하며, 몸동작이나 표정 하나까지 고치고 또 고쳐가며 무대에 섭니다. 우리는 주님의 배우입니다. 하나님 앞에 드려지는 예배는 더 철저한 연습이 있어야 하는 것입니다.

매주일 철저하게 연습하여 드리는 예배는 하나님을 향한 우리의 열정이 배어 있어야 합니다. 그렇다고 우리의 노력만으로 예배를 준비하는 것은 아닙니다. 하나님께서 기뻐하시는 산제사가 되기 위해 우리는 또 철저히 무릎을 꿇습니다.

예배에서 중요한 부분을 차지하는 찬양의 경우 한 주간 새벽기도를 2회 이상 빠지면 리더는 물론, 싱어, 드럼 등 어떤 분야에서도 찬양자로 세우지 않습니다. 기도하지 않는 자가 설 경우 영감 있는 예배는 어렵기 때문입니다. 특별히 앞에 선 리더의 경우에는 더 철저히 적용되는 원칙입니다.

매주일의 예배 리허설 외에 행사가 있는 경우에는 리허설이 더 철저합니다. 행사의 주제와 성격이 결정되어 각 팀에게 그 내용이 전달되면 각 팀장은 주제와 성격에 맞는 프로그램을 기획합니다. 열린 공연팀, 멀티미디어팀, 심지어 예배 사역팀 중 예배 안내 부분에서도 행사에 따른 기획이 나옵니다. 행사 내용에 따라 안내자들의 연령, 배치, 옷까지 달라지기 때문입니다.

각 팀의 기획안이 행사 진행자에게 올려지고, 총 진행자와 팀장이 함께 만나 조정을 합니다. 조정이 이뤄지면 구체적인 연습이 팀별로 이뤄집니다.

이때 총 진행자는 팀장을 통해 계속적으로 진행 상황을 보고 받습니다. 행사 리허설은 대부분 서너 번 정도 가집니다. 모든 팀들이 모여 1차 리허설을 합니다. 이때 문제가 생기면 다시 조정이 이뤄집니다. 2차 리허설에 또 조정이 이뤄지고, 마지막 드레스 리허설에는 당일과 똑같이 진행합니다. 예배 출연자뿐 아니라 안내, 차량 운행 등 행사를 준비하는 모든 사람들이 사전에 리허설을 가져 실수가 없도록 합니다.


## 예배를 다양화, 전문화하라

지금 미국의 성장하는 교회들은 한 가지 공통점이 있습니다. 그것은 예배에 대한 다양한 형식의 시도입니다. 복음의 본질에 벗어나지 않는다면 그들은 불신자들이 좀 더 쉽게 복음에 접근하도록 예배의 형식을 다양화하고 있습니다.

가령 전통적인 분위기를 선호하는 사람들을 위한 예배, 현대적인 기호를 가진 사람들을 위한 예배, 심지어는 예배실을 카페식으로 인테리어 하여 커피를 마시면서 영상으로 예배를 드리도록 하는 교회도 있습니다.

그런가하면 우리나라의 보수적인 정서에서는 '이것도 예배라고 할 수 있나' 싶을 정도의 파격적인 예배의 형식을 시도하는 교회도 있습니다. 그런 그들이 한결같이 내세우는 주장은 본질에 벗어나지 않는다면 더 많은 사람을 수용하기 위해 예배를 다양화하겠다는 것입니다.

형식에 있어서 동감하지 않는 부분이 있더라도 그러한 그들의 시도에 대한 동기는 칭찬받을 만하다고 생각합니다.

우리는 성도들이 편하고 익숙한 형식이 아니라 불신자, 새가족들을 수용할 수 있는 예배의 형식을 다르게 진행하고 있습니다. 자신이 선호하는 기호에 따라 예배를 드리도록 하는 것입니다.

이런 이야기가 있습니다. 오랫동안 원로 목사님의 설교에 은혜를 받던 한 권사님이 새로 부임한 젊은 목사님의 설교에 은혜를 받지 못하자 목사님을 찾아갑니다. 권사님의 고민을 듣고 난감해하던 젊은 목사님은 어떻게 하면 은혜를 받으시겠느냐고 질문하자 권사님은 설교 후 늘 원로 목사님이 부르시던 찬양을 불러달라고 주문했다고 합니다.

우스개 이야기 같지만 사람들은 자신이 선호하는 기호들이 있습니다. 전통적인 분위기에서 은혜를 받는 사람이 있는가 하면, 화려한 조명과 현대적인 음악의 분위기에서 더 깊은 하나님의 임재를 경험하는 사람도 있습니다. 중요한 것은 예배를 통해 하나님의 임재를 경험하는 것입니다.

그래서 우리는 축제예배를 전통예배와 현대예배로 구분하여 드리고, 저녁예배는 전 가족 찬양예배로 드립니다. 전 가족 찬양예배는 이름 그대로 풍성한 가족이 함께 예배를 드리는 데, 찬양팀도 어린이부터 장년까지 다양하게 콰이어로 서게 됩니다.

전통예배와 현대예배로 구분하는 가장 큰 요소는 음악과 영상입니다. 전통예배는 클래식과 찬양과 연주, 그리고 영상은 최소화합니다. 이에 반해 현대예배에서는 재즈풍의 음악, 영상의 비중이 커집니다. 문화적인 요소가 훨씬 더 많이 가미됩니다.

앞으로 우리는 예배를 더욱 전문화 할 예정입니다. 찬양 사역자가 있듯이 우리 교회에는 영상 사역자들이 있으며 조명만을 담당하는 사역자도 키우고 있습니다.

예배는 하나님께 드려지는 최고의 예술 작품이자, 더 많은 사람을 수용하기 위해 예배를 다양화하는 동시에 전문화해 갈 것입니다. 하나님은 우리의 최고의 것을 마땅히 받으셔야 하기 때문입니다.

# 예배국의 영감 넘치는 사역팀들

풍성한교회의 예배국은 다음과 같은 팀들이 있습니다.

## 예배 사역팀

이들은 안내와 헌금, 주차안내, 예배 홀 정리로 예배를 돕는 사역을 하고 있습니다. 안내 위원은 교회의 첫 얼굴입니다. 특히나 교회를 처음 오거나 방문하는 사람들에게는 안내 위원의 태도에 의해 교회의 첫 인상이 좌우됩니다.

그래서 안내 위원들을 특별히 교육하고 있습니다. 안내 위원의 자격은 세계비전제자대학에서 훈련을 받은 자여야 합니다. 성도들을 잘 알고 있어야 하며, 방문객이 교회에 대해 질문을 할 경우 잘 설명해 줄 수 있어야 하기 때문입니다.

안내 위원의 복장도 단정하고 말쑥하여 친근감을 주어야 합니다. 백화점이나 비행기를 타면 승무원들이 미소를 머금고 공손하게 인사말을 건넵니다. 그들을 보면 왠지 긴장이 풀리고 사실 기분이 좋습니다.

예배 안내 역시 그들보다 뒤져서는 안 됩니다. 우리 교회를 찾아온 분들에게, 그리고 모든 성도들에게 교회는 친절하고 기분 좋은 곳으로 인식되어야 합니다. 그 첫 관문이 안내입니다. 그렇기에 복장에서부터, 인사법, 목소리 톤까지 철저하게 훈련하여 안내 위원으로 섬기도록 하고 있습니다.

## 찬양팀

모든 예배 때마다 경배와 찬양을 인도합니다. 우리 교회의 찬양은 뜨겁고 능력이 있습니다. 찬양을 통해 하나님을 체험하고 악한 것들이 떠나가는 성령의 깊은 임재를 경험하기 때문입니다.

그렇기 때문에 양육반 수료자로 팀원의 자격을 제한하고 있으며, 찬양팀 전임사역자를 두고 있습니다.

## 멀티미디어팀

교회의 모든 영상 제작과 녹화, 음향을 담당하고 있습니다. 현재는 교회 내 영상 제작에 많은 비중을 두고 있지만 앞으로는 인터넷 방송에서부터 영상 작품까지 21세기 영상 문화를 이끌어 갈 비전을 가지고 사역하고 있습니다.

## 열린 공연팀

우리는 드라마, 댄스 등 다양한 장르를 통해 하나님께 예배드리도록 하고 있습니다. 정기적으로 공연을 기획, 준비하여 예배를 돕고 있습니다.

이와 같이 주일이 되면 예배국 안의 여러 사역팀은 빈틈없이 움직입니다. 이들의 기도와 준비로 인해 우리는 매주일 예배를 최선을 다해 최고의 작품으로 하나님께 올려드릴 수 있습니다.

예배를 마친 후면 각 팀들이 모여 평가회를 가집니다. 이 평가회를 통해 미비한 점을 보완하고 개선점을 찾아 평가서를 작성하고, 매주 보고되는 각 팀들의 평가서를 검토하여 다음 예배에 적극적으로 반영합니다.

이처럼 단순한 복음, 동질감이 느껴지는 교회 문화, 적극적인 자원 보완, 성령 중심의 사역, 참여하는 예배, 자신의 은사대로 사역하는 평신도들의 헌신으로 진행되는 행사들이 하나가 되어 영감 있는 예배를 펼쳐내는 것입니다. 물론 그 뒤에는 눈물의 기도와 철저한 기획이 바탕을 이루고 있습니다.

## 고객 만족, 고객 감동, 고객 졸도

한동안 고려대 정문 앞의 중국 음식점인 성설반점의 '번개 신화 이야기'
가 장안의 화제가 된 적이 있습니다. 고려대 앞의 성설반점에서 일하는
한 중국집 배달원의 뛰어난 마케팅이 화제가 되어 방송과 신문 지상에
오르내리던 일입니다.

번개 신화의 주인공인 성설반점의 배달원은 고등학교 때 가출해 무
작정 상경하여 중국집 배달원이 되었습니다. '철가방'이라 불리는 중국
집의 배달 업무는 고되고 힘든 데다, 사회적인 시선도 그리 긍정적이지
않기 때문에 이직률이 높습니다.

하지만 그는 그런 환경에 굴하지 않고 자신만의 비전을 세워 보잘
것 없는 중국집 배달원에서 대학과 기업의 스타 강사로까지 출세하게
되었습니다. 그가 말하는 마케팅 전략은 다음과 같습니다.

첫째는 고객 만족, 둘째는 고객 감동이 있어야 한다는 것입니다. 예
를 들면 교수가 자장면을 시킬 때는 그만큼 시간이 없다는 것입니다.
그는 말 그대로 번개같이 5분 안에 배달하여 고객을 만족시켜 줍니다.

또한 그는 자장면을 시키는 학생의 만족은 어떤 부분에서 채워주어
야 할까 고민한 결과, 바로 '양'임을 알았습니다. 곱빼기 정도의 양을 주
면 학생들은 대만족입니다.

그런데 그가 유명해진 것은 그 정도의 서비스에 멈추지 않았기 때
문입니다. 그는 자장면만 한 그릇 시켰는데 짬뽕 국물까지 곁들여 서비
스해줌으로써 고객을 감동시켰습니다.

고객 만족에서 그친 것이 아니라 자장면 한 그릇에도 마음을 쓰는
고객 감동으로 인해 유명해진 것입니다. 자장면 한 그릇을 파는 데에도
고객 만족과 고객 감동을 생각합니다.

그런데 우리는 고객 감동에서 끝나서는 안 됩니다. 한 발 더 나아가 고객을 졸도시키는 수준에까지 이르러야 합니다. 우리가 하는 모든 사역과 섬김에, 그리고 무엇보다도 예배를 통해 고객 만족과 고객 감동을 넘어 고객 졸도가 일어나야 합니다. 영적 일품요리를 만들어야 합니다.

우리가 살고 있는 21세기 포스트 모더니즘 시대에 필요한 핵심은 영성, 감성, 체험입니다. 우리는 예배를 통해 영성과 감성, 체험을 누리도록 온 힘을 모아 기획하고 준비해야 합니다.

8장 열정적 영성

크리스티안 슈바르츠는 '열정적 영성'이란 말이 다소 추상적으로 들릴 수 있다고 말합니다. NCD 연구 조사에 의하면, 교회성장과 관련하여 생각해볼 때 영성을 표현하는 방법이 중요한 것이 아니라 실제로 헌신하여 사는 믿음과 뜨거운 열심이 더욱 중요하다는 것입니다.

성장하는 건강한 교회와 그렇지 못한 교회들 간의 차이점은 바로 영적 열정의 정도입니다. 열정과 믿음으로 사는 교회는 여러 가지로 성공을 경험합니다.

그러나 반대로 열정적 영성분야가 결여되어 있는 교회에서는 아무리 좋은 방법들을 동원해도 전혀 효과를 거두지 못한다는 것입니다. 아무리 멋진 새 차라도 그 속에 휘발유가 없다면 무슨 소용이 있겠습니까? 그러고 보면 열정적 영성이란 결국 교회 공동체 내부의 에너지원이라고 할 수 있습니다.

건강하게 성장하는 교회들의 영성과 열정은 기도에 의해 크게 좌우된다고 봅니다. 그들은 대부분 기도가 뜨겁고 기도하는 시간도 많습니다.

건강한 교회의 목회자와 교인들은 기도하는 시간을 즐거워하고 기도의 맛을 느낍니다. 기도를 통하여 은사를 받고 응답을 받으며, 성도들 사이에 기도 응답의 간증을 나누고 그것이 또 다른 기도의 열심을 일으킵니다.

이렇게 기도 생활이 살아나면 성경 읽기에 대한 의욕도 저절로 살아납니다. 성도 스스로가 성경을 읽어 영적인 양식을 취하고자 하는 신선한 바람이 부는 것입니다.

기도 생활과 성경 읽기를 '하지 않으면 안 된다'는 식의 율법주의나 고행의 관습으로써 행해지는 것이 아니라 기쁨과 열정으로 이루어지는 것입니다.

이것이 공동체의 힘이 되어 푸르른 생명이 사는 숲을 만듭니다. 거기 아름다운 새들의 노래가 있고, 하늘과 강과 어우러져 싱그러운 희망을 가꿉니다. 교회 공동체란 그런 곳이며, 그 기운은 다름 아닌 열정적인 영성으로부터 뿜어져 나오는 것입니다.


## 우리의 취미는 기도다

사람들에게 취미를 물어보면 등산, 볼링, 골프 등 다양한 대답을 들을 수 있습니다. 그러나 그리스도인들의 취미는 기도이며 찬양이며 전도입니다.

이런 것들을 의무라고 생각하면 얼마나 부담스럽습니까? 반대로 취미라고 생각하면 즐겁습니다. 본인이 좋아서 하는 일이니 즐겁지 않을 수 없습니다. 시간이 날 때마다 하고 싶고, 일부러 시간을 내어서 하고 싶은 것이 취미입니다.

우리 교회는 이런 취미를 가진 분들이 많습니다. 이들로 인해 우리의 찬양은 뜨거울 수밖에 없고 우리의 기도는 열정적입니다.

전도 역시 어느 한때 "모여라!" 해서 자연보호 캠페인 하듯 하는 행사가 아니라 우리들의 일상적 삶의 일부분이 되어 있습니다. 때를 얻든지 못 얻든지 복음을 전하라는 가르침을 다르게 표현하면, 그것은 전도의 삶을 일상생활 속으로 가져가라는 의미라 생각합니다. 기도든, 전도든, 찬양이든 그것이 우리 삶에서 마치 밥 먹는 일처럼 된다면 이것이야말로 성육신된 온전한 영성이라고 생각합니다. 그렇기 때문에 우리의 기도에는 하나님의 능력이 나타납니다. 기도를 통해 응답을 받는 삶이야말로 하나님께서 살아계신 증거를 날마다 체험하는 방식입니다. 그리고 하나님의 말씀이 진리임을 삶 속에서 증명하며 사는 일입니다. 내가 하나님의 자녀라는 확신 또한 기도의 응답에서 비롯됩니다.

그래서 기도는 하나님의 능력을 경험하는 통로이며, 기도를 통해 우리의 가장 긴요하고 근원적인 필요들을 채우게 됩니다. 그렇기에 기도는 신앙이 살아 있게 합니다. 지금 역사하시는 하나님, 어제나 오늘이나 영원토록 동일하신 하나님과 함께하는 실제적인 신앙이기 때문입니다.

우리는 해마다 여름이면 경남 진주로 선교하러 떠납니다. 진주는 부산보다 복음화율이 더 낮은 곳으로 복음이 뿌리내리기 참 힘든 땅입니다. 하지만 진주에 대한 강한 열정으로 무장된 우리 '풍성한 맨'들이 복음을 전하는 현장에서 많은 기적들이 일어납니다.

기적 중의 기적은 그들이 너무도 쉽게 예수를 구주로 영접한다는 것입니다. 현지의 협력교회들이 놀랄 정도입니다. 그 이면에는 물론 진주를 향한 전 성도의 뜨거운 기도가 있었음은 두말 할 나위가 없습니다.

우리가 누리는 또 한 가지 응답의 기적은 태풍도 멈추게 하는 전능하신 하나님이십니다. 매년 우리가 진주로 선교를 떠나는 8월 첫 주간은 늘 태풍이 상륙하는 기간입니다. 왜 하필 태풍이 올 때 선교를 가느냐며 불평할 수도 있지만, 누구 하나 그런 말을 입 밖으로 내지는 않습니다. 도리어 가벼운 흥분을 느낍니다. 기도하면 하나님께서 태풍을 멈추실 것을 알고 있고, 태풍이 멎는 그 역사의 현장을 경험했기 때문입니다.

여호수아가 해를 멈추었던 역사를 우리가 지금 경험하고 있습니다. 작년에도 어김없이 태풍은 상륙했지만 또 어김없이 우리의 기도는 태풍의 환경을 넘어서 하나님께 전달되었습니다. 태풍이 진주를 비켜간 것입니다. 다른 도시에서는 태풍의 피해로 시끄러웠지만, 우리는 적당히 무더운 날씨 속에서 복음을 전했습니다. 하나님은 구름도 적절하게 예비하셔서 우리가 무더위에 지치지 않도록 도와주셨습니다. 주님이 명령하시면 바람이 잔잔해진 것처럼, 우리가 예수 이름으로 태풍을 향해 명령하니 태풍이 물러간 것입니다.

이러한 체험들로 인하여 신앙이 어린 성도들도 진주 선교만 다녀오면 믿음이 쑥쑥 자랍니다. 하나님께서 일하시는 현장을 직접 자신의 눈으로 보고 체험했기 때문입니다. 이러한 체험이 우리의 신앙을 살아있게 하고 열정적으로 만듭니다.

기도는 영적인 과학입니다. 하나님은 우리가 무릎을 꿇기만 하면 즉시 귀를 기울이십니다. 부모의 최고 관심이 무엇이겠습니까? 자식입니다. 자녀의 필요에 민감한 것이 부모의 마음입니다. 그래서 우리 아버지 되신 하나님은 우리에게 어떤 고민이 있는지, 무엇이 필요한지 늘 관심을 기울이고 계십니다. 이것이 바로 우리가 기도할 때에 담력을 얻어 보좌 앞에 나아갈 수 있는 이유입니다.

기도는 언제라도 통화가 가능한 휴대폰 같은 것입니다. 지하철 안이건, 밖이건, 높은 지대이건, 낮은 지대이건 관계가 없습니다. 배터리가 소진될 걱정도 없으며 통화료는 언제나 무료입니다. 긴급 호출번호 3·3·3도 있지요. "너는 내게 부르짖으라 내가 네게 응답하겠고 네가 알지 못하는 크고 비밀한 일을 네게 보이리라"렘33:3.

게다가 하나님은 한 번도 우리의 기도를 무성의하게 들으시는 일이 없는 분입니다. 또한 그분은 우리의 기도에 반드시 응답하십니다. 때로는 즉시, 때로는 더 풍성하게 넘치도록 주시고, 그 기도가 우리들에게 해가 되는 경우에는 무응답으로 응답하십니다.

## 새벽기도

한국 교회의 생명은 새벽기도회에서 시작된다고 합니다. 새벽을 깨우는 기도로 부흥과 성장의 길을 달려왔다는 평가입니다. 뿐만 아니라 암울했던 시대에 나라가 경제적으로 큰 성장을 이루는 데 있어서 한국 교회의 새벽기도회는 크나큰 밑거름이 되었습니다.

한국의 새벽기도회는 외국의 다른 여러 나라 교회들이 실시하지도 않는 것이며 한국 교회만이 갖고 있는 특별한 기도 운동이요, 참 아름다운 유산이 아닐 수 없습니다.

그래서 혹자는 한국교회의 새벽기도회를 일컬어 "잠자고 있는 세계 여러 나라들을 일깨워 주는 종소리와 같다"고 극찬한 바가 있습니다.

또, 세계적인 부흥사인 빌리 그래함 목사도 "캐나다의 아침에는 숲 속의 새들이 잠을 깨우고, 일본의 아침에는 공장의 엔진소리와 임무 교대의 사이렌이 잠을 깨우며, 한국의 아침에는 교회에서 부르는 새벽의 찬송과 기도 소리가 잠을 깨운다"고 했습니다.

그러나 산업 사회에 접어들면서 새벽기도회 운동이 안타깝게도 하향 곡선을 그리고 있습니다. 그것은 현대인들에게 주어진 힘에 겨운 업무들 때문이기도 하지만, 어찌 보면 급격한 경제성장으로 나태해진 삶 때문일 수도 있습니다. 이것은 그리스도인들의 의식이 상황에 따라 점차 바뀌어 가고 있다는 증거입니다.

상황에 무관한 사고방식을 가진 사람들이 그리스도인입니다. 가난할 때도 부요할 때도 있지만 그 어느 상황이든 삶의 성실함은 한결같아야 하며, 그들의 삶이 만드는 희망의 기운도 위축됨이 없어야 합니다. 그래서 경제 상황의 변화에 의해 신앙생활의 본질이 흔들린다면 이는 결코 옳지 않습니다.

앞에서도 언급했듯이 한국 교회 부흥의 원동력이 새벽기도에 있음을 인식할 때 새벽기도 문화는 어떤 방식으로든 재고되어야 하며, 더 나은 대안을 모색할지언정 그 중심은 흔들리지 않아야 합니다.

우리 교회는 한 달에 한 번씩 전 성도가 한 주간 '새벽기도 총진군'이라는 행사를 갖습니다. 이 기도회는 월요일부터 토요일까지 열리며 매일 목적이 있는 기도 제목을 가지고 기도합니다.

여기엔 성도들에게 있을 수 있는 신앙생활의 무질서를 바로 잡으려는 의도도 담고 있습니다. 사실 수면이 부족해서 체력도 좋지 않은 성도들에게 새벽기도 참석을 요구하기란 쉽지 않습니다. 게다가 교회와 멀리 떨어진 곳에서 출석하는 성도들은 새벽기도에 나오기 힘듭니다.

그러나 새벽기도의 중요성을 생각할 때 그 유익마저 놓칠 수는 없습니다. 게다가 불규칙한 수면 시간을 규칙적으로 조정하고 건강을 위하여 새벽에 약수터를 찾는 인구도 증가하는 마당에 영적인 건강까지 추가해 주는 새벽기도는 오히려 건강한 생활을 하는 데는 더할 나위 없이 좋은 것입니다.

기도의 용장 바운즈E.M. Bounds 목사는 "기도하는 목사가 기도하는 성도를 만들고, 기도하는 강단이 기도하는 교인을 만든다"고 했으며, 스펄전 목사는 "아침의 한 시간은 저녁의 두 시간보다 더욱 값진 시간이다"고 말했습니다.

새벽 오히려 미명에 기도하신 주님의 새벽기도에 대하여 비델울트는 "그는 맑은 정신으로 홀로 하나님께 나아가 그분의 음성을 듣기 위해 간구하고 대화하고, 지도 받기 위해 그리고 영원한 것을 알고 그 아버지께 복종하기 위해 기도하셨다"고 했습니다.

성도들이 닮아야 할 그리스도의 형상들 가운데 저는 새벽을 깨우는 '기도의 파수꾼'으로서의 주님을 닮고 싶습니다. 열정적인 영성도 새벽기도라는 첫 시간에 동 트기 때문입니다.

## 중보기도

중보기도는 도움을 필요로 하는 사람들을 위한 기도입니다. 중보기도는 어쩌면 자격을 갖춘 사람들이 하나님 앞에서 간구하는 행위입니다. 그것은 누군가를 위하여 성령의 능력을 의지해 드리는 기도이기 때문입니다.

그러므로 내가 처한 그 자리와 여건에서 내 가족과 이웃으로부터 사회, 민족, 온 세계를 향한 하나님의 뜻을 구하는 모든 것이 중보기도입니다. 그러므로 중보기도는 내 작은 몸으로 온 우주를 품는 일입니다. 무엇보다 여기서 우리는 그리스도인의 호연지기를 배우며, 주님께서 베푸신 세상의 질서에 대해 눈을 뜹니다.

중보기도는 성도의 특권이자 의무입니다. 아브라함은 조카 롯을 구하기 위해 여호와 하나님 앞에서 여러 차례 중보기도창18:22-23를 드렸습니다.

우리가 하나님께 나아가 이웃의 연약함을 탄원할 수 있다는 것은 놀라운 특권이 아닐 수 없습니다.

선지자 사무엘은 자신이 "중보기도를 하지 않거나 중단하는 것은 죄를 짓는 것과 다름없다"고 고백하고 있습니다삼상12:23. 하나님께서 중보기도자를 간절히 찾으시는 까닭도 이 때문입니다겔22:30.

물론 예수님께서도 중보기도를 강조하셨습니다. 요한복음 17장은 '예수님의 중보기도장'으로 불려집니다. 그만큼 예수님 자신이 중보기도의 삶을 사셨습니다. 기독교 역사상 위대한 발자취를 남겼던 영적 거장들이 한결같이 보여준 모범이 있다면 중보기도가 삶의 중심을 차지한다는 것입니다.

처치 온 더 웨이The church on the way는 미국 캘리포니아 밴 너이스 Van Nuys에 위치한 교회입니다. 1969년 18가정으로 시작하여 지금은

1만 명이 모이는 미국의 대표적인 복음주의 교회로 성장했습니다.

잭 헤이포드Jack Hayford 목사가 이 교회에서 목회하기 시작한 후 얼마 되지 않았을 때의 일입니다. 헤이포드 목사가 혼자 예배당에 있을 때면 가끔 강대상 주변에서 어떤 이상한 기운이 느껴지곤 했습니다. '작고 거무스름하고 구름같이 생긴 물체'인데, 곧 나타났다가 사라졌습니다.

헤이포드 목사는 매주 예배당을 거닐면서 음성을 높여 예수 그리스도의 존귀와 영광을 선포했습니다. 교우들과 함께 1년 이상 전투적인 기도를 계속했습니다. 그러자 그동안 교회를 억누르던 악령이 떠나갔습니다. 바로 그 다음 주일에 170명이나 되는 사람이 예배에 참석하는 일이 일어났다고 합니다. 그 후 교회는 계속 성장하여 지금은 매주 1만 명이 모이는 교회가 되었습니다.

중보기도는 이처럼 교회의 부흥과 밀접한 관련이 있습니다. 특히 교회의 부흥을 막고자 지역 사회에서 역사하고 있는 사단의 세력을 묶기 위해서는 교회를 위한 중보기도가 필수적입니다.

중보기도와 관련해서 저의 경험에 비추어 볼 때 목회자를 위한 기도의 중요성은 아무리 강조해도 지나치지 않는 매우 필수적인 요소입니다. 설교자를 위한 기도는 결국 교회를 성령의 은혜로 채우는 일입니다. 그래서 우리는 매주 월요일 밤 9시 담임목사인 저를 위해 중보기도하는 시간을 가지는데 많은 성도들이 시간을 지켜 기도하고 있습니다.

그런가하면 중보기도회에 참석하여 기도하다가 병이 낫는 역사가 일어나기도 합니다. 한 여 집사는 관절염으로 계속 다리가 붓고 아팠는데 중보기도회에서 성령 세례를 체험했습니다. 저는 먼저 그의 나라와 의를 구하라고 말씀하신 하나님의 약속대로 우리가 순종할 때 반드시 이 모든 것을 더하시는 분이심을 믿습니다.

중보기도는 신자의 의무인 동시에 성령의 은사입니다. 중보기도를 성령의 은사로 볼 수 있는가 하는 질문에 대해서는 여러 가지 신학적인 입장이 있을 수 있습니다. 그러나 하나님께서 특별히 중보기도의 마음을 부어주시는 사람이 있는 것은 분명한 사실입니다.

우리 교회는 중보기도학교를 통해 중보기도 은사를 발견하고 계발, 훈련하여 즐겁게 사역할 수 있도록 도와줍니다. 그리고 나머지 사람들에게도 중보기도의 의무와 책임감을 더욱 고취시켜 교회와 목회자를 위한 중보기도 사역에 헌신할 수 있도록 분위기를 조성하고 있습니다.

하나님은 복음을 증거하며 신유 사역을 배제하지 않으셨습니다. "나는 너희를 치료하는 여호와임이니라"출15:26고 말씀하셨고 태초에 자신을 계시하실 때에도 구원자와 공급자로 계시하셨습니다.

또 구약 시대 전반에 걸쳐서도 치료하는 역사를 보여주셨습니다. 선지자 중에도 신유의 능력이 주어지지 않은 사람은 거의 없었습니다. 그리고 하나님의 아들이신 예수님께서 이 땅에 오셔서 말씀을 증거하실 때 신유는 사역의 가장 강력한 도구였음을 알 수 있습니다.

성경에 보면 예수님은 사역의 3분의 2를 병 고치는 일로 쓰셨습니다. 3년 반이라는 공생애 기간 동안 거의 2년이 넘는 기간을 병 고치는 일로 보내셨습니다. 이처럼 주님께서 병 고치는 사역에 심혈을 기울이고 관심을 두신 것은 하나님의 사랑과 자비와 은혜를 사람들에게 베풀고 구원을 가져오는 데 가장 효과적이기 때문입니다.

예수님께서 열두 제자가 전도하러 갈 때에도 회개할 것을 전파하라고 명하심과 동시에 병자를 고치라고 하셨습니다.

주님께서는 "너희는 온 천하에 다니며 만민에게 복음을 전파하라 믿고 세례를 받는 사람은 구원을 얻을 것이요 믿지 않는 사람은 정죄를 받으리라 믿는 자들에게는 이런 표적이 따르리니 곧 저희가 내 이름으로 귀신을 쫓아내며 새 방언을 말하며 뱀을 집으며 무슨 독을 마실찌라도 해를 받지 아니하며 병든 사람에게 손을 얹은즉 나으리라"<sup>막</sup> 16:15-18고 하셨습니다.

이것은 복음 증거와 병 고치는 역사가 불가분의 관계에 놓여 있음을 보여 줍니다. 환자가 고침을 받든지, 못 받든지에 상관없이 복음 증거와 병든 자를 위한 중보기도는 믿는 자들이 반드시 해야 할 의무입니다.

베드로전서 2장 24절은 영혼의 구원과 육신의 치료가 함께 이루어져야 함을 밝히고 있습니다. "저가 채찍에 맞음으로 너희는 나음을 얻었나니" 이는 나무에 달려 그 몸으로 친히 우리 질병을 담당하셨다는 말씀입니다. 또한 사도행전에서는 베드로, 빌립, 바울 사도 등을 통하여 병든 자를 위한 치유 기도가 계속 진행되며, 야고보 사도는 병든 자를 위한 믿음의 기도는 그를 일으킨다고 말씀하고 있습니다.

교회가 병든 자를 위해 기도하는 것은 지극히 당연한 일입니다. 그리고 병든 자를 위한 기도는 어떤 특별한 사람들만이 할 수 있는 것이 아닙니다. 아픈 사람이 있으면 누구든지 그를 위해 기도해 줄 수 있는 것은 지체로서 할 수 있는 가장 아름다운 일입니다.

우리 교회는 금요일 밤 철야기도 시간에 환자를 위한 중보기도 시간이 있습니다. 그때 제가 환부에 손을 얹고 중보기도를 합니다. 하나님께서는 부족한 종에게 오래전부터 병 고치는 은사를 주셔서 하나님께 영광을 돌리고 있습니다.

저는 이 신유 은사를 예수님께서 제자들에게 가르치셨듯이 제자훈련 가운데 믿음으로 감당할 수 있도록 훈련합니다. 예수님의 3대 사역은 가르치고, 전도하고, 치유하는 것입니다. 우리도 동일하게 그 사역을 감당하도록 훈련합니다. 저와 성도들이 아픈 사람을 위해 중보 기도하여 치유된 간증들이 있습니다.

권국선 형제는 지금 스무 살 청년인데, 중학교 때의 일입니다. 다른 아이들에 비해 키가 작아 고민이라며 키를 크게 해 달라는 기도 제목을 가지고 치유 집회에 찾아왔습니다.

각종 질병에 대한 기도는 많이 해보았지만 키를 자라게 하는 기도는 처음이었습니다. 그러나 저는 하나님께서 하실 줄 믿고 '뼈와 근육이 자라도록' 기도를 했습니다. 그 결과 키가 7cm나 자랐습니다.

권인숙 자매는 교통사고 후유증으로 오랫동안 약을 복용한 탓에 만성 위장병에다 신경통으로 시달리고 있었습니다.

그러나 중보기도 후 위장병이 완전히 나아 무엇이든 가리지 않고 먹을 수 있게 되었으며, 교통사고 후유증으로 인한 신경통도 깨끗이 나았습니다.

그런데 또 얼마 후 시력의 회복을 위해 기도해 달라는 것이었습니다. 당시 시력이 마이너스로 두꺼운 안경을 꼈는데, 안경이 불편하다고 했습니다.

치유 기도를 시작하기 전에 달력을 가지고 와 어디까지 보이는지 확인한 후 기도를 시작했습니다. 처음 기도 후에는 아무런 변화가 없었습니다. 그래서 한 번 더 기도를 했는데, 뭔가 선명하게 보이기 시작한다는 것이었습니다. 다시 기도하고, 확인하고 또 기도하고 확인했습니다. 그러기를 예닐곱 번, 마침내 작은 글자까지 선명하게 보게 되었습니다.

다음날 시력을 정확하게 측정해보도록 했는데, 마이너스이던 시력이 1.5로 회복되었습니다. 놀라운 기적이었습니다.

이상은 형제는 고등학교 때부터 양육을 받아 신앙 안에서 잘 자라오다 21살이 되어 나라의 부름을 받고 군에 입대하게 되었습니다.

해군으로 지원했는데 어느 날 전화가 왔습니다. 허리를 다쳐 조기 제대를 하게 되었다는 내용이었습니다. 허리 디스크로 수술을 하지 않으면 안 되는 상황이었는데, 형제는 수술을 거부한 것입니다. 군에서도 본인이 거부하자 수술을 하지 못하고 대신 어떤 책임도 없다는 각서를 받은 뒤, 조기 제대를 시켰습니다.

제대 후 걷기조차 힘든 몸을 이끌고 교회에 왔습니다. 그리고 본인의 소원대로 제가 허리에 손을 얹고 기도했습니다. 그 갈급함 덕분에 즉각적인 기적이 일어났습니다. 단 한 번의 기도로 허리 디스크가 깨끗이 나았습니다.

병원에 가서 확인해 본 결과, 디스크가 흔적도 없이 나았다는 것입니다. 사모하는 심령에 역사하신 하나님의 능력을 찬양합니다!

백임분 권사 역시 믿음으로 백내장을 고쳤습니다. 얼마 전 눈에 뭔가가 끼고 침침한 데다 잘 보이지 않아 병원을 찾았습니다.

결과는 백내장이었고 수술을 하지 않으면 시력 회복이 어렵다는 의사의 진단이었습니다. 그런데 백임분 권사는 그 이야기를 듣고 조금도 걱정하지 않았습니다. 수술하지 않고도 기도하면 주님이 치유해 주실 것이라는 믿음 때문이었습니다. 그리고는 저에게 기도를 받으러 왔습니다. 물론 본인도 기도를 많이 하셨지요. 제 어머니처럼 생각하는 권사님이라 저도 열심히 기도했습니다. 기도 후 권사님께서 다 나았다며 잘 보인다고 하셨습니다. 그래도 행여나 하는 마음에 저는 병원에 가서 꼭 확인해 볼 것을 권했습니다.

이튿날 권사님으로부터 전화가 왔습니다. 의사에게 우리 목사님이

기도해서 하나님이 고치셨다는 간증까지 하셨다고 합니다. 그러면서 의사 선생님도 예수 믿으라며 전도하셨다고 합니다. 하나님께 모든 영광을 돌렸습니다.

유산을 치유 받은 자매도 있었습니다. 몇 년 전, 어느 집사의 소개로 열린 모임에 온 자매는 매우 갈급한 상태였습니다. 유산을 몇 번씩해서 저에게 임신할 수 있도록 기도해 달라고 하였습니다. 병원에도 다녀보고 좋다는 약도 다 먹어 보았지만 효과가 없었다는 것입니다.

저는 먼저 유산의 원인이 무엇인지 상담했습니다. 유산의 원인을 두고 회개하게 한 다음 치유 기도를 했습니다. 그 뒤 지속적으로 기도를 받으러 왔는데 얼마 후 임신을 했습니다. 임신 후에도 유산이 되지 않도록 계속 치유 기도회에 왔습니다. 열 달 후 우리의 기도를 들으시는 신실하신 하나님의 은혜로 말미암아 자매는 무사히 아기를 낳았습니다.

그밖에도 우리 교회 여 집사들의 유산을 하나님께서 치유하신 일은 비일비재합니다.

황춘자 집사는 첫 아이를 하나님의 은혜로 아기를 낳았지만, 둘째 아이에게 베푸신 하나님의 은혜는 더 큽니다. 둘째 아이를 임신하고 병원에 진단을 받으러 가니 아이가 기형아일 확률이 높다는 것입니다. 청천벽력과 같은 이야기였습니다. 당장 황 집사는 기도를 받으러 왔고, 황 집사를 두고 한참을 기도했습니다. 나머지 기간 동안 황 집사는 치유기도 시간마다 꾸준히 기도를 받았고, 건강한 딸이 태어났습니다.

그 외에도 갑상선, 만성 위장병, 만성두통, 관절염, 불면증, 생리통, 여드름까지! 그야말로 치유집회 시간은 우리 교회가 마치 종합병원이 된 듯합니다.

하지만 하나님께서는 크든 작든 또 얼마나 오래되었든지 상관치 않으시고 치유해 주시는 좋으신 아버지이십니다. 갑상선, 만성 위장병으로 시달렸던 자들, 또 운전으로 허리 디스크 증상이 나타난다고 호소하는 자들, 불면증과 자매들의 생리통은 물론 여드름까지 깨끗이 치유해 주십니다.

그래서 다른 교회에서 소문을 듣고 치유기도 시간에 많이 오기도 합니다. 그분들 역시 하나님의 치유역사, 지금 살아 계셔서 응답하시는 하나님을 만나고 은혜를 누리게 됩니다.

이렇듯 치유기도 시간에는 육신의 질병뿐 아니라 사람들을 묶고 있는 결박, 마음의 상처도 하나님께서 고치십니다.

얼마 전 우리 교회에 등록한 한 자매는 치유기도 시간에 소리를 내어 펑펑 울었습니다. 하나님께서 자신만이 알던 마음의 상처를 보이시면서 사랑으로 안아주시더라는 것입니다. 우리의 영과 육, 모든 상처까지 치유하시는 하나님을 찬양하지 않을 수 없습니다.


## 중보기도특공대

열정적인 영성을 뒷받침하는 중요한 사역 중 하나는 바로 중보기도특공대 사역입니다. 중보기도특공대는 중보기도학교 수료자들 중 지원자로 구성합니다. 이들은 특별히 교회와 목사를 위한 중보사역 외에도 성도들의 기도제목을 중심으로 그들을 위한 중보사역도 함께 감당하고 있습니다.

일주일에 한 번 원하는 시간에 와서 비치된 기도 제목에 따라 기도하며, 주일에는 예배를 위한 중보사역을 감당하고 있습니다. 우리 교회의 가장 핵심적인 사역을 손꼽으라면 저는 전도특공대와 함께 중보기도특공대라고 말하고 싶습니다.

'중보기도'란 기도의 도움을 필요로 하는 사람들을 위해 자격을 갖춘 사람들이 성령의 능력을 의지하며 하나님께 간구하는 행위입니다. 영어로 intercession인데, 이는 '… 사이에'라는 뜻의 inter와 '가다'라는 의미의 cession의 합성어로 '하나님과 사람 사이를 서로 연결한다'는 뜻입니다.

성경 속에 나타난 가장 유명한 중보기도는 모세의 기도입니다. 출애굽기 32장을 보면 모세가 시내산에 기도하러 간 사이에 이스라엘 민족들이 우상을 숭배하여 하나님의 진노를 자초합니다. 금송아지를 만들어 숭배하는 이스라엘 민족을 하나님께서 멸하시려 하자 모세는 약속의 말씀으로 그들을 위해 중보기도 합니다.

그러자 하나님께서 모세의 기도로 인해 진노를 돌이키시는 장면이 출애굽기 32장 7~14절에 잘 나타나 있습니다.

이처럼 중보기도는 하나님과 사람 사이를 회복케 하는 힘을 가지고 있습니다. 그렇기에 하나님은 중보기도자를 기뻐하시며 찾으십니다. 예수님도 이 땅에서 모범이 되는 중보기도의 삶을 사셨으며 기독교 역사상 위대한 발자취를 남겼던 영적 거장들도 한결같이 중보기도의 삶을 살았습니다.

중보기도는 신앙의 탁월한 모범을 보인 하나님의 사람들이 실천해 온 아름다운 덕목입니다.

그러기에 저는 전도특공대와 더불어 중보기도특공대원들과 정기적인 만남의 시간을 가지며 함께 식사하는 등 교제의 시간도 잊지 않고 있습니다. 또한, 중보기도특공대가 저를 위해 기도하는 만큼 저 역시 중보기도특공대원들을 위해 우선적으로 기도하고 있습니다. 중보기도는 교회의 생명줄이기 때문입니다.

중보기도가 중요한 만큼 사역에 대한 지침을 만들어 활동하고 있습니다.

### 🌿🌿🌿 중보기도특공대 지침

**1. 목적**

1) 중보기도 사역을 활성화합니다.

2) 담임목사와 교회를 위한 실제적이며 구체적인 중보기도 사역을 진행합니다.

3) 지체를 위한 중보기도 사역을 감당합니다.

**2. 임무**

중보기도실을 거점으로 담임목사와 교회, 가정, 이웃 그리고 민족과 열방을 위한 중보기도 사역을 담당합니다.

**3. 자격**

1) 중보기도학교를 수료한 후 중보기도 사역훈련을 받은 등록 교인이어야 합니다.

2) 1주일에 1시간 이상 중보기도실에서 기도하며, 헌신한 기도시간을 성실하게 지킬 수 있는 자이어야 합니다.

3) 모든 기도제목의 내용을 하나님께만 아뢰며 모든 기도 내용에 대한 비밀을 철저히 지킬 수 있는 자이어야 합니다.

4) 진정으로 기도의 삶을 갈망하며 중보기도 사역으로 하나님께 자신을 바치기로 헌신된 자이어야 합니다.

## 4. 사역

1) 월요일 중보기도회 : 매주 월요일 밤 9시, 예배홀에서 있습니다.

2) 중보기도특공대 전체모임 : 매월 셋째 주 월요일 밤 10시, 비전홀에서 있습니다.

3) 중보기도특공대 사역 : 매주 1회 이상 원하는 시간에 하면 됩니다.

4) 예배를 위한 중보기도 : 주일 축제예배 시작 1시간 전부터 진행합니다.

5) 담임목사를 위한 중보기도 : 특별 집회가 있을 경우 하루 전 연락합니다.

6) 긴급 중보기도 : 긴급한 기도 요청이 있을 경우 진행합니다.

## 5. 실행 방법

1) 기도를 시작하기 전에 마음의 준비를 하십시오. 먼저 하나님과 나 사이에 막힌 담이 있다면 그것부터 해결하십시오(마5:23~24).

2) 중보기도자 〈10가지 점검사항〉은 다음과 같습니다.

① 성경말씀에 따라 기도하십시오(요일5:14~15).

② 항상 기도해야 함을 깨달으십시오(눅18:1).

③ 하나님의 은혜의 보좌 앞으로 담대하게 나오십시오(히4:16).

④ 예수님 이름으로 기도할 계획을 하십시오(요16:23~24).

⑤ 하나님께서 당신의 기도를 듣고 계심을 잊지 마십시오(벧전3:12).

⑥ 기도의 능력을 구하십시오(약5:16).

⑦ 하나님의 능력이 기도를 통해 얻어지는 것을 인정하십시오(사55:6~11).

⑧ 우리가 누구와 싸우고 있는가를 명심하십시오(엡6:12).

⑨ 기도의 무기로 무장하십시오(엡6:13~17).

⑩ 기억나는 죄가 있거든 자백함으로 용서 받으십시오(요일1:9).

3) 중보기도실 벽에 걸린 〈기도절차 시간표〉를 보시고 60분을 잘 분재하여 기도하십시오.

4) 기도제목과 파일들을 보면서 골고루 기도합니다.

① 기도제목이 기록된 카드들이 철해져 있습니다. 왼편으로 넘어간 카드들은 앞서 오신 중보기도자가 기도했으므로 그 다음 카드부터 기도하십시오.

② 마지막 장까지 기도한 후에는 처음 카드로 돌아가서 다시 시작하십시오.

③ 기도카드는 행정지원팀에서 접수순으로 정리하여 놓은 것입니다.

④ 기도하시면서 정리된 이 순서를 바꾸어 놓지 않도록 특별히 유의해주십시오.

⑤ 기도카드 내용에 문제가 있는 것이 발견되면 임의로 수정, 첨삭하지 마시고 비치된 '포스트 잇'에 고칠 내용과 자신의 이름을 기록하여 해당 카드에 붙여 주십시오. 영성국장만이 담당자와 의논하여 수정할 수 있습니다.

5) 마지막으로 하나님께 감사와 찬양을 드립니다.

## 6. 중보기도실 이용 안내

1) 중보기도실은 중보기도특공대만 들어갈 수 있습니다.

2) 중보기도실 문은 반드시 잠그고 열쇠는 입구에 걸어두십시오.

3) 중보기도실 출입 시 타인에게 폐가 되지 않도록 조심하십시오.

4) 기도실에 들어갈 때는 〈기도 중〉 팻말을 문손잡이에 걸어 두십시오.

5) 음식물 반입은 절대 금지입니다.

6) 중보기도실 안에 있는 일체의 기구와 준비물 등은 책임자 외에는 함부로 옮기지 마십시오.

7) 기도실을 나오실 때 불을 꼭 끄고 나오십시오.

8) 중보기도실 이용시간은 매일 오전 6시부터 오후 11시까지입니다.


중보기도 절차는 다음과 같이 원칙을 정해 기도하되 성령의 인도하심을 받도록 합니다.

**찬양/10분**

1. 비치된 찬송가를 활용할 수 있습니다.

**담임목사를 위한 기도/10분**

1. 말씀의 권세와 능력을 갑절로 더하소서.

2. 영력과 지력과 체력을 갑절로 더하소서.

3. 인권과 물권을 갑절로 더하소서.

4. 목사님의 가정에 성령으로 기름 부어 주소서.

**교회를 위한 기도/10분**

1. 비치된 주보의 기도제목을 보고 기도하십시오.

**성도들을 위한 기도 /10분**

1. 〈기도제목카드 파일〉을 보시고 기도하십시오.

**나와 가족을 위한 기도/5분**

**전도대상자를 위한 기도/5분**

**나라와 민족, 세계 복음화를 위한 기도/5분**

1. 이 민족이 주님의 품으로 돌아오게 하소서.

2. 북한이 복음으로 통일되게 하소서.

3. 우리 교회가 파송하고 후원하는 선교사님과 단체, 교회를 위해 비치된 주보 '선교후원'을 보고 기도하십시오.

**감사기도/5분**

1. 〈기도응답카드 파일〉을 보고 하나님께 감사를 드리십시오.

## 열정적 영성을 위한 성경 읽기

열정적인 영성을 측정하는 두 가지 척도는 기도 생활과 성경 읽기입니다. 그런데 1998년 한국 갤럽 보고서에 의하면 한국 개신교인들의 51.9%가 예배 시간 외에는 성경을 읽지 않는다고 합니다. 오늘 한국 교회의 심각한 위기 상황을 그대로 드러내는 자료입니다. 그리스도인들에게 있어 성경 읽기는 선택이 아닙니다. 예수님께서는 거듭난 성도들의 건강한 삶의 특징을 한 마디로 이렇게 말씀하십니다. "사람이 떡으로만 살 것이 아니요 하나님의 입으로 나오는 모든 말씀으로 살 것이라"마 4:4. 이처럼 성경은 거듭난 성도들에게 있어서 영혼의 양식입니다.

알버트 슈바이처 박사는 누가복음 16장에 있는 부자와 나사로의 비유를 보며 거지 나사로와 같은 불행한 삶을 사는 아프리카의 흑인과 함께 살기로 결심하고 흑인들의 아버지가 되었습니다. 하나님의 말씀은 우리의 인격을 변화시켜서 근원적으로 새롭게 살아가게 합니다.

미국이 낳은 대작가 월래스Lew Wallace는 법률가요, 장군이요, 외교관이며 문필가로서, 평소에 기독교 신앙에 대해 적개심을 품고 있던 불신자였습니다. 그래서 그는 이 세상을 떠나기 전에 세상을 깜짝 놀라게 할 작품 하나를 쓰고 싶었습니다.

그것은 반기독교적 내용을 담은 작품이었습니다. 누구든 이 작품을 읽으면 기독교를 떠나서 적그리스도가 되게 하는 작품을 구상했던 것입니다.

많은 자료들을 수집하고 나서 마지막으로 성경을 읽기로 작정하였습니다. 창세기에서부터 읽기 시작한 그는 복음서를 다 읽기도 전에 마음이 뜨거워지기 시작하였고, 요한계시록을 다 읽기 전에는 돌 같던 마음이 물같이 녹게 되었습니다. 큰 감동에 복받쳐서 그는 그리스도 앞에 무릎을 꿇었으며, 기독교를 농락하려던 붓을 꺾고 새로운 붓으로 그리스도의 사랑과 속죄를 주제로 수많은 사람들의 심금을 울리는 대작을 쓰게 되었습니다. 그것이 바로 유명한 「벤허」입니다.

성경 읽기는 이처럼 너무 중요합니다. 성경을 어떻게 읽는 것이 좋은지에 대해서는 다양한 의견들이 있습니다만 우리 교회는 전 성도가 '맥체인 성경읽기표'에 따라 성경을 읽고 있습니다.

이것은 19세기 스코틀랜드의 목사요. 교회 역사상 가장 경건하고 거룩한 인물 중 한 사람으로 평가받고 있는 로버트 머레이 맥체인Robert Murray Macheyne이 만든 것입니다.

이 성경 읽기 방식은 그 후 많은 사람들이 애용하게 되었는데 맥체인 성경 읽기표의 유익을 발견하고 평생 사용했거나 지금도 계속 사용하고 있는 대표적인 사람으로는 20세기의 복음주의 설교가요, 목회자인 로이드 존스1899-1981와 존 스토트1921-현재를 들 수 있습니다.

성경을 각각 2장씩 매일 읽도록 하는 맥체인식 성경읽기는 성경을 1년에 일독 이상 즉, 구약 일독과 신약과 시편을 각각 이독씩 하게 합니다.


## 찬양 속에 거하시는 성령님의 임재

우리 교회를 자랑할 때면 성도들이 꼭 하는 얘기가 있습니다. "찬양이 얼마나 은혜롭고 뜨거운지 아세요? 찬양이라고 다 같은 찬양이 아니랍니다. 우리 교회에 와서 찬양을 들어보세요. 찬양 가운데 기쁨이 넘치고, 감사가 넘치고, 하나님의 임재가 느껴진답니다."

그렇습니다. 우리 교회 성도들은 찬양시간에 목석처럼 그 자리에

굳어 있는 사람이 드뭅니다. 주일 밤 찬양예배 시간에는 청소년에서부터 나이 드신 권사님까지 기쁨에 겨워 춤을 추며 하나님께 나아갑니다. 박수치며 열광하며 찬양합니다. 우리의 온 마음과 온 몸을 다해 찬양하는 것입니다.

그리고 때로는 성령의 임재하심에 잠잠히 나아가기도 합니다. 이스라엘의 찬양 가운데 거하신다고 약속하신 성령의 임재가 우리의 찬양 가운데 나타납니다. 찬양을 통해 만지시고, 치유하시며, 회복시키시는 예수 그리스도의 능력을 체험하는 것입니다.

그렇기에 우리는 짜여진 틀에 따라 찬양하지 않습니다. 리더가 성령의 인도하심에 따라 찬양을 인도합니다. 물론 연습도 하고 준비도 하지만, 그 순간 성령이 주시는 영감에 따릅니다. 이를 위해 찬양 리더는 연습과 더불어 경건의 훈련에 동일한 힘을 쏟고 있습니다. 성령의 인도하심에 민감하기 위해서는 누구보다도 깨어 있어야 하기 때문입니다.

찬양이라고 해서 다 같은 찬양이 아닙니다. 육의 찬양, 혼의 찬양, 영의 찬양이 있습니다.

육의 찬양이란, 말 그대로 입만 달싹거리며 형식적으로 하는 찬양입니다. 이런 찬양에 기쁨과 감동이 있을 리가 없습니다. 하나님도 이런 찬양은 기뻐하지 않으실 것입니다.

혼의 찬양은 기쁨을 느끼고 눈물을 흘리며 감격하기도 합니다. 많은 찬양이 여기에 머뭅니다.

혼의 찬양에서 영의 찬양까지 나아가야 합니다. 성령의 임재가 나타나는 찬양, 다윗이 수금을 타는 순간 사울에게 있던 악신이 떠났던 것처럼 찬양 가운데 귀신이 떠나가며 눌린 모든 것이 해방되는 찬양, 이것이 영의 찬양입니다.

'열정'은 영의 찬양으로 나아가는 도구입니다. 다윗이 바지가 흘러

내릴 정도로 찬양했던 것처럼 하나님께 열정적으로 나아가야 합니다.

우리는 서태지 공연에 열광하는 청소년들을 봅니다. 너무나 흥분한 나머지 쓰러지는 아이도 있습니다. 설마 우리 하나님이 서태지만도 못할까요? 그렇지 않습니다. 비교조차 할 수 없습니다. 그런데 우리는 어떻게 찬양합니까? 하나님 앞에서 굳은 얼굴로 마지못해 박수를 치며 찬양하고 있지 않습니까? 부모 앞에서 부모보다 더 엄숙한 모습인 자녀를 상상해 보십시오. 자녀는 자녀다워야 합니다. 하나님 앞에 어린아이와 같이 찬양해야 합니다.

> "나팔소리로 찬양하며 비파와 수금으로 찬양할찌어다 소고 치며 춤추어 찬양하며 현악과 퉁소로 찬양할찌어다 큰소리 나는 제금으로 찬양하며 높은 소리나는 제금 으로 찬양할찌어다 호흡이 있는 자마다 여호와를 찬양할찌어다 할렐루야"시 150:3-6.

시편 기자는 우리의 모든 것을 동원해 '하나님을 찬양하라'고 말씀합니다.

성령은 굳은 마음에 역사하시지 않습니다. 성령은 인격을 가지신 분입니다. 그분을 기뻐하고 환영하는 곳에 기름 부으십니다. 하나님을 기뻐하며 열정적으로 찬양하십시오. 두 손을 높이 들어 박수치고, 일어서서 뛰며 하나님께 열광하십시오. 그러한 열정이 영의 찬양으로 나아가게 합니다.

# 건강한 교회의 추진력_열정적 영성

자연적 교회 성장의 여덟 가지 원리 중 '열정적 영성'은 8가지 질적 특성을 실행하는 원동력이 됩니다. 열정적인 에너지가 전환되어 사역에 힘이 있고, 예배에 영감이 넘치며, 전도에 능력이 나타나기 때문입니다.

열정적인 영성은 예배, 사역, 전도, 조직을 움직이는 힘입니다. 눈에 보이지 않는 것이기 때문에 소홀히 할 수 있지만, 그 대가는 교회 성장을 가로막는 치명적인 요인이 될 수 있습니다. 따라서 기도, 말씀, 찬양 등 무엇이든 열정적이어야 합니다. 그러한 열정이 바로 8가지 질적 특성을 이루어 가는 추진력이 됩니다.

그런데 우리가 열정을 쏟으려 할 때 방해가 되는 것들이 있습니다. 거기에는 여러 가지 이유가 있습니다. 고든 맥도날드 목사는 『영적인 열정을 회복하라』는 책에서 영적인 열정을 손상시키고, 열의를 식게 만드는 7가지 요소를 제시하고 있습니다. 행동 없는 말, 목적 없는 분주함, 휴식 없는 일정, 서로 세워주지 못하는 교제, 자신의 점검이 없는 목회 인격, 영적 능력이 없는 자연적 은사, 적절한 영성이 없는 공허한 신학 등입니다.

이 중 우리가 가장 방해받는 것이 '분주함'이 아닌가 합니다. 현대인들이 가장 많이 사용하는 단어가 '바쁘다'는 것입니다.

실제로 저도 얼마나 바쁜지 모릅니다. 설교를 준비하고, 양육하고, 여타의 일들을 처리하는 데 하루 24시간으로는 턱없이 부족합니다. 새벽 4시부터 밤 12시까지 꼬박 일하는데도 언제나 일은 밀려 있습니다. 그래서 제가 가장 겁내는 사람은 저의 시간을 쓸데없이 도둑질하는 사람입니다.

현대인은 누구나 이런 분주병에 걸려 있습니다. 교회 안에서도 마찬가지입니다. 이러한 분주병은 영적인 탈진을 가져옵니다. 목적 없이 분주해지기 때문입니다. 매일매일 쫓기는 삶을 사는 듯한 느낌, 언제나 일이 끝나지 않는 상태에 머물러 있는 듯 한 스트레스….

사람은 일을 끝내야 성취감을 맛봅니다. 그러나 분주병에 걸리면 성취감이 없습니다. 분주병이란 단지 더 많은 성취를 위하여 가급적 짧은 시간에 많은 일을 하려는 끊임없는 노력과 시도입니다.

이 병의 증세는 모든 것을 빨리 해치우려는 조급 증세를 보이는 것은 물론이고, 동시에 여러 가지를 해치우려는 다발 증세가 나타납니다. 대화를 할 때도 이 말을 했다가, 마무리를 짓기도 전에 다른 화제를 꺼냅니다. 신문을 보며 밥을 먹는다거나, 화장실에서 책을 보는 것, 모두 일종의 분주병 증상입니다. 또 뭔지 모르게 복잡하고 늘 피곤합니다. 단순한 생활이 아니라 복잡하고 혼란스럽습니다. 봐야 할 책들이 잔뜩 쌓여 있습니다.

이런 증상이 깊어지면 사람들과의 깊은 교제도 불가능합니다. 분주병으로 인해 성도들을 사랑하지도 못하게 됩니다. 사랑은 시간을 투자해야 하는 행동이기 때문입니다. 조급한 마음은 배려와 사랑을 무시하게 하고, 결과적으로 가정생활에도 문제를 일으킵니다.

또한 피상적인 삶을 살게 되고, 깊이 없이 대충대충 일을 처리하기 때문에 열매를 맺을 수 없습니다. 그러니 기쁨이 생기지 않습니다. 늘 긴장하며 스트레스에 쌓여 있기 때문입니다.

우리는 매일의 삶을 누려야 합니다. 오늘을 기뻐하고, 감사하며 지금 이 시간을 즐겨야 하는 것입니다. 항상 미래만을 준비하는 삶으로 끝나서는 안 됩니다. 분주병으로 인해 기도생활이 소홀해지는 것도 사실입니다.

이런 사람들은 저녁 시간이 되면 피곤해서 견딜 수가 없습니다. 심각한 경우에는 절망감으로 인한 중독 증세까지 나타납니다. TV, 알코올 등 현실을 도피하고 잊기 위해 여러 중독에 빠집니다. 심지어 자신뿐만 아니라 다른 사람도 분주하게 만들며, 끊임없이 뭔가 하지 않으면 실패했다고 생각합니다.

분주병에서 벗어나기 위한 처방과 치료책은 없을까요? 이를 위해서는 먼저 분주병의 출발을 잘 관찰해야 합니다. 그것은 대개의 경우 '삶의 균형'은 곧 '행복'이라는 생각에서부터 시작됩니다. 흔히 신앙, 직장, 취미, 공부, 운동 등을 균형 있게 조화시켜야 한다고 생각합니다.

하지만 우리는 이 모든 일을 모두 완벽하게 행하며 살 수는 없습니다. 사도 바울이 자신의 인생을 향한 '목적'에 초점을 맞추어 성공적인 인생을 살았던 것을 주시할 필요가 있습니다.

분주병은 우리 인생의 목적이 무엇인지 깊이 생각하는 것에서 치료가 시작됩니다. 분주병의 반대말은 '언제나 내 마음에 잘 정돈된 하나님의 질서가 있는 것'입니다. 하나님을 사랑하고 섬기고 다른 사람을 섬기는 것, 이것이 하나님의 질서가 있는 마음입니다. 사도 바울은 그 마음에 언제나 하나님의 질서가 있었기에 성공적인 인생을 산 것입니다.

분주병의 치료책은 첫째, 자신의 시간에 대해 책임을 지는 태도입니다. 급한 일이 아니라 중요한 일에 시간을 분명히 해야 합니다. 그것에 따라서 시간을 투자해야 합니다. 이것은 시간 관리에 달려 있는데 시간을 관리한다는 것은 학창시절 방학이 가까워오면 공부, 놀이, 쉬기 등을 적절하게 배치하는 것과 같은 시간 계획을 말하는 것이 아닙니다.

스티븐 코비는 소중한 일을 우선적으로 하는 것을 '시간 관리'라고 말합니다. 당장 급하지는 않지만 중요한 일을 우선 처리할 줄 아는 사람, 그런 사람이 시간을 잘 관리하는 사람입니다. 분주병은 이렇게 시간을 잘 관리함으로써 치료할 수 있습니다.

둘째, 자신이 왜 분주병에 걸렸는지 자문해야 합니다. 미래나 자신의 가치에 대해 두려운 마음을 갖고 있지는 않은지, 바쁘게 살지 않으면 중요한 사람이 아니라고 생각하지는 않는지 냉철하게 자기 진단을 해보아야 합니다.

셋째, 분주함에 대한 생각을 바꾸어야 합니다. 바빠야 성공한다는 생각, 문제가 해결될 때까지는 쉴 수 없다는 생각, 이러한 생각에서 벗어나야 합니다. 인생의 성공은 근면과 관련되어 있지, 분주함에 있지 않습니다.

마지막으로 매일매일의 스케줄을 혁신하는 것입니다. 사역과 휴식의 리듬을 잘 타야 합니다. 기도 시간, 수면 시간에 과감한 투자를 하십시오. 그래야만 영적으로 육체적으로 지치지 않습니다.

많은 사람들이 이 시대에 '영성'을 논하고 있습니다. '진정한 영성'이란 무엇인지 우리로 하여금 고민하게 합니다.

이에 발맞추어 영성에 대한 책들이 쏟아져 나오면서 영성에 대한 정의를 다양하게 내립니다. 어떤 사람은 하나님의 말씀에 정통한 것을, 또 어떤 사람은 하나님을 느끼고 체험하는 것에, 행동과 구제에 비중을 두기도 합니다.

그러나 진정한 영성은 '은혜의 삶'을 알 때 가능합니다. 은혜의 삶은 의무와 책임의 삶이 아니라 '기쁨과 즐거움'의 삶이며, 행위에 초점을 둔 율법적 삶에서 벗어나 '하나님과의 관계'에 초점을 둔 삶이며, 그리스도를 위한 삶이라기보다 '그리스도 안에서의 삶'입니다. 나의 인격 속에 그분의 존재가 나타나는 것입니다. 일상의 시간 속에서 아무런 거리낌 없이 자연스레 나타나는 그리스도의 인격을 꽃피우는 삶입니다.

진정한 영성은 은혜의 삶 속에 거할 때 자연스럽게 성장하며 열정적 영성으로 열매 맺는 것입니다.

9장 기능적 조직

영성주의자들은 기도만 강조하고 조직을 무시하는 경향이 있고, 방법을 강조하는 사람들은 교회가 어떤 일정한 조직을 갖추면 성장하게 된다고 믿는 경향이 있습니다.

그러나 슈바르츠는 한 교회의 형식과 조직에 있어 가장 중요한 기준은 사람들이 자신들의 목적을 달성하느냐 못하느냐에 달려 있다고 말합니다. 교회 조직 자체는 절대 궁극적 목적이 될 수 없고, 오히려 조직은 단순히 목적을 위한 수단일 뿐이라는 것입니다. 이 요구사항에 맞지 않는 것들, 가령 지도력을 감소시키는 조직, 불편한 예배 시간, 교인들에게 효과적이지 못한 프로그램 등은 모두 바뀌든지 중단되어야 한다고 말합니다. 이와 같은 부분들이 개선된다면 전통주의적인 관례들은 상당히 제거될 수 있습니다.

그렇다면 사람들이 이 원리를 반대하는 까닭은 무엇일까요? 그것은 사람들의 삶의 경향이 점점 더 전통적으로 되려 하는 성향 때문입니다.

'전통주의'란 자신들에게 익숙한 교회 형식이 늘 동일하게 머물러 있어야만 하는 것을 의미합니다. 슈바르츠는 교회 성장에 있어서 가장 심각하게 부정적인 영향을 미치는 요소들 중 하나가 전통주의라고 말합니다. 교회의 조직이 기능을 효과적으로 수행하도록 구성되어야 그 조직에 필요한 은사를 가진 평신도 지도자의 발굴이 가능하고 지도력의 위임도 가능해집니다. 복잡하고 다양한 교회 구조를 단순하고 강력한 조직으로 만드는 패러다임의 변화가 필요합니다.

조직에 대해서는 다음 세 가지의 패러다임이 있습니다. 첫째, '조직은 변하지 않는다'는 생각입니다. 조직 즉, 구조는 고정불변의 것이기에 변하지 않는다고 믿으며, 조직의 변화를 시도하지 않습니다. 또 변화를 싫어하기 때문에 '기능적'이라는 유동성에 반발합니다.

둘째, '조직은 비 영적인 것'이기에 성장과는 관계가 없다는 생각입니다. 교회의 성장은 성령의 인도하심만 따르면 저절로 이뤄진다는 것입니다. 따라서 조직을 평가하는 것은 불필요한 일이라고 생각합니다.

셋째, 교회를 '생명체적'으로 보는 시각입니다. 생명체적인 조직은 적절하게 기능하지 않으면 병들기 때문에 교회의 성장 정도에 따라 기능적으로 변해야 합니다.

예를 들어, 여전도회가 모여서 참기름 장사, 고춧가루 장사하는 일에 많은 시간을 보내는 것을 과연 주님께서 원하실까요? 오히려 성도들이 그들의 은사대로 사역할 수 있는 조직이 필요합니다. 사역이란 '하나님의 일을 수행하는 것'입니다. 사역을 수행하는 사람을 가리켜 사역자라고 부를 때 모든 성도는 어떤 의미에서 사역자라고 말할 수 있습니다.

성도들이 '사역자'라는 의미는 결국 진정한 사역의 시작이 하나님을 만나는 경험에서부터 시작됩니다. 하나님을 알고 그를 높이고 그를 사랑하고 그의 명령에 순종하고 따르는 것이 바로 하나님의 일입니다.

참 사역은 이런 의미에서 하나님을 만나고 그를 예배하는 경험을 통해 흘러넘치는 것입니다. 하나님의 사역을 내가 결정하는 것이 아니라 하나님께서 결정하신 일에 우리는 순종할 뿐입니다.

따라서 사역에 있어서 가장 중요한 것은 '순종'과 '헌신'입니다. 사역이라 해서 내가 생각한 대로 하는 것이 아니라 하나님이 원하시는 대로 하는 것이요, 기분이 좋기 때문에 하고 기분이 나쁘기 때문에 그만두는 것이 아니라 하나님께서 그만두라고 하실 때까지 계속 신실하게 하는 것입니다. 사역의 주체가 나라고 생각하지만 실상은 하나님이시기 때문입니다.

사역은 하나님의 은혜가 너무 커서 그 감격으로 하는 것입니다. 하나님께서 사역을 주실 때는 하나님께서 책임지신다는 사실을 기억해야 합니다. 또 한 가지 중요한 사실은 하나님께서 어떤 일을 맡기실 때는 그 일을 수행할 수 있는 은사도 주셨음을 신뢰하는 것입니다. 그래서 은사대로 사역하면 열매가 풍성할 뿐만 아니라 기쁨도 충만하게 됩니다.

그래서 우리 교회는 은사 발견 세미나를 통해 은사를 발견하고 자신의 은사대로 사역에 배치되도록 조직합니다.

교회는 살아있는 그리스도의 몸입니다. 각 성도들은 몸의 지체이며, 우리 각 지체는 서로 연합해야 합니다.

우리 몸을 보십시오. 서로 연합하여 성장하도록 하나님께서 얼마나 기능적으로 창조하셨습니까? 몸의 한 부분에 이상이 생기면 성장이 어렵듯이 지체들이 잘 연합하도록 하는 다양한 체계가 필요합니다. 그리고 각각의 구조들이 잘 연합하도록 하는 여러 체계가 필요합니다. 그리고 각각의 구조들이 효율적인지 그렇지 않은지 정기적으로 평가되어야 합니다.

아이가 태어나고 자라가면, 성장의 단계에 따라 필요한 것들이 달라집니다. 이와 마찬가지로 유기체인 교회도 건전하고 균형 잡힌 생명을 주는 체계를 가져야 하며, 그것은 곧 변화의 가능성을 내포하고 있어야 한다는 것입니다.

"오직 사랑 안에서 참된 것을 하여 범사에 그에게까지 자랄찌라 그는 머리니 곧 그리스도라 그에게서 온몸이 각 마디를 통하여 도움을 입음으로 연락하고 상합하여 각 지체의 분량대로 역사하여 그 몸을 자라게 하며 사랑 안에서 스스로 세우느니라"엡4:15-16.

## 분명한 비전과 사명 선언문

교회의 비전이 무엇이며 어떻게 그 비전을 공동체가 함께 나누며 성취해 나갈 수 있을 것인가 하는 점은 매우 중요합니다. 조직은 비전을 구체화시키는 체계입니다. 그렇기 때문에 기능적인 조직을 갖추기 위해서는 먼저 '기초가 되는 비전'이 명확해야 합니다.

일반적으로 비전을 '미래의 것을 감지 또는 분별하는 지혜가 있는 특별한 능력'이라고 정의합니다. 성경에서는 선지자들에게 전해지는 메시지를 비전으로 설명하고 있기도 합니다.

새들백교회의 릭 워렌 목사는 "비전을 추구하는 교회가 성공적인 교회를 이루는 열쇠다"라고 하였습니다.

교회의 비전은 교회의 사명을 이해하는 데서 옵니다. 우리는 주님께로부터 위대한 사명을 받았습니다. 위대한 사명이란 바로 이것입니다.

"너희는 가서 모든 족속으로 제자를 삼아 아버지와 아들과 성령의 이름으로 세례를 주고 내가 너희에게 분부한 모든 것을 가르쳐 지키게 하라 볼찌어다 내가 세상 끝날까지 너희와 항상 함께 있으리라"마 28:19-20.

우리 교회의 사명 선언문은 이 위대한 사명에 근거한 '말씀과 성령의 능력으로 제자가 되어 2천2만 세계비전을 이루는 생명의 공동체'입니다. 우리의 비전은 바로 제자 삼는 사역으로 세계 선교 비전을 이루는 2천2만 세계비전입니다.

말씀과 성령의 능력으로 훈련된 2천 명의 선교사를 복음을 듣지 못한 종족들에게 파송하고, 2만 명의 사역자를 세워 주님의 명령을 감당하는 교회가 되겠다는 것입니다.

우리 교회는 이 사명을 이루기 위해 8대 핵심가치를 세웠습니다. 8대 핵심가치는 건물의 기둥처럼 사명을 이뤄가는 구체적인 체계가 됩니다. 건물로 비유하자면, 위대한 사명은 건물을 세우기 위한 기반이요, 사명 선언문은 건물의 기초입니다. 8대 핵심가치는 기둥이고, 2천2만 세계비전으로 건물 즉, 사명은 완성됩니다.

우리 교회는 건강한 교회를 이루는 8대 핵심가치와 건강한 사역자를 세워가는 두날개양육시스템에 따라 기능적으로 조직을 구성하였습니다. 2천2만 세계비전이라는 목표를 이루면서 그 안에 8가지 핵심가치를 포함하고 있습니다.


먼저 대그룹 날개 조직입니다.

2만 셀리더를 세우는 조직으로는 전도국, 정착국, 양육훈련국, 재생산국, 영성국이 있습니다. 2만 셀리더를 세워가도록 두날개양육시스템을 국으로 조직화하여 효율적인 사역을 극대화하고 있습니다.

2천 선교사를 세우는 조직으로는 국제국과 선교국이 있으며, 사역조직으로는 예배 1 · 2국, 복지국, 교육국이 있습니다.

대그룹 날개는 11개의 국으로 이루어져 있는데, 각 국들은 독립적이며 또한 상호의존적으로 활동합니다. 각 국 안에는 팀이 있고 팀장이 임명되어 팀의 활동을 총괄하고 있으며, 팀을 이끕니다.

팀은 매주 팀의 활동을 국장에게 보고하며, 국장은 담당교역자에게, 담당교역자는 행정실에, 행정실에서 총합하여 담임목사에게 보고합니다. 그 보고를 기초로 정기적으로 국 회의를 가지는데, 이때 각 국과 팀 활동의 상호조정도 이뤄집니다. 각 국과 팀은 독립적이면서도 상호 연관되어 있기 때문입니다.

만약 양육훈련국 안의 사역 중 세계비전제자대학의 학사 일정의 변화로 차질이 발생한다면 전도국의 열린모임, 예배국의 예배 등 다른 사역에도 직·간접적인 영향을 미치게 됩니다. 그렇기 때문에 매주 국 회의를 통해 서로 조율하는 것입니다. 이런 협력은 NCD의 생명체적 원리의 번식, 에너지 전환, 다목적, 공생, 기능성의 원리와 맞닿아 있습니다. 양육훈련국에서 잘 훈련된 사역자는 다른 국에서도 열심히 섬기며, 그것은 곧 일차적인 목적뿐만 아니라 이차적인 목적까지 충족시킵니다.

소그룹 날개 조직은 각 공동체로 이루어져 있습니다.

기혼 남성과 여성 셀그룹으로 구성된 남성, 여성 공동체, 청년과 대학생들이 소속된 청년 공동체, 어린이 유치부 유아부 청소년 공동체들을 포함한 차세대 공동체가 있으며 실버, 국제의 특수사역 공동체도 소그룹 날개로 조직되어 있습니다.

그런가하면 두날개로 날아오르는 건강한 교회 컨퍼런스와 집중훈련, 네트워크 모임 등 조국의 교회와 열방을 섬기는 대외사역인 두날개 선교센터와 선교사를 훈련하고 파송하는 선교전문기관인 두날개 선교회가 독립기관으로 조직되어 있습니다.


## 풍성한교회의 기능적 조직

### 행정

행정에서는 대그룹 날개와 소그룹 날개의 사역들을 총괄, 조정합니다. 행정은 목회행정과 사무행정으로 구분되어 있는데, 목회행정은 목회에 필요한 지원팀이, 사무행정에는 사무팀, 시설관리팀 등 사무와 관리에 필요한 지원팀이 소속되어 있습니다.

## 전도국

전도국은 전도기획팀, 전도특공대, 열린모임팀 등과 국내선교부로 조직되어 있습니다.

국내선교부는 의료 선교회, 피부 미용 선교회, 법조인 선교회, 교수 선교회, 교사 선교회, 음악인 선교회 등 전문인 전도팀으로 구성되어 활동합니다.

전도국의 목적은 열정적인 전도로 살아계신 하나님을 증거하는 데 있습니다. 그리고 전도국의 중심철학은 교회의 존재 목적을 이루는 뼈대로 존재하는 것입니다.

즉, 전도는 하나님의 큰 소원인데 하나님은 천사나 다른 방법이 아니라 믿는 당신의 사람들을 통해서 전도하기를 원하십니다. 전도는 예수님께서 성도에게 주신 최후의 지상명령입니다.

특별히 사도행전의 전도방법인 열린모임은 전도 소그룹 모임입니다. 여기에는 누구나 참석하여 참된 복음을 듣고 하나님을 만나지 못한 자는 하나님을 만나고 하나님을 만난 자는 하나님의 복을 누리는 곳입니다.

## 정착국

정착국은 정착 기획팀, 새가족섬김이 사역팀, 새가족반팀, 새가족환영팀, 새가족 섬김이 학교팀, 새가족섬김이 세미나팀 등이 있습니다.

정착국의 목적은 등록한 새가족을 정착시키도록 연구, 실행하는 곳으로 새가족 정착을 위한 지원과 행정이 이뤄집니다.

## 양육훈련국

양육과 훈련을 행정적으로 지원하고 담당하는 국입니다. 양육훈련국은 새가족반을 수료하고 정착한 교인을 양육하며 세우는 양육반을 운영, 진행하며 수강자 중 탈락자가 없도록 하는 사역을 감당합니다.

또, 세계비전제자대학을 운영하며 학생들을 관리하는데 새신자가 교회에 오게 되면 새가족반, 양육반을 거쳐 세계비전제자대학에서 1학기제자훈련, 2학기군사훈련, 3학기재생산훈련 등을 각각 3개월씩 1년 과정으로 이수하게 되어 있습니다.

이 과정에서는 평범한 평신도를 강력한 주님의 제자가 되게 만드는 것을 철학으로 삼고 있습니다.

세계비전제자대학을 통해 훈련된 제자들은 교회 곳곳에서 중요한 역할을 하고 있으며, 국내와 해외 선교사로 파송되고 있습니다. 특히 우리 교회 안에는 많은 자비량 사역간사들과 셀그룹 리더들이 사역하고 있습니다.

## 재생산국

사과나무의 진정한 열매는 사과가 아니라 또 다른 사과나무이듯 셀그룹의 진정한 열매는 새가족이 아니라 또 다른 셀그룹입니다.

재생산국은 지속적인 셀의 성장과 번식을 연구하며 셀의 번식을 통해 지역, 민족, 열방의 잃어버린 영혼들을 감당하여 2천2만 세계비전을 이루고자 합니다. 또 셀리더, 슈퍼 셀리더의 자질 강화, 셀그룹 강화를 위한 지원부서의 역할을 합니다.

## 영성국

영성국은 건강한 교회의 추진력인 열정적인 열성을 위한 영성 기획, 중보기도학교, 중보기도팀, 중보기도특공대, 특별새벽기도회 등의 사역을 진행합니다.

## 국제국

국제국은 영어예배, 중국어예배, 국제언어학교 등 교회 내 국제사역을 감당하며 이를 위한 사역을 기획, 연구, 진행합니다.

## 선교국

선교국의 목적은 세계의 잃어버린 영혼을 사랑하며 섬기는 것입니다. 풍성한교회는 세계의 잃어버린 영혼을 향한 하나님의 마음을 품은 교회입니다. 2천 명의 선교사를 복음을 듣지 못한 종족들에게 파송하여 우리 시대의 세계 복음화를 이루기 위해 달려가고 있습니다. 이를 위해 해마다 해외 선교 체험훈련으로 2천 선교 프로젝트를 구체화하고 있습니다.

## 예배1국

예배국의 목적은 역동적인 예배로 모든 성도들이 하나님의 임재와 능력을 체험하도록 돕는데 있습니다.

예배는 기존 신자에게 있어 신앙생활의 기초가 되는 중요한 요소입니다. 또한, 초신자에게 교회를 대하는 첫 번째 관문입니다.

예배의 중요성이야말로 아무리 강조해도 결코 지나치지 않습니다. 예배는 하나님의 택한 백성이 하나님을 향해 올려드리는 최고 헌신의 표현입니다. 예배는 어느 누구 한 사람만의 것이 아니라, 주의 백성들의 마음과 뜻이 하나되어 주께 나아가는 공동체 신앙의 종합예술입니다.

구약에서도 성막에서 제사장들이 여러 제사의 법도를 따를 때 그들만의 힘으로는 그 많은 백성들에게 필요한 제사를 감당할 수 없었습니다. 그래서 하나님은 레위 지파를 별도로 세워 그들로 여러 성막 사역의 일부를 섬길 수 있도록 배려하신 것입니다.

우리 교회 예배국의 각 팀은 예배라는 신앙의 최고봉을 온전히 주님께 올려드릴 수 있도록 맡은 직분대로 최선을 다해 돕습니다. 예배국은 예배 기획팀, 예배 연출팀, 찬양부, 예배 퍼포먼스부 등이 활동하고 있습니다.

### 예배2국

영감이 넘치는 예배를 돕는 것이 예배2국의 목적입니다. 예배 안내팀, 헌금위원팀, 예배홀 관리팀, 성례팀, 절기팀, 예배 통역팀, 주보 관리팀, 주차 안내팀, 차량 운행팀, 데코팀, 청결팀이 소속되어 봉사와 섬김으로 예배를 위한 부차적인 기능을 담당하고 있습니다.

### 복지국

복지국의 사명은 잃어버린 영혼에게 나아가는 것과 동시에 이웃을 섬기는데 있습니다. 복지국은 작게는 지역사회를 섬기며 나아가서는 NGO와 같은 국제적인 봉사로 이웃을 섬기는데 있습니다.

이를 위해 지역 사회에 도움이 필요한 지체들을 Happy House란 프로젝트로 돕고 있으며, 주님이 하셨던 섬김을 점차적으로 민족과 열방으로 확장하기 위해 기획, 연구하고 있습니다.

### 교육국

교육국은 차세대를 위한 교육을 기획, 연구할 뿐 아니라 성도들을 위한 다양한 교육 프로그램을 연구 개발하여 진행합니다. 기독교 교리학교, 신구약 파노라마, 큐티 학교, 태아부모학교 등 다양한 교육을 통해 성도들의 가치관을 성경적인 가치관으로 변화시켜가고 있습니다.

## 소그룹 날개, 셀그룹

대그룹 날개가 네트워크를 통하여 적극적으로 사역하고 있다면 소그룹 날개에서는 각 셀그룹들이 활동하고 있습니다.

셀그룹이란 '예수 그리스도의 임재와 능력과 목적을 체험하며, 전도, 정착, 양육, 훈련, 번식이 지속적으로 일어나 2천2만 세계비전을 이루는 예수 생명의 가족모임'입니다.

장년 남성 모임인 남성 셀, 장년 여성 모임인 여성 셀, 청년대학생 모임인 청년 셀, 중고등학생들이 모이는 틴 셀, 아동에서부터 초등학생들이 모이는 키 셀 등이 한쪽 날개인 셀그룹을 이루고 있습니다.

셀그룹에서는 매주 각 공동체의 담당자들이 모여 담임목사인 저와 디렉터교구장모임을 가집니다. 셀그룹에 대한 이론적인 내용은 제5장 전인적인 소그룹에서 자세히 설명하고 있습니다.

여기서는 기능적인 구조라는 관점에서 각 셀들이 어떻게 활동하고 있는지에 대해 잠시 설명하겠습니다.

### 남성 셀그룹

외환위기로 직장 남성들은 과로와 불안이라는 위기감에 시달리고 있습니다. 누구보다도 많은 위로가 필요한 사람들입니다.

남성 셀그룹은 이러한 기혼 남성들의 모임으로 셀그룹을 통해 어려움을 함께 나누며 기도합니다. 보이지 않는 경쟁으로 눌려 있던 한 주간의 삶이 이러한 모임을 통해 회복되며 힘을 얻는 것입니다.

## 여성 셀그룹

여성 셀그룹은 기혼 여성들로 구성되어 있습니다. 대부분 수요일 오전에 셀그룹을 가지는데, 여성 셀그룹 리더들의 열정은 대단합니다. 아직아이가 잘 걷지를 못해 업고 다니면서 셀그룹을 인도하고 심방하며, 열린 모임을 인도하고 있습니다.

이들 중 대부분은 아이가 초등학교를 들어가면 전임 사역을 하고싶다는 소원을 가지고 있습니다. 다른 주부들처럼 좀 더 넓은 집에 이사 가는 것, 남편이 돈을 더 많이 벌어다 주는 것이 바람이 아니라, 영혼들이 세워지고 셀그룹이 번식되는 것이 이들의 진정한 소망입니다.

## 청년 셀그룹

우리 교회 안에서 가장 역동적으로 움직이는 청년 셀그룹입니다. 청년의 문화가 타락하고, 방종하여 많은 사람들이 한탄하지만 우리 청년들은 오직 복음의 열정으로 한 눈 팔지 않고 달려가고 있습니다. 그리스도의 푸른 계절이 직장과 병원에, 캠퍼스에 오게 하기 위하여 복음의깃발을 높이 치켜들고 세상 문화와 타협하지 않고 달려가고 있는 순수함이 넘치는 청년들이 있습니다.

우리 교회에 청년들이 몰려드는 이유, 그것은 셀그룹을 통한 양육과 훈련을 통해, 뚜렷한 삶의 목표와 비전을 보기 때문입니다.

## 청소년 셀그룹

지금 이 시대에는 많은 가정이 파괴되고 있습니다. 교실이 붕괴되고,

청소년들이 타락하고 있는 근본적인 이유 중의 하나는 가정의 파괴입니다. 청소년들에게 어느 때보다 진정한 가족의 돌봄과 사랑이 필요한 때입니다.

청소년 셀그룹에서는 가정이 파괴되어 상처받고 있는 많은 청소년들의 회복과 치유가 일어나고 있습니다. 셀교사를 통한 예수 그리스도의 사랑으로 자존감이 회복되면서 하나님의 자녀로, 그리스도 안에서한 가족으로 거듭나고 있는 것입니다.

## 어린이 셀그룹

어린이는 한국 교회의 미래입니다. 어떻게 그들을 말씀으로 양육하여세우느냐에 따라 미래의 한국 기독교의 모습이 다르게 그려지는 것입니다.

그렇기에 어린이 셀그룹에는 어린이 사역에 헌신한 분들이 어린이들에게 예수 그리스도의 꿈을 심고, 어릴 때부터 전도하여 제자 삼는어린 군사들을 양육해내고 있습니다.

## 늘푸름(실버) 셀그룹

서구사회와 같이 우리나라도 고령화되면서 노인에 대한 관심이 급증하고 있습니다. 노인 사역이 블루오션이라는 이야기까지 있는데 꼭 그런의미가 아니라도 어르신들을 공경하고 섬기는 것은 그리스도인으로서당연히 해야 할 일입니다.

우리 교회는 70세 이상의 노인들을 실버셀로 편성하여 노후를 그리스도 안에서 평안하고 건강하게 보낼 수 있도록 마음을 다하고 있습니다.

**영어, 중국어 셀그룹**

국제화의 선두주자는 우리 교회여야 합니다. 우리 교회는 영어권과 중국어권의 유학생, 근로자 등의 외국인들에게 적극적으로 복음을 전할 뿐 아니라 이들을 그리스도의 제자로 성장시키기 위해 셀그룹을 통하여 한가족으로 섬기고 있습니다. 영어예배, 중국어예배와 더불어 셀그룹에서의 교제와 섬김은 한국을 이국땅이 아닌 또 다른 고향으로 느끼게 하며 이들을 성장시키고 있습니다.


## 높은 전통의 벽을 넘어

조직을 이끌어 가는 것은 결국 사람입니다. 사람이 성장하면 조직도 성장합니다. 반대로 조직을 향상시키면 사람이 더욱 성장합니다.

이와 같이 사람과 조직은 상호의존적입니다. 따라서 조직이 기능적으로 잘 운영되기 위해서는 잘 양육된 사람이 필수적입니다.

우리 교회의 양육체계는 사람들에게 사명과 비전을 볼 수 있는 안목을 키워주고, 조직의 중요성과 가치를 알게 하여 조직의 한 지체로서 잘 기능하도록 훈련시켜 줍니다.

무엇보다도 기능적인 조직이 되기 위해서는 가치관이 일치해야 합니다. 같은 말, 같은 마음, 같은 뜻고전1:10을 품어야 합니다. 그래야만 변화에 능동적으로 대처할 수 있습니다. 서로 다른 생각으로 좌충우돌하면 급속한 성장 속도에 대처해 대안을 만들기가 힘듭니다.

실제로 한 전통적인 교회 안에서 일어난 일입니다. 100여 년의 전통을 자랑하는 교회에 담임목사가 새롭게 청빙되었습니다. 이 목사는 매우 의욕적인 분이셨습니다. 성도들도 그런 목사를 환영했습니다. 하루는 강대상을 바라보다 피아노의 위치가 적절하지 못함을 발견하게 되었습니다. 목사는 즉시 사찰 집사에게 이야기하여 왼쪽에 부자연스럽게 놓여 있는 피아노를 오른쪽으로 옮겼습니다.

그런데 바로 그 주일에 문제가 발생했습니다. 주일 아침, 피아노의 위치가 옮겨진 것을 발견한 성도들은 당황했고 이 문제로 당회가 소집되었습니다. 이번에는 피아노가 아니라 그 목사가 임지를 옮겨가는 웃지 못할 일이 발생했습니다.

곧 다른 목사가 청빙되었습니다. 그런데 두 번째 부임한 목사가 보기에도 피아노의 위치는 부적절했습니다.

하지만 앞의 사건을 잘 알고 있는 이 목사는 피아노를 즉시 옮기지 않았습니다. 거의 표시가 나지 않도록 매주 1cm씩 옮기도록 했습니다. 그런 식으로 피아노를 옮기는 데 꼬박 3년의 시간이 걸렸습니다.

이런 단순한 것에 변화를 주는 일에도 전통을 고수하는 사람들은 크게 반발합니다. 결국은 기존의 가치관이 바뀌지 않아 일어나는 해프닝입니다.

이러한 전통주의는 교회 안에서 고질화되어 성장을 방해하는 주된 요인이 되고 있습니다. 서로 다른 가치관을 가지고 있는 사람이 모여 어떤 변화나 개혁을 이루는 것은 쉽지 않습니다. 교회가 발전하기 위해서는 교회의 비전과 사명을 제시해 모두 공유할 수 있도록 노력해야 합니다.

그래서 우리는 교회의 비전과 사명을 명확히 세워 놓고 그것이 모든 교인들의 비전과 사명이 될 수 있도록 그 가치를 지속적으로 일깨워 줍니다. 그래서 성도들은 훈련의 단계가 높아질수록 더욱 비슷한 가치관을 가지게 되고, 교회에 어떤 변화가 요구될 때 각 조직이 신속하게 대처하는 기능적인 조직을 갖추고 있습니다.

# 10장 은사 중심적 사역

크리스티안 슈바르츠는 그의 책 『자연적 교회 성장』에서 은사 중심적 사역의 전제를 이렇게 말하고 있습니다. "하나님께서는 이미 모든 그리스도인에게 그들이 해야 할 사역을 정해 놓으셨다. 이것이 은사 중심적 사역을 가능하게 만드는 전제다."

그래서 교회 지도자들의 역할은 교인들이 그들의 은사를 발견하고 그에 맞는 사역을 하도록 돕는 것이라고 말합니다. 이 원리가 아주 간단하게 들릴지 모르지만 실제로 이것을 적용해 나갈 때 교회 각 분야에 미치는 결과는 매우 놀라운 것입니다.

우리가 자신에게 주어진 영적 은사에 따라 섬기는 삶을 살게 되면, 우리는 더 이상 자신의 힘으로 일하지 않고, 성령께서 우리 안에서 일하심을 발견할 수 있게 됩니다. 그리고 이렇게 될 때 우리가 비록 '평범한 사람'일지라도 성령의 능력에 힘입어 우리의 삶을 하나님의 뜻에 맞게 헌신할 수 있습니다.

NCD의 연구 조사에 의하면 대부분의 그리스도인들은 전혀 사역에 관여하지 않거나, 아니면 그들의 은사와 무관한 사역을 하고 있다고 합니다. 그리고 약 80% 이상의 그리스도인들은 그들의 은사가 무엇인지 조차 모르고 있습니다.

NCD에서 말하는 것처럼 이런 교회는 실로 네모난 바퀴로 굴러가는 힘겨운 수레와 다름없습니다. 자신의 은사와 상관없이 사역하고 있는 그리스도인들은 수레 안에다 자신의 둥근 바퀴를 그대로 실어 둔 채 쓰지 않고 있는 것입니다. 이런 성도들이 많은 교회는 결코 건강할 수 없습니다.

이처럼 건강한 교회의 특징은 은사에 따른 사역이라 하겠습니다. 교회엔 다양한 일이 있고, 그 일마다 일꾼이 필요합니다. 평신도들은 자신의 은사와 일치하는 사역을 할 때 열매를 맺고, 기쁨과 보람도 느끼게 됩니다. 은사에 따라 일을 하면 그렇지 않을 때와는 전혀 다른 열매를 맺을 수 있습니다.

하나님께서 교회에 주신 이 중요한 원리를 실제적으로 적용해야만 비로소 교회의 건강한 성장을 지향할 수 있습니다. 슈바르츠는 그리스도인의 삶에 있어 가장 큰 영향을 미치는 것은 바로 자신의 영적 은사에 따라 사는 것이라고 말합니다. 그의 지적은 매우 정확한 것입니다.


## 은사 배치 사역

은사 배치 사역은 네트워크network를 번역한 것입니다. 그것은 성도와 사역을 연결시키는 개념입니다.

이를 어떻게 연결할 것인가를 결정해주는 요소가 바로 '성령의 은사'입니다. 성도와 사역이 하나 되게 하는 네트워크 사역은 평신도 사역의 꽃입니다. 따라서 이 가치를 아는 목회자는 반드시 목회철학을 바꿀 수밖에 없습니다.

목회철학은 목회자의 교회론에서 나옵니다. 교회론의 재발견이 이뤄진 것은 비교적 최근의 일입니다.

다른 주제와는 달리 교회론이 주목받기 시작한 것은 20세기에 들어선 다음부터이며, 한국 교회는 1980년대에 이르러서야 이 주제에 비로소 눈뜨기 시작했습니다.

교회론의 재발견은 두 가지 분야에서 중요한 변화를 가져왔습니다. 하나는 평신도의 지위와 역할에 있어서의 변화이고, 다른 하나는 제자도가 추구해야 할 목표에 있어서의 변화입니다. 그리고 이것은 목회철학의 변화를 수반합니다. 여기서 교회론과 목회철학의 필요성, 그리고 그 둘 사이의 관계를 이해하는 일은 매우 중요합니다.

은사 배치 사역은 단지 실행 방법을 배운다고 될 일은 아닙니다. 이 사역이 출발하게 된 근거를 이해해야 합니다. 은사 배치 사역이 성경적인 교회론과 목회철학에서 출발한 것임을 인식해야 합니다.

먼저 교회론의 재발견은 평신도의 지위와 역할을 재정립하는 결과를 가져왔습니다. 교회는 오랫동안 '성직자'와 '평신도'라는 이분법의 지배를 받아 왔습니다.

네트워크 사역의 창설자 중 한사람인 부루스 벅비Bruce Bugbee는 "지금까지 교회마다 교인들이 모두 제사장 역할을 감당하기 원했지만, 그것은 어디까지나 교리적 수준에 머물렀을 뿐 실제로 실천된 적은 없었다"고 지적합니다.

또 윌리엄 맥래William Mcrae는 오늘날의 교회를 비유하여 마치 축구 경기장 모습과 같다고 했습니다『네트워크 은사발견사역, 주교재』빌 하이벨스/프리셉트, 서문. 즉, 교회에 운집하는 수많은 성도들은 경기장의 관객으로, 교회의 유급 직원들은 연봉을 받는 프로 선수들로 비유한 것입니다.

이것은 오늘날 교회가 안고 있는 기형적인 모습을 단적으로 보여주는 것입니다. 결국 관객이 되어버린 대다수의 성도들은 사역의 주체가 아니라 객체요, 평가자일 뿐이고 섬김과 봉사의 여러 업무는 유급 직원과 소수의 평신도 헌신자들에 의해 이뤄지고 있습니다. 이처럼 교회 안에서 성직자와 평신도의 직분은 오랫동안 '전통'으로 받아들여져 왔습니다.

그러나 그리스도의 몸으로서 교회에 대한 재발견은 이러한 고정관념에 변화를 일으켰습니다. 그것은 교회 사역의 방관자였던 평신도들이 사역의 주체로 인식되기 시작한 것입니다. 이와 함께 교회에 대한 새로운 자각은 제자도가 추구해야 할 목표에 변화를 가져왔습니다.

즉, 유기체로서 교회에 대한 재인식은 제자도의 장단점을 개인적인 성숙에서 공동체적인 성숙으로 옮겨 놓았습니다. 다시 말하면 개인의 영적 성장보다 그리스도의 몸의 지체로서 감당해야 할 사역이 제자도를 통해서 추구해야 할 목표로 등장하게 된 것입니다.

그동안의 제자훈련이 사역보다는 개인의 영적 성장에 너무 치중했던 '훈련소형'이었다면, 이제는 사역 중심의 '제자훈련 목회'로 전환되어야 합니다.

최근 미국에서 성장하는 교회들 중에 한국에 널리 소개된 윌로우크릭교회나 새들백교회도 공통적으로 양육 단계에 평신도들이 사역에 참여하도록 인도하는 은사 개발 사역을 함께 병행하고 있습니다. 그들은 성경이 보여주는 교회의 이상을 실현하기 위해 평신도를 사역에 참여시키는 일의 중요성을 깊이 인식하고 있습니다. '은사 배치 사역'을 평신도 사역의 꽃이라 말하는 까닭은 이런 이유 때문입니다. 그것은 진정한 제자도의 목표를 성취하는 것이며, 동시에 성경이 보여주는 대로 그리스도의 몸으로서 교회를 세상에 드러내는 것이기 때문입니다.

따라서 목회자의 주된 임무는 성도들의 개인적인 신앙을 성숙시키는 데에서 한 걸음 더 나아가 그들이 상호 봉사하도록 함으로써 그리스도의 몸을 세우고, 이런 과정을 통해 다시 개인의 신앙도 균형 있게 자라도록 하는 것입니다.

은사 중심적 사역은 또한 팀 사역을 활성화시키는 데 필수입니다. 빌 하이벨스 목사가 담임하는 윌로우크릭교회가 급성장한 이면에는 은사를 중시한 팀 사역의 힘이 내재되어 있습니다. 은사에 따라 사역의 주요 분야들이 전문가로 구성되고 그들이 한 팀을 이뤄 사역할 때 엄청난 시너지 효과가 발생하게 됩니다.

담임목사가 혼자서 모든 것을 감당하는 독불장군의 시대는 이미 지났습니다. 은사에 따라 사역을 '전문화' 하고 '조직화' 해야 합니다. 그럴 때 엄청난 팀 사역의 에너지와 성장의 결과를 맛보게 될 것입니다.

## 성령의 은사

그동안 한국 교회는 성령의 은사에 대해 주관적이고 체험적으로 생각하는 경향이 짙었습니다. 그 결과 성령의 역사가 개인적인 차원으로 국한될 뿐 교회적인 차원에서 이해되지 못했습니다.

오늘날 많은 교회의 모습을 보십시오. 성경에서 보여주는 그 영광스런 교회의 모습에 어느 정도 일치하고 있습니까? 오늘날 그렇게도 많은 한국 교회의 평신도들이 목말라하는 성경적인 교회상은 어떻게 실현될 수 있을까요?

우리는 다시 성경에서 그 답을 찾을 수 있습니다. 거기에는 교회가 오랫동안 알고 있으면서도 간과했던 열쇠가 있습니다. 그것이 바로 모든 성도들에게 주어진 '성령의 은사'입니다. 오늘날 교회가 안고 있는 문제의 중심에는 바로 이 성령의 은사를 소홀히 여기거나 소극적으로 취급해 온 오류가 자리하고 있습니다.

은사 배치 사역은 성령이 보여주는 그대로 모든 하나님의 백성들이 성령의 은사를 발견하고 또 이를 계발하고 사용하도록 돕는 길입니다. 다시 말하면 이 사역은 성령이 보여주는 그대로 하나님의 백성들이 성령의 은사를 발견하고 또 이를 계발하고 사용하도록 돕는 것입니다.

성령의 역사가 개인적인 차원을 넘어서 그리스도의 몸의 구석구석까지 미치도록 합니다. 그 결과 한 개인의 신앙성장을 넘어 그리스도의 몸을 세우게 되는 것입니다. 따라서 은사 배치 사역에 참여하면 곧 성령의 사역에 참여할 수 있습니다. 이 사역을 통해 교회를 향한 하나님의 놀라운 계획을 볼 수 있습니다.

## 리브스의 동물학교 이야기

리브스의『동물학교』에는 다음과 같은 이야기가 있습니다『네트워크 은사발견사역, 인도자 지침』빌 하이벨스/프리셉트 p150-152.

옛날에 동물들이 모여 학교를 세웠습니다. 그들은 '수영, 달리기, 오르기, 날기'로 된 교육과정을 만들었습니다. 학생들은 모든 과정을 필수적으로 이수해야만 했습니다.

오리는 수영엔 우수했습니다. 사실 그는 강사보다 더 나았지만 '나무 오르기'에서 겨우 통과해 점수만 얻었고, '달리기' 성적은 낙제였습니다. 너무 느려서 방과 후에 과외를 해야만 했습니다. 달리기 과외에 너무 열심을 내다보니 물갈퀴가 다 닳아 버렸습니다. 그로 인해 능숙한 수영 솜씨마저도 겨우 평균 점수만 낼 수 있었습니다. 그러나 전체 평균 성적은 나쁘지 않았기 때문에 오리 외에는 아무도 그것에 대해 염려하지 않았습니다.

토끼는 반에서 '달리기'를 가장 잘했습니다. 그러나 수영 실력을 향상시키기 위해 물에서 많은 시간을 보내야 했기 때문에 얼마 후에는 다리에 신경통이 생겼습니다. 다람쥐는 '나무 오르기'에 가장 뛰어난 솜씨를 발휘하였지만 '날기' 수업에서는 항상 좌절했습니다. 그의 몸은 날기 과목에서 부족했던 착륙 연습을 하느라 지쳤기 때문에 달리기에서도 매우 낮은 성적을 얻게 되었습니다. 독수리는 문제아였습니다. 날기 외에는 어떤 것도 하려 들지 않고 자기 방식대로만 하기를 원했습니다.

동물들은 각각 독특한 목적을 가지고 창조되었습니다. 그들은 각 자가 창조된 목적대로 일을 했을 때는 우수했습니다. 그러나 그들이 자신들의 영역 밖의 일을 능숙하게 하려고 애쓸 때는 결코 효과적이지 못했습니다. 오리가 뭍에서 달릴 수 있을까요? 물론 달릴수 있습니다. 그러나 그것이 그가 가장 잘하는 일인가요? 아닙니다. 오리도 달릴 수 있습니다. 그러나 그들은 느리고 쉽게 지칩니다.

사역하는 사람도 이와 같습니다. 물 밖에 나온 오리처럼 우리는 자신이 가진 은사의 영역 밖에서도 봉사할 수 있습니다. 어떤 일을 열심히 할 수 있지만 그것이 우리가 가장 잘 하는 일은 아닙니다.

하나님께로부터 받은 달란트모든 포괄적인 은사가 무엇인지 아는 것이 중요한 이유가 바로 이것입니다. 여기서 말하는 은사란, 성령의 9가지 은사고전12:8-10만이 아니라 하나님이 각 사람에게 태어날 때부터 주신 모든 달란트를 말합니다.

자신의 은사가 무엇인지 알면 열정이 생기며 동시에 효율적으로 사역할 수 있게 됩니다. 은사가 무엇인지 앎으로써 사역의 보람과 성취를 맛보며 기쁨을 느끼게 됩니다. 본래 우리는 구원받는 순간부터 하나님의 교회를 위하여 봉사하도록 은사를 받았습니다. 이 은사를 바로 알고 내게 주신 관심사와 스타일로 헌신할 때 하나님을 위하여 귀하게 쓰임받게 됩니다.

# 왕 같은 제사장인가

지금까지 한국 교회는 교회 사역이 마치 목회자들만의 전유물인 양 여겨 왔습니다. 이것이 수많은 헌신자들을 목회의 길로 가게 한 배경 가운데 하나라고 볼 수 있습니다. 종교개혁의 근본 사상인 만인제사장설과 칼빈의 직업 소명설을 보다 충실히 가르치고 실천했다면, 현재 한국 교회에 목회자 공급 과잉 현상도 없었을 것입니다.

은사 배치 사역은 이러한 만인제사장설에 그 뿌리를 두고 있습니다. 모든 성도들은 하나님의 부르심을 받은 평신도 사역자입니다. 성도는 은사를 따라 왕 같은 제사장벧전2:9으로서 교회를 섬기고 성도와 이웃을 섬기도록 부름 받았습니다.

사역의 장, 곧 성도들이 은사를 활용할 수 있는 영역에 있어서도 매우 한정되어 있는 것이 현실입니다. 대개 교회에서 봉사 직분을 말할 때 단지 성가대와 주일학교 교사 두 가지 정도가 언급될 뿐입니다.

마치 이 사역이 평신도가 할 수 있는 사역의 전부인 양 강조되어 온 것입니다. 그러나 이것은 지극히 많은 사역 분야들 가운데 극히 일부에 불과합니다. 그나마 봉사를 한다 해도 은사에 따라 섬기지는 않습니다. 조금 '열심'이 있다 싶으면 가르치는 은사가 없는데도 주일학교 교사를 맡깁니다.

그러면 어떤 결과가 빚어집니까? 6개월도 채 되지 않아 지칩니다. 은사를 받지 않았으니 가르치는 일이 힘들 뿐만 아니라, 배우는 학생들도 흥미를 느끼지 못해 교사와의 만남을 회피합니다. 열심의 열매는 커녕 오히려 학생들이 줄고 있으니 모두가 낙심하고 지쳐버리는 것입니다.

우리 교회에서는 성도들이 자신의 은사를 발견하고 은사에 따라 섬길 수 있도록 은사 발견 세미나를 개최하고 있습니다. 양육반 세 번째 시간에 은사 발견 세미나에 참석하여 자신의 은사를 테스트 받고, 상담을 거쳐 은사에 맞는 활동을 하게 됩니다.

은사 발견 세미나에서는 은사 배치 사역의 필요성을 가르치고, 성경적인 사역과 사역자에 대해 분명히 깨닫게 합니다. 또한, 개인의 관심과 은사와 성격을 파악하여 가장 적절한 사역으로 연결시켜 줍니다.

첫째, '관심'입니다. 관심이란 하나님께서 주신 마음의 소원입니다. 특정한 사역에 헌신하도록 만들어 주는 힘입니다. 즉, 어디에서 사역하는 것이 적합한지를 이야기해 줍니다. 관심을 점검하는 방법은 『당신의 은사로 사역하라』(김성곤 저, 도서출판 두날개) 교재의 관심점검 리스트를 사용합니다. 자신의 관심에 대해 표현한다는 것은 누구에게나 쉬운 일이 아닙니다.

이것은 관심을 파악하고 규명하는 과정의 시작에 불과합니다. 묵상하고, 기도하며, 사역 경험이 많이 쌓일수록 점차 관심이 분명해질 것입니다.

둘째, '은사'입니다. 은사란 하나님께서 나에게 주신 고유한 특성으로 옳고 그른 것이 없습니다. 은사는 '무엇을 할 것인가' 하는 질문에 대한 답을 줍니다. 성도는 누구나 한 가지 이상의 은사를 가지고 있으며, 은사를 통해 우리는 한 지체로 서로를 섬기며 몸된 교회를 유익하게 합니다. 은사는 『당신의 은사로 사역하라』 교재의 은사진단 질문지를 통해 발견합니다.

셋째, '성격'입니다. 성격은 어떻게 섬길 것인가를 결정합니다. 타인을 이해하는데 있어 성격을 파악하는 것은 중요합니다. 다른 사람의 성격을 알면 대화의 문을 여는 열쇠를 발견하게 되며, 사람들을 이해하게 되어 타인에 대한 자신의 부정적인 반응을 줄일 수 있습니다.

수정.

또한 관계를 맺어 가는데 있어 성격이 다르더라도 이해하게 되어 영향력을 극대화 할 수 있습니다. 자신의 성격을 진단하는 방법으로 『당신의 은사로 사역하라』의 성격점검 리스트를 사용합니다.

관심과 은사와 성격을 진단한 뒤 그 평가를 토대로 사역자 프로파일을 기록하고, 사역 신청서를 직접 작성하게 합니다. 사역 신청서란 교회의 사역들을 조직에 따라 분류한 것으로 사역 내용에 따라 지원 자격이 조금씩 다릅니다.

은사 발견 세미나를 통해 사역 신청서를 제출했다고 해서 바로 사역 현장에 배치되는 것은 아닙니다. 은사 배치 사역팀에서 관심, 은사, 성격을 토대로 적절하게 사역을 신청했는지 검토한 뒤 상담을 하게 됩니다. 상담을 통해 사역이 결정되면 은사 배치 사역팀장이 담임목사에게 결재를 받습니다.

그 후 은사 배치 팀장은 결재가 승인된 상담 결과를 국장들에게 전달합니다. 그러면 국장들은 산하 팀장들을 통해 사역 신청자들을 관련 팀으로 배치하게 됩니다. 은사 발견 세미나를 통해 자신의 은사를 발견하여 사역하면, 임하는 태도부터가 적극적이게 됩니다. 자신에게 은사가 있다는 자신감을 가지기 때문입니다.

우리 교회 중보기도특공대도 이러한 은사 발견 세미나를 통하여 조직되었습니다. 자신에게 중보의 은사가 발견된 사람들이 모여 매주 담임목사와 교회를 위해 기도하고 있는데, 이들의 기도가 얼마나 큰 힘이 되는지 모릅니다. 제가 출타를 하거나 큰 집회를 앞두고 있을 경우에는 중보기도특공대들이 금식하며 기도합니다.

얼마 전, 제가 서울의 한 교회에서 집회를 인도하였는데 중보기도의 위력을 다시 한 번 체험할 수 있었습니다. 집회 전부터 빈틈없는 사역 스케줄로 인해 몸이 많이 지쳐 있었는데, 집회 기간 내내 날아갈 듯이 새 힘이 나는 것이었습니다. 그것은 중보기도특공대의 금식과 생명을 다한 기도 덕분이었습니다.

월요일이면 사역자들이 쉬는 날임에도 불구하고 저는 컨퍼런스와 6단계 집중훈련을 수료한 목사님들을 만나기 위해 지역 네트워크 모임을 순회합니다. 토요일은 양육에다 주일에 행해지는 여러 차례의 예배 인도와 설교, 디렉터<sub>교구장</sub>모임까지 마치면 몸이 파김치가 되지만, 건강한 교회를 세우기 위해 몸부림치시는 목사님들을 생각하면 힘을 내지 않을 수가 없습니다.

그럴 때마다 제 한계 이상의 새 힘을 발휘할 수 있는 것은 바로 중보기도특공대의 '기도의 힘'이라고 생각합니다. 이들의 간절한 기도가 저의 사역을 뒷받침하고 있는 것입니다. 그렇기에 저는 중보기도특공대를 교회 안의 가장 중요한 사역으로 손꼽습니다. 그리고 저 역시 이들을 위해 새벽마다 간절히 중보합니다.

중보기도특공대의 사역은 눈에 드러나는 사역이 아닙니다. 골방에서 끊임없이 기도하는 사역이기 때문입니다. 하지만 중보기도 사역의 중요성만큼은 아무리 강조해도 지나치지 않습니다.

중보기도특공대원 중의 한 자매는 부끄러움이 많아 눈에 띄는 일을 하는 것을 어려워했습니다. 그런데 자신에게 중보의 은사가 있다는 것을 알고 난 뒤 중보기도 사역에 얼마나 적극적인지 모릅니다.

교회를 섬기고 싶은 마음이 늘 있으면서도 자신의 내성적인 성격으로 인해 부담을 느끼고 있었는데, 은사 발견 세미나를 통해 해답을 얻은 것입니다. 그 자매는 지금 누구보다도 열정적으로 기도하며 저와 교회를 섬기고 있습니다. 중보기도특공대에 없어서는 안 될 소중한 존재입니다. 자매 역시 중보기도 사역을 통해 자신의 존재 가치를 발견한 것 같습니다. 과거에는 볼 수 없었던 자신감과 기쁨이 자매의 표정 하나하나, 말 한마디 한마디에 넘치고 있습니다.


## 은사로 이웃을 섬긴다

주님은 우리를 세상의 빛이요 소금으로 부르셨습니다. 그리스도인이라면 마땅히 소외된 이웃에게 관심을 보이고 그리스도의 사랑을 나타내야 합니다.

복음을 증거하는 것 만큼 이웃을 섬기는 일도 중요합니다. 주님은 분명 "네 이웃을 네 몸과 같이 사랑하라"고 하셨습니다.

우리 교회는 이러한 이웃사랑의 실천을 복지국에서 정기적으로 섬기고 있습니다. 사랑의 쌀 전달하기, 장기기증 행사, 정기적인 헌혈 등 우리가 할 수 있는 작은 것부터 이웃 사랑을 실천하고자 하고 있습니다.

그런가하면 올해부터 경제적으로 어려움을 겪고 있는 이웃을 찾아가 실제적인 도움을 주는 Happy House 프로젝트를 진행하고 있습니다. 'Happy House 프로젝트'란 극빈 가정을 찾아가 그 가정의 필요를 채워주는 것입니다. 낡은 지붕보수, 페인트 칠, 부엌 개조 등 필요한 물품들까지 성도들의 후원으로 이뤄집니다.

Happy House 섬김이 모집 광고를 듣고 관심과 은사를 가진 성도들이 지원을 합니다. 시간이 되는 성도는 인력지원으로, 마음은 굴뚝같지만 사정이 여의치 않으면 물품이나 기타 여러 가지 후원으로 섬깁니다. 2~3주 정도의 광고 후, Happy House를 실시하는 당일이 되면 자원한 성도들은 아침 일찍부터 모여 집을 수리하고 보수하며 청소합니다. 의무나 강요에 의한 봉사가 아니기에 무더운 여름 하루 종일 수고해도 성도들의 얼굴에는 기쁨이 넘칩니다. 자신의 섬김이 누군가의 행복이 된다는 사실이 한여름 무더위도, 한겨울 강추위도 잊게 만드는 것입니다.

그리고 이것이 바로 은사로 봉사하는 기쁨인 것입니다. 그러기에 우리는 주님 오시는 그날까지 Happy House 1호점, 2호점……. 10호점, 100호점……. 끊임없이 행복한 집을 세워갈 것입니다.


## 사랑으로 봉사하라

흔히 고린도전서 13장을 '사랑장'이라 얘기합니다. 사랑을 이야기할 때 고린도전서 13장이 빠지지 않는 것도 그런 이유에서입니다.

그러나 고린도전서 13장은 사랑장이라기보다는 '은사 활용장'이라고 봐야 합니다. 당시 고린도 교회는 은사가 나타나면서 서로 자신의 은사가 우월하다고 자랑하는 폐단이 있었습니다. 그래서 사도 바울은 고린도전서 12장에서 각양 은사를 이야기한 뒤, 12장 마지막 절에 "내가 제일 좋은 길을 보이리라"며 13장을 이야기합니다. 은사를 사랑으로 활용하라는 것입니다.

사랑으로 하는 섬김과 의무감으로 하는 섬김은 하늘과 땅 차이입니다. 그 차이를 보여주는 예화가 있습니다『네트워크 은사발견 사역,인도자 지침』빌 하이벨스/프리셉트 p.170.

미국의 어떤 주들은 도로변의 쓰레기를 줍는 데 죄수들의 노동력을 사용합니다. 여러분이 운전을 하고 있다고 상상해보십시오. 여러분은 일을 하고 있는 죄수들과 마주칩니다. 그들은 집게와 쓰레기통을 들고 있습니다. 그들은 매우 느리게 움직입니다. 멈추고 집

어울리고…쉬고…할 수 있는 한 천천히 움직이려 합니다. 이보다 공허하고 지루한 장면은 없을 것입니다.

이제 똑같은 일을 하고 있는 학생들을 상상해보십시오. 그들은 1킬로미터 가량의 고속도로를 아름답게 가꾸기 위해 모인 학생들입니다. 그들은 그곳을 다른 도로보다 더 아름답게 하기 위해서 노력하고 있습니다. 그들은 자신들이 하는 일을 통해서 변화가 생겨나기를 원하기 때문에 그 일을 합니다. 이 그룹은 활력과 열성과 목표를 가지고 움직입니다.

두 그룹을 대조해보십시오. 이 두 그룹은 똑같은 일을 하고 있습니다. 그러나 죄수들은 관심 밖의 일을 하는 데 시간을 들이고 있습니다. 그러다 보니 목표가 없습니다.

그들은 그 일을 완수하는 것이나 또는 얼마만큼 일을 했는지에 대해서 관심이 없습니다. 결국 그들은 '시간'만을 봉사한 것입니다. 그러나 학생들은 목표가 있고 동기 유발이 되어 다른 사람에게 영향력을 미칠 만큼 열성을 가지고 일을 하였습니다.

여러분의 교회는 어떻습니까? 섬기는 성도들의 표정에 언제나 기쁨이 넘치고 있습니까? 감사가 넘치고 있습니까? 사랑이 넘치고 있습니까? 또한 스스로에게 자문해 보십시오. 성령의 역사를 기대하는 마음으로 은사 배치 사역을 시작해야 합니다.

11장 사랑의 관계

크리스티안 슈바르츠는 성장하는 교회는 정체되거나 쇠퇴하는 교회에 비해 '사랑 지수'가 눈에 띄게 높다는 점을 지적합니다. 성도들 상호간에 사랑하는 정도가 높다는 것은 서로를 식사에 초대하며, 자주 만나 차도 마시고 서로 칭찬하며, 서로의 문제를 알고 기도해준다는 의미입니다.

그리고 교회 안에 웃음이 많고 서로를 칭찬하는데 너그럽습니다. 예배 시간에도 웃음이 많고 소그룹에도 웃음이 많습니다. 사랑이 많은 교회는 반드시 건강하게 성장합니다. 반면 사랑이 부족하면 교회가 성장하기 어렵습니다.


## 서로 사랑하라

오늘날 우리들은 이 세대가 수많은 위기로 가득하다는 소식을 끊임없이 듣고 있습니다. 정치적 위기, 경제적 위기, 자연 환경의 위기, 가정의 위기 등.

그런데 이 위기 중에 가장 절박한 위기는 다름 아닌 인간의 '자아 상실에 대한 위기'입니다. 오늘날 사람들은 점차 자신의 뿌리를 잃어가고 있으며 마음의 고향을 상실한 사람으로 변모되어 가고 있습니다. 그리고 늘 자신을 남과 비교하는 경쟁 사회 속에서 살아가고 있습니다. 이 때문에 우리들은 점점 자신을 상실해 가는 자아 상실의 위기에 빠져 있습니다.

자아를 상실하고 절망에 처한 사람들이 자신이 살아 있다는 사실을 확인하기 위해 술을 마시고 말초 신경을 자극하는 쾌락과 도박에 빠져 알코올 중독자로, 도박꾼으로, 극단적인 쾌락주의자로 타락하고 있습니다. 이 같은 상황에서 사람들은 자신을 용서하지 않고 환멸을 느끼며, 자신을 사랑하지 않는 병에 걸려 있습니다. 자신을 사랑하지 않는 사람은 아무리 좋은 집에 살고, 좋은 옷을 입고, 맛있는 음식을 먹고, 지위와 권세와 명예를 누리고 있다 할지라도 행복할 수가 없습니다.

그러면 어떻게 해야 진정한 자아를 발견할 수 있을까요? 먼저 하나님의 사랑에 대한 인식과 그 사랑을 통한 하나님과의 만남이 있어야 합니다. 길을 잃어버린 사람은 스스로의 힘으로 길을 찾을 수 없습니다.

이러한 사람에게는 길을 찾아 줄 사람이 필요합니다. 산 속에서 길을 잃었으면 다른 사람들이 그를 찾아와야 하고 망망대해에서 방향을 잃었으면 구조선이 와야 합니다. 이처럼 아담과 하와 이후 하나님과의 교제가 단절되어 방황하고 있는 우리를 찾으러 예수님께서 이 땅에 오셨습니다.

하나님의 아들 예수 그리스도가 우리를 위해 가시관을 쓰시고 양손과 양발에 쇠못이 박히고 못 박혀 돌아가신 그 십자가에서 하나님을 만날 수 있습니다. 우리가 십자가 앞으로 나아갈 때, 예수 그리스도의 보혈로 우리 인생의 죄를 모두 다 용서해 주십니다. 그때 사랑받고 있는 나 자신을 발견하게 됩니다. 그 결과 잃어버린 자아를 찾게 되는 것입니다.

예수 그리스도 안에서 하나님 아버지의 사랑에 붙잡힐 때 비로소 자아에 대한 위기를 극복하게 되며 우리 인간의 절대적인 위기는 해결됩니다. 그리고 내가 하나님을 만나고 하나님의 사랑을 받는 존재가 되어 자아를 발견하게 될 때 나 자신도 사랑할 수 있게 됩니다.

사람들은 대개 과거의 불행에 대한 원망, 부모에 대한 원망, 환경에 대한 원망, 국가와 민족에 대한 분노로 가득 차 자기 자신을 미워하고 있습니다. 그러나 예수 그리스도로부터 사랑받는 나를 발견하고, 예수님께서 나를 용서하시고 하나님 아버지께서 나를 용납해주신 것을 알게 되면 나 자신도 사랑할 수 있게 됩니다. 이렇게 자신을 용서하고 용납함으로써 자아를 발견하게 되고 또 자기 자신을 사랑하게 됩니다.

자신을 사랑하는 사람은 이웃을 사랑하게 됩니다. 자기 자신을 사랑하는 사람만이 이웃도 사랑할 수 있습니다. 자신을 미워하고 원망하는 사람이 어떻게 이웃을 사랑할 수 있겠습니까? 이웃을 사랑하려면 먼저 나를 알고 이웃을 이해할 수 있어야 합니다. 그러기 위해서는 자신을 사랑하여 인생을 긍정적으로 보는 마음을 가져야 합니다.

자아를 사랑하는 사람만이 이웃을 용서하는 일을 행할 수 있으며 나아가 이웃을 사랑할 수 있습니다. 전에는 이웃에게 "당신을 사랑합니다"라는 말을 감히 못했지만, 이제는 용감하게 "당신을 사랑합니다"라는 말을 할 수 있습니다. 이러한 말을 하고도 내가 위선자가 아니라는 것을 느낄 수 있습니다. 자아를 치료받은 사람만이 행복한 가정을 이루고, 행복한 사회인이 되어 승리의 삶을 살게 됩니다.

자아를 치료 받을 수 있는 유일한 길은 예수 그리스도의 십자가를 통하여 하나님을 만나고 몸과 마음과 정성을 다하여 하나님을 사랑하는 것입니다. 자아가 치료 받고 행복한 사람이 되면 모든 생활이 적극적이고 긍정적이고 창조적이 되어 "네 이웃을 내 몸과 같이 사랑하라"마 22:39는 하나님의 위대한 계명을 따라 사는 사람이 될 수 있습니다.


## 웃음_마음의 회복

목회학 박사 학위 공부를 위해 미국에 갔을 때의 일입니다. 수업을 마치고 급우들과 함께 그랜드캐년에 간 적이 있습니다. 영화에서나 보던 그랜드캐년을 직접 눈으로 보니 하나님의 위대한 작품 앞에서 저절로 찬양이 나왔습니다. 누가 먼저라고 할 것도 없이 〈주 하나님 지으신 모든 세계〉를 한 마음으로 찬양할 수밖에 없었습니다.

이런 우리의 모습을 보고 주위에서 관광을 하던 미국인들이 하나둘 모여 들기 시작했습니다. 그리고 그들도 함께 찬양을 하는데, 우리 한국인보다 더 감동하는 것이었습니다. 손을 들고 눈물까지 흘리며 하나님을 찬양하는 그들을 보며 저는 적지 않은 충격을 받았습니다.

실제로 미국인들을 보면 감정 표현이 적극적입니다. 잘 웃고 또 잘 웁니다. 그들과 대화를 하다보면 별로 우습지 않은 일에도 큰 소리로 즐거워합니다. 그럴 때마다 저는 우습지도 않은데 함께 웃어야 하는 것인지 고민 아닌 고민에 빠지게 됩니다. 그만큼 그들은 마음에 여유가 있고 감정이 풍부합니다.

상대적으로 우리 한국인들은 잘 웃지도 울지도 않습니다. 감정을 표현하는 것은 경망스러운 것이라는 유교적인 분위기에서 자랐기 때문일 것입니다.

특히 남자는 감정을 드러내지 않아야 한다고 배웠습니다. 황수관 박사의 '신바람 건강법'을 보면 여자가 남자에 비해 오래 사는 이유를 감정 표현에서 찾고 있습니다. 여자가 약 7년 정도더 오래 사는데 그것은 남자에 비해 여자들이 자신의 감정을 적극적으로 표현하기 때문이라는 것입니다. 여자는 웃고 우는 감정 표현을 자유롭게 하는데 그것이 건강에 좋다고 합니다. 타당성 있는 이야기입니다.

실제로 마음이 건강한 사람은 자신의 감정을 잘 표현합니다. 감정 표현을 자유롭게 하지 않는 사람의 마음속에는 상처가 많습니다.

우리 민족은 한이 많은 민족입니다. 지나간 역사를 볼 때 잦은 외세의 침략과 수탈, 일제 치하의 36년과 한국전쟁을 거치면서 숱한 내란과

외란을 통해 마음이 깨어질 대로 깨어졌다는 것입니다. 그래서 잘 웃지도 못하고 마음껏 울지도 못합니다.

감정이 억눌려 있어서 그렇습니다. 상처를 많이 받고 자란 사람이 건강한 심성을 가지지 못하는 것도 같은 이유에서입니다. 이런 사람들은 칭찬을 들으면 그대로 받아들이지 못합니다. 마음이 깨어졌기 때문에 타인에 대한 감정의 표현도 서툽니다.

우리 교회를 처음 방문한 분들이 한결 같이 하시는 말씀이 있습니다. "성도들 표정이 너무나 밝고 웃음이 넘친다"는 칭찬입니다. 저는 몇 번을 들어도 기분 좋은 평가입니다.

실제로 우리 교회는 웃음이 풍성한 교회입니다. 예배 시간에도, 셀그룹 모임에서도, 봉사를 할 때도 웃음이 넘칩니다. 예배를 통해, 셀그룹을 통해, 봉사를 통해 마음이 회복되기 때문입니다.

한 자매가 이런 간증을 했습니다. "예수를 믿기 전에 자신은 누구도 가까이 할 수 없는 가시가 많은 선인장과 같은 존재였습니다. 그런데 이제는 먼저 마음을 열고 사람들에게 다가가는 다정한 사람이 되었습니다"고 합니다. 교회에 첫발을 내딛었을 때 굳어 있던 사람들의 얼굴이 말씀을 통해 밝아지고 눌렸던 감정들도 회복이 됩니다. 그래서인지 우리 교회 성도들은 모두 자기 나이보다 10년씩은 젊어 보입니다.

요즘 한창 유행하는 것이 마음을 회복시키는 '내적치유 세미나'입니다. 옛날 여유가 있던 농경 사회와는 달리 분주하게 사는 현대인들은 대인 관계가 너무 피상적입니다. 과학의 발달로 생활은 편리해졌지만, 정서는 오히려 퇴행하고 있습니다. 그래서 많은 사람들이 대화의 부족으로 인한 고독이나 소외감으로 마음의 상처를 안고 살아갑니다.

특히, 지금 30~40대는 가부장적인 전통이 남아 있는 분위기에서 자란 탓에 부모로 인한 상처가 크며, 젊은이와 청소년들은 가정이 깨어

짐으로 말미암아 큰 상처를 안고 살아가고 있습니다.

한동안 사회적으로 큰 문제가 되었던 오토바이 폭주족들은 영화에서나 나올 법한 위험천만한 오토바이 곡예를 즐깁니다.

그들이 주위 사람들에게 위협감을 주면서까지 그런 것을 즐기는 이유는 무엇일까요? 청소년기의 반항심 때문입니까? 단순히 스피드를 즐기기 위해서입니까? 아니면 철없이 영화배우를 흉내 내기 위해서입니까? 근본적인 이유는 '낮은 자존감' 때문입니다. 가정이 무너지면서 그로 인한 상처 때문에 스스로에 대한 부정적인 이미지를 가지게 된 것입니다.

스스로 자신이 가치 없다고 생각하기 때문에 아무렇게나 자신을 던져버리는 것입니다. 자신을 소중히 여기지 않는 것, 마음이 깨어진 증거입니다.

## 사랑은 행하는 것이다

깨어진 마음을 회복시키기 위해서는 자존감을 회복해야 합니다. 언젠가 수련회에서 백지를 주며 자신의 자화상을 그려 보도록 했습니다. 눈썹까지 꼼꼼하게 그린 사람, 대충 윤곽선만 그린 사람, 반 고흐와 같은 얼굴을 그린 초상화도 있었습니다.

사람은 누구나 자기 자신에 대한 이미지가 있습니다. 부정적인 이미지를 가진 사람은 모든 일에 소극적입니다. 무슨 일을 맡기려 하면 "안 돼요, 전 할 수 없어요"라고 거절부터 합니다. 이런 부정적인 이미지를 복음으로 변화시켜야 합니다. 하나님은 우리를 하나님의 형상대로 창조하셨습니다. 그리고 자신의 모습을 닮은 우릴 보시고 너무도 흡

족하셔서 "심히 좋았더라"고 하셨습니다.

우리 교회에 아버지를 꼭 닮은 딸아이가 있는데, 그리 예쁜 편이 아닙니다. 그런데 그 아버지는 딸을 얼마나 좋아하는지 최고의 미인이라면서 어디에서나 자랑합니다. 하나님도 동일하십니다. 우리가 하나님의 자녀이기 때문에 하나님은 우리를 기뻐하십니다.

더구나 하나님은 고심하시면서 우리를 최고의 작품으로 만드셨습니다. 그냥 작품이 아닌 하나님의 걸작품인 것입니다. 조금이라도 자신에 대해 부정적인 생각이 든다면 자신의 이름을 넣어 선포하십시오. "하나님의 걸작품, ○○○!"

영성 지상주의적 사고방식을 가진 성도들은 오히려 교회 안에서 사랑의 관계를 형성하는데 해로운 영향을 미친다고 슈바르츠는 말합니다. 사랑이 성령의 열매이며 행위라는 성경적인 정의 대신 세속적인 사랑의 개념을 따르기 때문입니다. 이들은 사랑을 뜨거운 열정이라든가, 가슴을 설레게 하는 '느낌'이라고 생각합니다. 그렇기 때문에 교회 안에서 사랑의 능력을 측정한다는 것은 불가능하며, 사랑의 능력을 높이려는 노력도 헛된 것이라고 생각합니다.

성경에서는 사랑을 "말과 혀로만 사랑하지 말고 오직 행함과 진실함으로 하자"요일3:18고 말씀합니다. 사랑의 감정이 있기 때문에 사랑하는 것이 아니라 의지적으로 행하는 것입니다. 사랑이 감정을 나타내는 것이라면 원수를 사랑하는 일이란 있을 수 없겠지요. 사랑하기로 결단하여 의지적으로 행해야 가능한 이야기입니다. 그렇게 할 때 하나님은 그 영혼을 향한 주님의 사랑을 부어 주십니다.

우리 교회 안에는 많은 사역들이 있습니다. 새가족 섬김이 사역에서부터, 열린 모임을 통해 불신자들에게 그리스도의 사랑을 전하고, 셀그룹으로 연약한 지체들을 섬깁니다. 또 찬양팀, 식사팀, 예배사역팀,

멀티미디어팀 등 많은 사람들이 곳곳에서 사역하고 있습니다.

그런데 만약 이 사역을 순간순간 감정에 따라 섬긴다면 곧 중단되고 말 것입니다. 조금만 어려움을 당하고 힘들어져도 감정은 곧 상하기 때문입니다.

불신자를 예수 믿게 하는 데에는 많은 열정과 시간과 노력이 있어야 합니다. 인내하는 사랑이 없다면 도저히 불가능한 일입니다. 예수 믿으라고 전도하면 덥석 반기는 사람은 100명 중 한 명도 되지 않습니다. 축호전도를 나가면 문전박대가 다반사입니다. 그래도 우리 전도팀이 열정을 잃지 않고 지속적으로 전도해 나가고 있는 것은 영혼에 대한 사랑이 그만큼 깊기 때문입니다.

"사랑은 오래 참고 사랑은 온유하며 투기하는 자가 되지 아니하며 사랑은 자랑하지 아니하며 교만하지 아니하며 무례히 행치 아니하며 자기의 유익을 구치 아니 하며 성내지 아니하며 악한 것을 생각지 아니하며 불의를 기뻐하지 아니하며 진리와 함께 기뻐하고 모든 것을 참으며 모든 것을 믿으며 모든 것을 바라며 모든 것을 견디느니라"고전13:4-7.

이 말씀에도 사랑이 감정으로 하는 것이라고 하지 않았습니다. 오히려 어떤 태도로 행동해야 할지에 대해 말씀하고 있습니다.

특히, 영혼을 섬기는 일은 마음먹은 대로 되지 않습니다. 사람들은 주일에 꼭 오겠다고 철석같이 약속하고도 번번이 그 약속을 어깁니다. 정성을 다해 섬겼건만 무엇이 마음에 들지 않는지 교회에 오지 않겠다며 애를 먹입니다. 그뿐만 아니라 생명을 다해 주님을 사랑하고 주의 종을 사랑하며 교회를 섬기겠다고 눈물을 줄줄 흘리며 결단하고도, 마치 데마처럼 세상이 좋아 세상으로 되돌아가는 제자도 있습니다. 그때마다 느끼는 배신감은 참으로 마음을 상하게 합니다.

그럴 때마다 저의 마음에 사무치는 것은 디베랴 바닷가에 베드로를 다시 찾아오신 주님이십니다. 가장 사랑하던 제자의 배신 앞에 주님은 책망하지 않으시고 다만 "네가 나를 사랑하느냐?"며 세 번을 물으셨습니다.

주님의 그 용서에 베드로는 다시 한 번 고꾸라집니다. 그가 나머지 생애를 온전히 주님께 드릴 수 있었던 것은 주님의 용서와 사랑을 누구보다도 더 많이 체험했기 때문입니다.

방법 지향적 사고방식을 가진 사람들은 이 사랑을 율법의 잣대로 들이댑니다. 사랑 지수를 나타내는 척도를 교리와 도덕 수칙을 지키는 것 정도로 이해합니다. 그래서 오히려 온전한 사랑의 관계 형성을 더욱 어렵게 만들고 율법에서 빠져 나오지 못하고 있습니다.


## 녹색 사랑

「뷰티풀 마인드」Beautiful mind라는 영화를 본 적이 있습니다. 1949년 프리스턴 대학의 천재 장학생 존 내쉬는 27페이지의 '균형이론'에 관한 논문으로 세계 학계를 깜짝 놀라게 합니다.

그런데 안타깝게도 미국 정부에서 진행하는 소련 암호 해독 프로젝드에 참여하면서 소련 스파이가 자신을 죽일 것이라는 강박관념에 사로잡혀 정신분열 현상을 보입니다. 그럼에도 불구하고 1994년 '균형이론'으로 노벨 경제학상을 받게 됩니다. 그렇게 되기까지는 아내 알리샤의 눈물어린 사랑이 있었습니다.

알리샤는 정신이 나간 남편 때문에 극심한 마음의 고통을 겪으면서도 남편이 '자기중심적인 집중'에서 벗어나 '자기 밖 세계'로 나오도록 남편을 이해하고 불행 속에서 끝까지 함께 있어줍니다.

스파이가 죽일 것이라는 강박관념으로 내쉬는 아내에게 자기 곁을 떠나라고 하지만 알리샤는 오히려 그의 곁에 더 가까이 옵니다. 그 순간 방어기제로 누구도 다가올 수 없었던 내쉬의 '회색 이성세계'에 아내의 사랑으로 인해 '녹색 감성세계'가 펼쳐집니다. 그 결과 내쉬가 믿던 가상적 현실은 사랑의 진실에 의해 회복되어 혼돈에서 질서로 돌아오게 됩니다.

내쉬는 그런 아내에 대해 노벨상 수상 연설에서 '당신만이 내 삶의 이유'라고 고백합니다. 내쉬의 행복의 원천은 '천재의 이성'이 아니라 '아내의 사랑'이었던 것입니다. 99%의 이성을 99%의 사랑으로 극복하는 마음이 'Beautiful mind'입니다.

그리스도 역시 그러하셨습니다. 죄악과 이기주의, 허물로 가득찬 우리의 마음과 삶에 일방적인 녹색 사랑으로 찾아오셔서 우리를 변화시킨 것입니다. 그 사랑을 경험한 우리가 다시 이웃에게로 나아가는 것, 그것이 사랑의 관계입니다.


## '사랑 지수'를 평가하라

NCD의 사랑 지수를 평가하는 항목 중 '교인들이 얼마나 자주 서로를 식사에 초대하며, 얼마나 자주 만나 차를 마시는가?'라는 질문이 있습니다.

우리 교회의 제자훈련을 받은 대다수의 성도들은 모임의 장소로 자신의 가정을 개방하고 있습니다. 어떤 경우에는 24시간 언제나 개방합니다.

한 집사의 집은 늘 성도들로 북적거리는 것을 보게 됩니다. 그 집사는 신혼 초부터 자신들의 가정을 개방하여 오히려 걱정이 될 정도였습니다. 그런데 몇 년이 지난 지금도 여전히 이 부부는 가정을 개방하여 성도들을 섬기고 있습니다.

우리 성도들이 잘 살아서 가정을 개방하는 것이 아닙니다. 모두들 고만고만하게 삽니다. 아니, 오히려 경제적인 부분이 취약한 편이라고 할 수 있습니다. 그들이 잘 살아서 경제적으로 여유가 있기에 개방하는 것이 아니라, 섬기고자 하는 마음 때문입니다.

이들에게는 굳이 시간을 내어 함께 식사를 한다거나 차를 마시는 형식이 필요치 않습니다. 그러한 나눔이 성도들 간에, 또 믿지 않는 이웃들 간에 일상화되어 있기 때문입니다.

진정한 사랑은 섬김이며 나눔입니다. 자신이 가진 재능, 은사, 시간을 함께 나누는 것입니다. 셀그룹을 통해 성도들과 삶을 나누고, 열린 모임을 통해 예수 그리스도의 생명을 나눕니다. 제자훈련을 통해 제자의 삶을 나누며, 나눔과 섬김의 삶을 통해 참다운 주님의 제자로 자라 갑니다.

NCD 컨설팅 결과, 사랑의 관계에서 119점이라는 높은 점수를 얻었습니다. 그것은 우리 성도들이 하나님의 사랑을 많이 받고 있다는 증거입니다. 아니, 우리 성도들만이 특별히 사랑을 많이 받고 있다는 말이 아니라 마음이 건강하기 때문에 하나님의 사랑을 잘 받아들인다는 뜻입니다.

마음이 건강하지 못한 사람은 사랑을 받아들이는 데도 온전하지 못합니다. 마음이 건강해야 사랑을 사랑으로 받아들이고, 사랑을 경험해 본 사람만이 또 사랑을 줄 수 있습니다.

사랑 지수가 높다는 것은 삶이 풍성하다는 뜻입니다. 그렇다고 우리 교회가 특별히 좋은 환경에서 자란 사람들만이 모인 것은 아닙니다. 이혼의 위기에 몰려서 온 사람, 결손 가정에서 자란 사람, 가부장적인 권위에 눌려 성장한 사람, 특히 청년들이나 청소년의 경우에는 가정이 깨어진 경우도 많습니다. 결코 좋은 환경이 아닌, 대부분 힘들고 어려운 환경에서 몸과 마음이 엄청난 상처를 받았습니다. 그런 그들이 영감 있는 예배와 열정적인 영성, 사역자로 세워지기 위한 양육과 훈련, 소그룹에서의 사랑을 경험하면서 변화되는 것입니다. 그렇습니다. 이 모든 것을 통해 하나님의 사랑을 가슴 저리게 체험하는 것입니다. 그 사랑을 경험한 뒤, 그 사랑으로 치유되면서 변화하는 것입니다.

우리는 특별히 사랑을 강조하지 않습니다. 하나님의 사랑을 체험한 뒤 마음이 건강해지면, 반드시 그는 그 사랑을 나눠주게 되어 있기 때문입니다. 아니, 나눠주고 싶어 견딜 수 없습니다. 그 사랑으로 전도하고 그 사랑으로 섬기고 그 사랑으로 기도하고 그 사랑으로 예배합니다. 사랑은 프로그램이 아닙니다. 사랑은 건강한 사람들의 삶 그 자체입니다.


## 사랑의 관계_119점

사람들을 향한 관심이 바로 사랑의 출발입니다. 우리 교회의 사랑 지수가 높은 것은 바로 서로에 대한 관심이 그만큼 많다는 것을 나타냅니다. 그런데 그 관심이라는 것이 육적인 관심이나 세상적인 관심이 아닙니다.

우리의 관심은 오로지 영혼의 성장에 있습니다. 우리는 서로 만나서 "어디 가면 뭐가 싸더라, 누가 어떻다더라" 같은 수다나 세상일로 소요하지 않습니다. 우리의 관심은 셀그룹 안에 새로 등록한 영혼은 없는지, 힘들어하는 지체는 없는지에 대한 것입니다.

열린모임에선 믿지 않는 영혼들에 대한 애타는 마음과 관심으로 가득합니다. 어느 여 집사의 간증입니다. 이분은 어린이에 대한 비전을 가지고 계신 분입니다. 길을 지나다가도 아이들만 보면 기뻐서 어쩔 줄 몰라 하는 분입니다. 그래서 자신의 집도 어린이들을 위해 열어놓고 있습니다. 그런데 이 분 옆집에 사는 아기 엄마를 위해 늘 안타까운 마음으로 기도하고 있었다고 합니다. 예수 믿지 않는 인생의 곤고함을 날마다 옆에서 지켜보면서 말입니다.

그렇다고 교회에 오라고 말만 하지 않습니다. 함께 장도 보러가고 음식을 나누고 아기도 봐 주며, 집안의 대소사를 의논하는 언니로 대했습니다. 자연스럽게 그 아기 엄마의 마음이 열렸고, 열린 모임에 초청되었습니다. 그날 열린모임은 축제 분위기였습니다. 그 아기 엄마는 그 자리에서 예수 그리스도를 만났으며, 함께 기도해오던 셀가족들은 새로운 영혼을 탄생시키는 기쁨을 누렸습니다.

이분이 그러한 수고를 아끼지 않았던 것은 바로 그 영혼에 대한 관심과 사랑 때문입니다. 셀가족들이 자기 일처럼 기뻐했던 것은 영혼을 향한 사랑 때문이었습니다.

우리 교회 성도들이 지니고 있는 영혼의 성장에 대한 관심은 지극합니다. 특히 셀리더는 육신의 가족보다 더한 사랑으로 셀가족들을 돌봅니다. 자신의 셀가족 중에 누가 아프다는 얘기만 들리면 만사를 제치고 달려갑니다. 자신은 너무 비싸서 감히 사먹을 엄두조차 못 내는 비싼 약을 눈 하나 깜짝하지 않고 사들고 갑니다. 맛있는 음식을 먹다가 제일 먼저 생각나는 사람도 셀가족입니다. 그래서 반찬을 만들다가도, 전을 부치다가도 맛이 있겠다 싶으면 제일 먼저 싸들고 셀가족의 집으로 달려갑니다.

경제적으로 또 여타의 문제로 힘들어한다 싶으면 셀리더가 생명을 다해 기도합니다. 금식과 철야기도도 불사합니다. 그들은 단지 의무감 때문에 그런 일을 하는 것이 아닙니다.

자식이 힘들어하면 가장 마음 아픈 사람이 누구입니까? 부모입니다. 셀리더는 영적인 부모입니다. 그렇기 때문에 자신의 셀가족들이 힘들어하면 마음이 아파서 잠을 못 이루며 기도하는 것입니다.

이러한 셀리더의 사랑은 결국 닫혀 있는 사람들의 마음의 빗장을 열게 합니다. 세상 속에서 상처받고 외면당해 얼어 있던 마음들을 녹이는 것입니다.

자신에게 진심으로 관심을 가지며 사랑해주는 사람을 만나기 힘든 시대에 우리는 살고 있습니다. 사람들의 관계는 점점 더 피상적이며 형식적이 되어가고 있습니다. 가정에서조차 관계가 파괴되고 있습니다. 이혼율이 늘어가고 방황하는 가장들이 생겨나고 있습니다. 방황은 청소년들만의 전유물이 아닌 것 같습니다. 진정한 사랑을 만나지 못해 현대인들은 너나 할 것 없이 방황하고 있습니다.

이러한 사람들에게 필요한 것이 바로 '예수 그리스도의 사랑'입니다.

그런데 눈에 보이지 않는 하나님의 사랑을 이들에게 어떻게 전할 수 있을까요? "하나님은 당신을 사랑하십니다"는 말만으로 사람들이 감동을 받고 움직이기를 기대하는 것은 무리입니다. 하나님은 우리를 통해 바로 우리의 관계를 통해 하나님의 사랑을 나타내야 한다고 말씀하셨습니다. "너희가 서로 사랑하면 내 제자인줄 알리라"요13:35라고 예수님은 말씀하십니다.

우리는 서로 사랑하는 것으로 하나님의 사랑을 나타낼 수 있습니다. 믿지 않는 자에게 복음을 전할 때도, 그리고 이제 갓 태어난 영적 아기가 성장하는 데도 관계를 통해 사랑이 나타나야 합니다. 그리고 시험이든, 연단이든, 어떤 문제 때문에 힘들어 하는 지체들에게 우리들을 통해 하나님의 사랑이 나타나야 합니다.

그런데 그 사랑은 '내가 셀리더니까, 전도사니까, 목사니까'라는 의무감으로 나타나는 것이 아닙니다. 그 영혼에 대한 기도가 있으면 저절로 나타나는 것입니다. 사랑하게 되는 것입니다. 부모가 자식을 사랑하듯이 말입니다.

영혼에 대한 관심은 우리의 비전에서 출발합니다. 우리가 사는 목적, 우리의 존재 이유에 대한 정확한 인식에서 출발합니다.

세계비전제자대학에서 훈련 받은 제자들은 자신의 존재 이유와 삶의 목적을 발견합니다. 그렇기 때문에 우리의 모든 관심은 영혼에 있습니다. 영혼에 관심이 있기에 허튼 생각, 허튼 소리, 허튼 행동을 하지 않고 영혼만을 위해 살아갑니다. 그리고 관심이 오로지 영혼에 있기 때문에 우리의 사랑 지수가 119점이 된 것입니다. 그것은 바로 우리를 통해 나타내시는 하나님의 사랑 지수입니다.


## Happy House, Happy Church

예수 그리스도가 우리에게 주신 것은 하나님 나라의 이념만이 아닙니다. 주님은 그의 사역을 통해 역사 속에서 구체적인 형태를 가진 그리스도인의 공동체, 즉 '교회'를 주셨습니다.

이는 그리스도께서 다시 오심으로써 그의 구원을 완성하고 새 하늘과 새 땅을 이룩하실 그날까지 교회가 그의 사명을 계속 실행할 것을 위탁하신 것입니다.

그러한 교회의 사명 중 하나가 '디아코니아' 섬김의 사명입니다. 주님은 "인자가 온 것은 섬기러 오셨다"고 말씀하시며 그 점을 분명히 하셨습니다. 교회가 주님 주신 사명을 온전히 감당하기 위해서는 세상을 섬겨야 하는 것입니다.

그러므로 지역사회를 섬기는 것은 그 출발이라고 할 수 있습니다. 지역 사회를 섬기기 위한 조직인 복지국을 두고 다양한 프로젝트를 기획, 실행하고 있습니다.

그 중 한 사업이 「제10장 은사 중심적 사역」에서 언급한 Happy House입니다. 'Happy House'란 저소득층 중 정부에서 후원을 받을 자격조차 미달되어 어려움을 겪고 있는 가정을 실제적으로 돕는 프로젝트입니다.

지역 내 복지관과 동사무소 사회복지부서의 도움을 받아 대상자를 정합니다. 지난 Happy House에는 한 이혼 가정을 선정하였습니다. 어린 나이에 남편과 이혼하고 아들을 키우며 어렵게 살고 있는 가정이었습니다. 단칸방에서 모자가 함께 생활하는데 방안에 습기로 벽지가 얼룩지고 슬레이트 지붕으로 금방이라도 무너져 내릴 것만 같은 상황이었습니다. 부엌 역시 비가 오는 날이면 벽을 타고 비가 흘러내려서 눅눅했습니다.

우선 그 집을 함께 보수할 자원봉사자를 모집했고, 또 집에 필요한 물품을 기증할 후원자를 모집했습니다. 또, '화수분'을 통해 성도들이 조금씩 모은 복지기금을 사용했습니다.

화수분풍성한 사랑 나눔 항아리이라는 저금통으로 모든 성도들이 작은 돈을 조금씩 저금하여 지역주민을 위한 복지기금으로 사용하는 프로젝트입니다. 돈이 가득차면 화수분을 비우고 다시 돈을 적립하여 기금을 내는데 누구나 부담 없이 참여할 수 있고 지역사회를 섬길 수 있습니다.

Happy House 프로젝트가 실행되던 날, 자원한 여러 성도들은 아침 일찍 서둘러 그 집으로 향했습니다. 먼저 지붕을 바꾸고 벽지를 새로 도배하고 교회에서 준비한 TV, 가스레인지 등을 설치했습니다. 물론 비가 새던 부엌 역시 말끔히 보수하고 페인트칠을 새롭게 했습니다.

또, 성도들이 기증한 책과 물품으로 초등학교인 아들의 책상도 예쁘게 꾸몄습니다. 언젠가 TV에서 집을 새롭게 꾸며주는 프로그램이 있었던 기억이 납니다. 시청자들이 신청을 하면 심사를 해서 인테리어를 새롭게 해주는 프로그램이었던 것으로 기억납니다.

물론 그 프로그램에 나오는 것처럼 화려하지는 않지만 우리 성도들의 땀과 정성, 사랑이 물씬 배어 있는 섬김의 장이었습니다.

확연하게 달라진 집 구석구석을 돌아보며 그녀는 눈물을 쏟아냈습니다. 그 눈물의 의미가 비가 새던 방이 눅눅하기 그지없던 벽지가 화사한 새 벽지로 달라졌기 때문에, 그렇게 소원하던 새 TV가 생겼기 때문에, 아들의 맘껏 공부할 수 있는 책상과 컴퓨터가 생겼기 때문에, 그래서 흘린 눈물이었을까요? 그럴 수도 있습니다.

하지만 단순히 그 이유 때문이라고 보지 않습니다. 우리의 섬김을 통해 나타난 그리스도의 사랑을 조금이나마 맛보았기에, 그 따스함이 우리를 통해 전해졌기 때문이 아니었을까 생각해봅니다.

그러기에 우리는 Happy House를 통해 더 행복한 교회가 되고 있습니다.

행복한 교회, 행복한 성도, 우리가 이처럼 행복하기에 넉넉한 그리스도의 사랑으로 이웃을 향해, 세상을 향해, 열방을 향해 오늘도 나아가고 있습니다.

12장 두날개로
날아오르는
건강한 교회

거품 경제로 거품 호황을 누리다 찾아온 IMF. 계속되는 경제적 어려움으로 각 기업체마다 구조 조정이라는 심한 몸살을 앓았습니다. 이것은 21세기 무한 경쟁 시대 속에서 살아남기 위한 몸부림이었습니다.

한국 교회들도 예외 없이 구조 조정의 물결에 휘말렸습니다. 많은 교회들이 예산을 동결하거나 삭감하고, 부교역자들의 수를 줄이고 일부 부서를 통폐합 한 것입니다.

그러나 이것만으로는 진정한 구조 조정이 되지 않습니다. 그것만으로는 교회가 건강한 체질로 바뀔 수 없다는 것입니다. 진정한 교회의 구조 조정은 인위적인 교회 성장 논리를 반성하고, 성경적인 교회 성장과 건강에 관심을 가질때 만이 가능합니다.

이 시대는 우리에게 새로운 패러다임의 전환을 촉구합니다. 오늘날 많은 목회자들이 열심히 주님의 지상명령을 따라 땅끝까지 복음을 전하려고 애쓰고 있습니다.

크리스티안 슈바르츠는 이러한 모습을 다음과 같은 예로 설명했습니다.

"짐이 가득 실린 손수레를 한 사람은 앞에서 끌고 다른 사람은 뒤에서 밀고 있습니다. 그런데 이 수레는 아주 힘겹게 굴러가고 있습니다. 왜냐하면 바퀴가 원형이 아닌 사각형이기 때문입니다."

오늘날 교회성장을 위해 뛰고 있는 많은 목회자들의 모습이 이와 비슷합니다. 누구나 교회성장에 대한 부담과 짐을 지고 있는 것은 비슷한데 다른 점이 있습니다. 그건 바로 그 짐을 싣고 있는 '수레의 바퀴'입니다. 사각형의 바퀴는 인위적이거나 다른 교회의 모델을 추구하는 교회의 현실을 상징합니다.

어떤 다른 단체보다도 특별히 변화에 저항적이고 둔감한 교회들은 갈수록 빨라지는 세상의 변화에 당황하고 있습니다. 이런 때일수록 교회는 자신의 모습을 되돌아보고 다시 성경의 원리로 돌아가야 합니다.

그런 의미에서 '두날개양육시스템'은 구체적이면서도 실제적인 원리를 제공합니다. 두날개양육시스템을 적용함으로 한국 교회는 예수님께서 의도하시고 사도행전에서 보여준 두날개로 날아오르는 건강한 교회가 되어갑니다.

즉, 대그룹의 예배와 소그룹의 공동체가 균형을 이룬 건강한 교회로 바뀔 뿐만 아니라 양적, 질적인 성숙의 전환기를 맞이할 수 있을 것이라고 믿습니다.


## 백릿길을 가는 사람의 신발끈 여미기

지금까지 저는 한국 교회에서 해 온 프로그램Program 중심의 목회에서 사람에게 관심을 두고 사람을 세워가는 지도력 중심의 프로세스Process 목회로 전환하는 것이 중요함을 설명했습니다.

두날개를 가진 건강한 교회를 세우는 데 있어 가장 중요한 것은 '건강한 평신도 사역자'를 세워가는 것이기 때문입니다.

한 사람의 건강한 평신도 사역자가 세워지기 위해서는 먼저 가치 변화를 경험해야 합니다. 가치가 변화되면 비전을 발견하며 그 비전을 추진해가는 열정적 영성으로 무장되어야 합니다. 가치 변화와 비전, 열정적 영성을 모두 갖춘 시스템은 다름 아닌 두날개양육시스템입니다.

우리 교회가 두날개로 날아오르는 건강한 교회가 된 것은 가치 변화와 비전, 열정적 영성을 갖춘 건강한 사역자들을 배출해내고 있기 때문입니다. 그것은 십 수 년간 제자비전을 붙들고 치열하게 몸부림치며 걸어온 제 목회에 하나님께서 주신 은혜이기도 합니다. 그러한 몸부림은 두날개양육시스템으로 정립되었습니다. 그렇기에 두날개양육시스템을 적용한 교회들마다 놀라운 변화와 부흥을 경험하면서 우리 풍성한 교회와 같은 두날개로 날아오르는 건강한 교회로 세워지는 것입니다.

물론 제자비전 목회가 쉬운 일이 아닙니다. 평신도를 양육하고 훈련하여 사역자로 세우는 것은 시간이 필요하며, 그에 합당한 대가를 치러야 합니다. 우리는 그러한 대가를 기꺼이 치르고자 열심을 다해 달려가고 있습니다.

중국 대나무 이야기에서 귀한 교훈을 얻습니다. 대나무는 종자를 심고 몇 년이 지나도 순이 잘 나오지 않습니다. 1년 또 1년, 그렇게 해서 몇 년 세월을 공들여도 좀처럼 움이 트지 않습니다. 이는 씨를 심어 놓은 사람을 무척이나 애타게 합니다.

그러다가 심은 지 5년째가 되는 해부터 순이 돋기 시작합니다. 그런데 놀라운 것은 그 순이 나온 날부터 한 달 반이란 짧은 시간에 대나무 꼭대기가 보이지 않을 정도로 높이 자란다는 것입니다. 경이적인 성장입니다. 자라는 것이 눈에 보일 정도로 정말 힘차게 성장합니다.

그렇다면 이 대나무를 키우는 데는 과연 어느 정도의 노력이 필요했을까요? 순이 돋고 나서부터 크기 시작했으니까 한 달 반 만에 이만큼 성장했다고 볼 수도 있을 것입니다. 그러나 사실은 이미 5,6년 전부터 눈에 보이지 않는 땅속에서 자라고 있었던 것입니다.

대나무가 성장하는 이치나 사람이 성장하는 이치, 혹은 교회가 성상하는 이치가 이와 같습니다. 믿음을 가지고 오늘을 열심히 투자하면서 끈질기게 한 우물을 파고 내실을 키운다면 지나간 해의 실패나 고통은 결코 짐이 될 수 없습니다. 일단 꽃을 피우면 대단히 큰 봉오리를 터트리게 됩니다. 우리가 강조하는 원리는 열매보다는 '뿌리'에 더 깊은 관심을 두라는 것입니다. 사람을 세워가는 일도 각각의 질적 특성과 깊은 관계를 맺고 있습니다. 행정적으로 사람을 묶어서 조직한다고 해서 되는 것이 아니고, 사람을 훈련시키고 준비시켜야 합니다.

건강한 성도가 건강한 교회를 만듭니다. 우리 교회가 건강한 교회로 소문이 난 후 어떻게 해서 그렇게 높은 점수가 나왔는지 알고 싶어서 우리 교회를 방문하거나 저를 초청하여 그 이야기를 듣고자 하는 교회가 많아졌습니다. 사실 저도 건강 지수가 최고라는 것이 믿기지 않습니다.

하나님께서 주신 비전을 붙들고 그저 한 목표를 향해 묵묵히 달려왔을 따름입니다. 하나님께서 저에게 주신 제자비전과 두날개로 날아오르는 건강한 교회를 꿈꾸며 목회를 시작할 때 신발끈을 단단히 여몄습니다. 제가 가야 할 길이 단 시간에 결과를 볼 수 있는 길이 아님을 알았기 때문입니다.

십릿길을 가는 사람과 백릿길을 가고자 하는 사람은 출발 자세부터 다릅니다. 이 제자비전의 목회가 백릿길을 가고자 하는 마음과 같다는 것입니다.

실제로 두날개양육시스템으로 건강한 교회를 만들어간다는 것은 어려움이 많았습니다. 그래서 속이 상하다 못해 드러눕기까지 할 정도였습니다. 한 사람 한 사람을 세워나간다는 것이 해산의 고통 없이는 불가능했기 때문입니다. 분명 양육을 받아 변한 것 같은데 다시 제자리로 돌아가는 성도들의 모습을 볼 때 심장을 도려내듯이 아팠습니다. 어떤 때는 그만두고 싶을 때도 있었습니다.

일주일 네다섯 번의 양육과 설교, 여러 가지 업무가 과중되어 체력의 한계를 느끼기도 했습니다.

하지만 그런 과정에서 세워진 제자들의 모습은 그 모든 시름과 아픔을 모두 잊게 했습니다. 아니, 훌륭하게 성장하여 제 몫을 하고 있는

326

제자들을 볼 때 맛보는 기쁨은 세상의 어떤 것과도 비교할 수 없었습니다.

이제는 저와 나란히 교회의 일꾼으로 세워져 중직을 감당하고 있는 그들은 저의 가장 귀한 보배이며 생명의 면류관입니다.

세계비전제자대학 3기 졸업식 날, 한 자매가 낭송한 답사를 잠시 소개할까 합니다.

졸업여행 때의 일이 떠오릅니다. 깊은 겨울이라 앙상하던 나무들과 그로 인해 황량해 보이던 겨울산, 그 겨울산은 양육과 훈련을 받기 전 우리들의 모습을 생각나게 했습니다. 예수를 믿는다고 하지만 삶의 목표를 찾지 못해 방황하던 우리들의 앙상하던 모습 말입니다.

그렇습니다. 처음 예수 믿고 그 감격에 밤잠을 설치던 것이 엊그제 같은데, 어느새 환경과 사람들 그리고 자신의 못난 모습 때문에 감격을 잃어버리고, 때로는 마지못해, 누군가의 이끌림에 의해 억지로 끌려 다니기도 하는 어린아이였습니다. 그래서 자주 넘어져 목사님을 안타깝게 했고 스스로에게 실망하곤 했습니다.

그런 우리에게 세계비전제자대학은 너무나 큰 도전이었습니다. 앞선 선배들의 간증과 변화된 놀라운 모습을 옆에서 지켜보며, '세계비전제자대학에서 훈련만 받는다면 나도 저렇게 멋있게 변할 수 있겠구나' 하는 기대감에 부풀기도 했습니다.

제자대학 첫 시간, 그 시작의 설렘이 생각납니다. '나도 이제 세계비전제자대학생이 되었구나' 하는 뿌듯함과, '과연 잘 해낼 수 있을까?'라는 두려움….

실제로 훈련받는다는 것은 쉬운 일이 아니었습니다. 갖가지 유혹과 집안의 반대!

하지만 가장 우리를 힘들게 했던 것은 쉽게 변화되지 않는 '자신'이었습니다. 그래서 중도에 포기하려고 몇 번이나 마음을 먹었지만, 그럴 때마다 우리를 붙들었던 것은 목사님의 기도와 눈물이었습니다. 피곤하신 몸을 이끌고, 주일 설교 준비로 가장 중요한 토요일 오후를 우리에게 쏟으며 생명을 다하시는 모습에 마음을 돌이키곤 했던 것입니다.

"2천2만 세계비전을 이루는 그날까지 함께 달려가야 한다, 세계비전은 바로 우리 3기들의 손에 달려 있다, 우리가 바로 역사의 주인공이다"라며 피를 쏟듯 양육하고 눈물로 축복해 주시던 목사님의 모습은 아직도 우리의 가슴속에 선명합니다.

앞선 선배들이 그러했듯 우리 3기생 역시 오늘 이 자리가 졸업이 아닌 또 다른 출발의 장임을 잘 압니다. 그동안 눈물로 양육하셨던 제자의 삶이 지금부터라는 것을 새삼 다짐합니다. 또한, 우리 역시 훌륭한 리더로, 교회의 가장 충성된 일꾼으로 이제 우리의 몫을 다할 것입니다. 그래서 가장 자랑스러운 목사님의 면류관이 되겠습니다.

사랑하는 목사님, 우리가 목사님께 받은 그 사랑에 대한 감사의 마음을 어떻게 이 자리에서, 이 짧은 시간에 다 표현할 수 있겠습니까? 저희의 온 생애를 두고 생명을 다해 충성하겠습니다.

며칠 전 졸업을 앞둔 아쉬운 마음에 그동안 배웠던 바인더를 한 장씩 들춰 보았습니다. 하지만 그 바인더를 끝까지 볼 수가 없었습니다. 한 장 한 장에 묻어 나오는 목사님 당신의 사랑 때문이었습니다. 그리고 그 시간들은 우리 삶에서 가장 행복한 시간들이었기 때문입니다.

목사님 사랑합니다. 당신이 생명을 다하셨듯이 우리도 생명을 다해 달려갈 것입니다.
주님 오실 그날까지 말입니다.

1999년 2월 27일
세계비전제자대학 3기 일동

우리 교회를 소개하면서 많은 지면을 사역자를 세우는 지도력에 할애했습니다. 왜냐하면 결국 가장 중요한 것은 '사람'이기 때문입니다. 그냥 교회만 다니며 봉사하는 성도가 아니라 훈련된 제자가 중요합니다.

우리 교회의 건강 지수가 높은 것은 바로 훈련된 제자들이 요소요소에서 교회를 건강하게 이끌어 가고 있으며 같은 말, 같은 마음, 같은 뜻을 가지고 같은 열매를 맺으며 달려가는 생명의 공동체이기 때문입니다.

그리고 앞으로도 우리는 변함없이 "가서 모든 족속으로 제자 삼으라"는 주님의 명령에 따라 땅끝까지 복음을 전하고 양육하고 훈련하여 파송하는, 2천2만 세계비전을 이루기 위해 주님이 오시는 그날까지 생명을 다해 달려갈 것입니다.

요즘 우리 교회에서 즐겨 부르는 〈주님 다시 오실 때까지〉라는 찬양은 마치 우리의 비전을 그대로 대변해주는 가사여서, 이 찬양을 부를 때마다 저와 우리 풍성한 가족들은 목이 메어옵니다.

주님 다시 오실 때까지 나는 이 길을 가리라
좁은 문 좁은 길 나의 십자가 지고
나의 가는 이 길 끝에서 나는 주님을 보리라
영광의 내 주님 나를 맞아주시리
주님 다시 오실 때까지 나는 일어나 달려가리라
주의 영광 온 땅 덮을 때 나는 일어나 노래하리
내 사모하는 주님 온 세상 구주시라
내 사모하는 주님 영광의 왕이시라

사람을 세운다는 것이 결코 쉬운 일이 아닙니다. 하지만 이것이 우리의 비전이기에 우직하고 충성스럽게 달려가면 땅끝에서 우리는 주님의 영광을 볼 것입니다.

간절히 바라기는 이 땅의 모든 주님의 교회가 성경적이고 건강한 교회가 되어, 두날개로 힘차게 하늘 높이 날아올라 하나님의 임재 앞에 이르고 하나님의 뜻을 이 땅에 이루기를 소원합니다.

# 두날개로 날아오르는
# 건강한 교회를 세우는 도서

### 복음의 절대 능력

복음은 인생의 모든 문제를 해결하신 예수 그리스도의 십자가 승리다. 강력한 믿음의 사람으로 변화되는 영적 대혁명의 핵심인 복음의 절대 능력을 이 책에서 만날 수 있다.

### 두날개를 말하다

두날개교회의 성경적 근거와 교회사적 배경을 제시한 교회론이며, 목회 현장과 신학의 균형을 이룬 두날개교회의 지침서이다.

### 두날개로 날아오르는 건강한 교회 (개정증보판)

하나님이 디자인하신 성경적인 교회의 모델을 보여주는 교과서와 같은 책이다. 건강한 교회, 이제 선택이 아니라 사명이다.

### 세상에서 가장 건강한 풍성한교회 이야기(수정판)

평신도를 영적인 군사로 세우기 위해 눈물로 밤을 지새며, 해산의 수고를 아끼지 아니한 김성곤 목사와 풍성한교회 성도들의 헌신과 열정, 그 감동의 노래.

### 독수리처럼 날다

한발 한발 힘들게 오를 것인가, 독수리처럼 멋지게 날아오를 것인가? 세상을 초월해서 독수리처럼 자유롭게 하늘을 나는 믿음의 사람들 이야기이다.

### 사랑이야기

짧은 이야기와 영감이 넘치는 그림으로 구성된 이 책은 더 깊고 단단한 신앙을 위해 반드시 잊지 말아야 할 이야기들로 가득하다. 이 책은 아름다운 동행을 시작하는 사람들에게 감동과 희망의 메시지를 전한다.

### 나실인의 비밀

하나님은 당신을 이 시대의 영적 나실인으로 부르신다. 나실인의 특별한 비밀을 세밀하게 가르쳐 주시고, 한없는 사랑으로 당신을 책임지신다.

### 네가 나를 사랑하느냐

"네가 나를 사랑하느냐"라는 예리한 질문을 던짐으로써 거룩한 사명감으로 열린모임을 인도하는 이들과 사명과 비전을 찾기 원하는 크리스천들에게 사랑과 용기의 메세지를 전한다.

### 인생정복

우리 인생의 여러 가지 난제들을 하나씩 정복해 나가는 탁월한 리더십과 지혜를 터득해보자. 인생의 어떤 문제든지 반드시 정복된다.

### 두날개 비전 I

두날개양육시스템을 적용한 교회들의 은혜와 성령의 감동일지. 뜨겁고 강력한 말씀과 성령의 역사를 경험한 10개 교회의 체험 사례이다.

### 두날개 비전 II

성도와 교회를 건강하게 세워 세상에서 가장 행복한 성도, 목회자, 교회라고 고백케 만드는 두날개양육시스템. 이를 적용한 교회들의 두 번째 이야기이다.

### 나는 슈퍼셀리더입니다

진정한 삶의 의미와 가치를 발견하게 하는 슈퍼셀리더들의 순전한 간증인 이 책을 통해 신앙이 회복되고 주님의 제자로 당당하게 변화될 것이다.

### 목사라서 행복합니다
'두날개양육시스템'으로 변화된 목회자들의 이야기. 다양하고 은혜로운 적용 사례들을 통해 '두날개양육시스템'을 적용하길 원하는 교회들에게 큰 도움이 될 것이다.

### 마음껏 꿈을 펼쳐라
지극히 평범했던 보통 사람으로서 삶을 시작한 열다섯 영웅들의 이야기를 통해 마음 속의 꿈을 현실로 변화시킬 수 있는 열다섯 가지 영감을 얻게 될 것이다.

### (온 가족이 함께 읽는) 천로역정
'멸망의 도시'에서 살았던 '크리스천'이 모든 유혹과 어려움을 물리치고 천국에 도착하는 과정을 풀어낸 이야기다. 주인공의 모습을 통해 이 시대의 크리스천들이 어떻게 살아가야 하는지 보여준다.

### 기도수첩
하나님의 은혜를 경험하는 기도수첩. 우리 모두에게 하나님의 기적이 찾아옵니다! 기도하면 놀라운 일이 생깁니다

● 인생정복
● 두날개로 날아오르는 건강한 교회
● 한권으로 읽는 두날개 양육시스템

### 목회 레시피
두날개양육시스템을 적용한 13명 목회자들의 생생한 이야기를 담은 이 책은 자신의 목회 현장에서 어떻게 두날개양육시스템을 적용했는지 구체적인 사례와 그 변화를 소개한다.

### 예수님이라면 어떻게 하실까
다양한 계층의 사람들이 살아가면서 부딪치는 환경과 사건들 속에서 '예수님이라면 어떻게 하실까?'라는 질문에 따라 변화되어가는 모습을 그린 이야기다.

### 청소년을 위한 인생정복
인생의 문제들을 하나씩 정복하도록 돕는 이 책은 청소년을 위한 탁월한 인생교과서이다. 세상의 가치관에 빠지기 쉬운 청소년 시절에 위대한 하나님의 사람으로 성장하도록 돕는다.

### 2012 두날개 플래너
매일매일 개인의 신앙을 점검하고 하나님의 계획을 발견하여 신앙과 사역, 삶의 균형을 돕는 플래너이다.

### 두날개 핸드북 카드
소책자와 엽서, 봉투로 구성되어 있어 초신자와 새신자, 셀가족들에게 선물하기 좋다. 또한 소책자이기 때문에 가방에 넣고 다니며 손쉽게 읽을 수 있다.

---

## 양육교재   전도

### 열린모임 비전
열린모임은 3~4명이 팀을 이루어 한 지역을 거점으로하여 누룩처럼 겨자씨처럼 그 지역을 장악해가는 성경적인 소그룹 침투전도다. 이 책은 열린모임의 비전을 제시한 양육교재이다.

### 열린모임 실행 I
전도소그룹 열린모임은 12주로 진행되며 개인전도의 어려움을 극복하게 하는 팀전도이며, 침투전도이며 관계를 맺어 전도하는 소그룹 전도법으로 이 책은 열린모임 실행교재이다.

### 열린모임 실행 II
열린모임은 주님과 사도바울의 전도방법이었으며 또한 21세기 포스트모던시대의 전도대안이다. 이 책은 열린모임을 지속적으로 열어갈 수 있도록 돕는 실행교재이다.

### 열린모임 실행지침서
12주로 진행되는 전도소그룹 열린모임은 한 지역을 거점으로 누룩처럼, 겨자씨처럼 그 지역을 장악해가는 성경적인 소그룹 침투전도이다. 12주 열린모임 전략을 실행하게 하는 지침서이다.

## 정착

**새가족섬김이학교**
교회에 온 새가족만 확실히 정착시켜도
교회는 성장한다. 새가족이 낯선 분위기
에서 빨리 벗어나 한가족이 될 수 있도
록 돕는 새가족 섬김이 실행교재이다.

**새가족섬김이 사역 실행지침서**
새가족 정착은 교회성장과 직결된다.
교회 안에 전도되어 온 새가족의 정착
을 고민하는 목회자와 새가족 섬김이를
위한 새가족 섬김이사역의 실제적인 방
법과 원리들이 소개된 실행가이드이다.

## 양육

**전인적치유수양회**
하나님의 은혜에 이르지 못하게 하는
내면의 쓴뿌리와 견고한 진이 어떻게
시작되었는지 말씀으로 진단하고 말씀
과 성령으로 치유받고 회복되게 하는
전인적치유수양회 교재이다.

**양육의 기쁨**
체계적인 양육은 10년 신앙생활 한 것
보다 더 많은 변화를 가져온다. 애벌레
신앙에서 화려한 나비로, 삼류신앙에서
일류신앙으로 탈바꿈하도록 돕는 양육
교재이다.

**양육의 기쁨 가이드**
교회 안에 많은 젖먹이를 양육하여 그
리스도의 일꾼으로 세우고자 몸부림치
는 양육자들에게 양육반 운영의 실제적
이며 체계적인 방법을 소개한 실행가이
드이다.

**당신의 은사로 사역하라**
평신도 사역은 건강한 교회의 척도이
다. 평신도를 사역의 주체로 세워주는
은사배치사역 교재이다.

**은사배치사역 가이드**
건강한 교회는 자신의 은사를 알고 은
사에 따라 섬기는 평신도 사역자가 많
은 교회이다. 평신도 사역의 꽃을 피우
는 은사배치사역 가이드이다.

## 제자훈련

**제자의 삶**
그리스도의 주인되심(Lordship)을 인정
하고 제자로의 부르심을 깨닫고 그 부
르심에 순종하여 달려가는 헌신된 제자
로, 열린모임 인도자로 훈련하는 제자
대학 1학기 양육교재이다.

**제자의 삶 가이드**
일꾼은 태어나는 것이 아니라 만들어지
는 것이다. 이 책은 제자로의 부르심을
깨닫고 순종하며 성령충만한 제자의 삶
을 살도록 돕는 제자의 삶 실행지침서
이다.

**중보기도학교**
성경이 말하는 중보기도의 가치를 발견
하고 하나님이 기뻐하시는 중보기도자
로 거듭나도록 훈련하는 교재이다.

**중보기도학교 가이드**
건강한 교회의 심장은 중보기도이다.
이 책은 중보기도의 가치를 발견하고
하나님이 기뻐하시는 중보기도자로 훈
련하는 중보기도학교 실행지침서이다.

## 군사훈련

### 군사의 삶 I
비록 어렵고 힘든 일이 생긴다 할지라도 사생활에 매이지 않고 초지일관 비전을 향해 달려가는 그리스도의 군사로 훈련하는 제자대학 2학기 양육교재이다.

### 군사의 삶 II
군인에게 영적침체란 사치스운 것이다. 작은 목자요, 셀그룹 리더로, 영적인 아비로 세워져 다른 이를 섬기도록 훈련하는 제자대학 2학기 양육교재이다.

### 군사의 삶 가이드
용장밑에 약졸은 없다. 이 책은 군사로 부르심을 깨닫고 비전을 이루기 위해 생명을 건 군사의 삶을 살도록 훈련하는 실행지침서이다.

### 리더수양회
하나님의 부르심은 부담이 아니라 축복이다. 셀리더로, 역사의 주역으로 부르셨다는 것을 자각하고 그 부르심에 응답하는 삶을 살게 하는 리더 수양회 교재이다.

## 재생산훈련

### 재생산의 삶 I
'가서 모든 족속으로 제자 삼으라'는 주님의 지상명령을 이루기 위해 제자도와 세계비전을 가지고 재생산의 삶을 살도록 훈련하는 제자대학 3학기 양육교재이다.

### 재생산의 삶 II
셀그룹의 진정한 열매는 또다른 셀그룹이다. 자신이 셀리더가 되어 또 다른 셀리더를 세우는 재생산 사역자가 되도록 훈련하는 제자대학 3학기 양육교재이다.

### 재생산의 삶 가이드
주님의 지상명령을 감당한 초대교회 사도와 같은 사역과 삶을 살도록 훈련하는 재생산의 삶 실행지침서이다.

### 선교비전학교
선교비전학교는 현지인을 전도하여 재생산사역자로 세우고 또한 성도들을 직접 가거나 보내는 사역을 감당하게 하여, 세계 선교의 주역으로 세워주는 교재다.

### 선교비전학교 가이드
세계선교의 긴박성과 사명, 전략을 제시하는 선교비전학교의 실제적인 운영방법과 그에 필요한 풍부한 자료들이 수록되어 있는 실행지침서이다.

---

### 청소년양육교재    해피스쿨

**청소년 열린모임 해피스쿨 I, II /청소년 열린모임 실행지침서**
해피스쿨은 청소년들로 하여금 학교 속으로 파고드는 열린모임 전도방법을 알려준다. 청소년 열린모임은 침체되어 있는 한국교회 중고등부에 탁월한 전도 대안이 될 것이다.

### 체인징스쿨

**난 새로워질 거야(학생용, 교사용)**
체인징스쿨은 청소년들의 영적인 기초를 세우며 그리스도의 장성한 분량으로 성장할 수 있도록 돕는 양육교재이다.

## 미라클캠프

**미라클캠프**

청소년들이 가진 내면의 상처와 쓴뿌리를 복음의 능력으로 치유하며, 하나님의 자녀로 당당하게 살아갈 수 있도록 자존감의 회복을 돕는 미라클캠프 교재이다.

## 서번트스쿨

**새친구는 섬김이가 필요해**
(학생용, 교사용)

낯설어 하는 새친구가 교회에 잘 정착할 수 있도록 매주 3명의 친구를 소개시켜 주는 새친구섬김이 사역 실행교재이다.

## 비전스쿨1

**난 제자가 될 거야!(학생용, 교사용))**

세상의 가치관 속에서 혼란스러워하는 청소년들에게 하나님나라 가치관을 심어 예수의 제자로 부름 받았음을 깨닫게 하고 이에 합당한 삶을 살 수 있도록 돕는 교재이다.

## 비전스쿨2

**난 비전을 가질 거야!(학생용, 교사용)**

청소년들의 가슴에 세계비전을 심어주고 이 비전을 이루기 위해 어떻게 살아가야 하는지를 돕는 교재이며, 말씀과 성령의 능력으로 변화된 열린모임 인도자로 훈련한다.

## 비전스쿨3

**난 리더가 될 거야!(학생용, 교사용)**

성경적인 리더십을 배우며 학교 뿐아니라 세상에서 영향력을 끼치는 차세대 지도자로 세워지도록 돕는 훈련이다. 또 다른 열린모임 인도자를 세우는 삶을 살도록 훈련한다.

## 제자 플래너

양육 기간 중 수레바퀴의 삶을 점검하며 설교요약 및 적용, 기도제목, 열린모임 진행상황을 체크할 수 있도록 만들어진 플래너이다.

---

**어린이 양육교재**　　해피키즈 1, 2, 3, 4 / 해피키즈 실행지침서

〈해피키즈〉는 어린이들이 친구들과 관계를 맺으며 복음을 전하는 어린이 전도소그룹 열린모임 교재입니다.
* 〈해피키즈〉는 풍성한교회 아동부가 17년 동안 적용한 탁월한 교재입니다.

---

**큐티지**

**셀라이프 (격월간)**

셀가족이 말씀묵상을 통하여 셀 생활이 될 수 있도록 이끌어 주며 셀모임때에는 셀그룹 교재로 활용되는 큐티 매거진이다.

**유스셀라이프 (격월간)**

십대들의 영적 삶을 위해 그들의 눈높이에서 하나님 말씀을 깨닫고 하루하루 적용해 가도록 도와주는 십대들을 위한 격월간 큐티 매거진이다.

---

**두날개** 　편집부 T.031-900-8885 **영업부** T.070-8230-8366 **두날개개몰** T.051-507-7661 www.dngmall.com
도서출판 두날개는 하나님이 디자인하신 건강한 교회가 이땅에 세워지도록 문서선교사역을 담당하는 출판사입니다.